si l'union nationale m'était contée...

Mario Cardinal • Vincent Lemieux • Florian Sauvageau

si l'union nationale m'était contée...

LES ÉDITIONS DU BORÉAL EXPRESS
C.P. 418, Station Youville, Montréal

La plupart des textes de ce livre sont tirés de la
série d'émissions réalisées par Ellio Lumbroso et
présentées à la radio de Radio-Canada à l'été 1976.
Les auteurs remercient la société Radio-Canada de
leur avoir accordé la permission de les utiliser.

Photo de la couverture: Jean-Pierre Laforêt

A la mémoire de Jean-Charles Bonenfant,
un conseiller toujours présent.

INTRODUCTION

Des témoignages, voilà ce que contient ce livre. Des témoignages recueillis auprès de personnes qui ont vécu ou qui ont observé l'Union nationale, de sa fondation en 1935 jusqu'à nos jours. Des témoignages, dont le caractère d'authenticité vient, dans la bibliothèque des ouvrages scientifiques sur l'Union nationale, jeter un éclairage plus humain, à l'image de ce parti qui fut davantage un parti d'hommes que de programmes ou même d'idées.

Ces témoignages ont d'abord fait l'objet d'une série de quatorze émissions d'une heure chacune à la radio de Radio-Canada. C'était à l'été 1976. L'idée d'une telle série était née en 1974, alors que l'Union nationale semblait, aux yeux de bon nombre d'observateurs, vouée à la disparition. A l'élection du 29 octobre 1973, elle avait été chassée de l'Assemblée nationale. A ceux-là qui négligeaient de considérer l'enracinement profond de l'Union nationale dans certaines régions du Québec, il sembla que le parti de M. Duplessis avait fait son temps. Au chapitre du nationalisme, qui fut longtemps le cheval de bataille de l'Union nationale, l'idée de l'autonomie cédait le pas à celle de la souveraineté et l'Union nationale devait s'effacer devant le Parti québécois. Sur le plan des politiques sociales et de l'administration publique, la philosophie et les pratiques de l'Union nationale apparaissaient beaucoup trop conservatrices pour s'adapter à une société québécoise en pleine mutation. En outre, le parti n'avait plus de chef. Bien plus, aucun homme public un tant soit peu prestigieux n'aspirait à en devenir le chef.

Pourtant, l'émission «Si l'Union nationale m'était contée» n'a pas voulu n'être qu'un *post-mortem*. Il se trouvait encore certains observateurs qui croyaient à une renaissance du parti, qui s'accordaient à dire que l'élection de 1973 avait pris l'allure d'un référendum et que la polarisation de l'électorat entre les péquistes et les libéraux de Robert

Bourassa n'était qu'un phénomène circonstantiel. Selon eux, la victoire de Maurice Bellemare à l'élection complémentaire de Johnson, à l'été 1974, indiquait assez qu'elle n'était pas éteinte, cette couche unioniste qui avait maintenu le parti au pouvoir jusqu'en 1960 et qui avait fait élire Daniel Johnson en 1966.

Au printemps 1974 donc, Maurice Bellemare assumait la direction de l'Union nationale sur une base intérimaire, maintenant contre vents et marées qu'un jour un homme au nom prestigieux viendrait prendre la relève et reconduire le parti au pouvoir. Rodrigue Biron était alors totalement inconnu des milieux politiques, y compris celui de l'Union nationale. Pourtant, le 23 mai 1976, il était élu chef et, six mois plus tard, il faisait élire 11 députés à l'Assemblée nationale.

L'Union nationale est redevenue une réalité politique au Québec. Si nous considérions utile le document radiophonique de l'été 1976, il va de soi qu'aux yeux de l'histoire les témoignages alors recueillis prennent une importance particulière à la suite de la réhabilitation officielle de Maurice Duplessis en septembre dernier et de la volonté affirmée de M. Biron de respecter les orientations originales de son parti.

Cette collection de témoignages est d'abord le résultat d'une démarche journalistique. Elle a été maintenue dans sa forme originale, mises à part les adaptations imposées par la présentation écrite. Les témoignages recueillis aux fins de la série radiophonique étaient, dans certains cas, beaucoup plus élaborés que peuvent le laisser croire les éléments retenus. Face à un texte écrit, certains témoins ont eu l'impression que des points importants soulevés durant les entrevues, dont certaines ont duré deux heures, ont été négligés, que des nuances importantes ont été sacrifiées aux impératifs de la production. Ainsi, Son Éminence le Cardinal Maurice Roy a jugé à propos de reformuler certaines de ses réponses, sans cependant en modifier la substance. MM. Jean Lesage et René Lévesque ont apporté à leurs interventions quelques corrections formelles; pour sa part M. Jean-Noël Tremblay a déploré que les éléments retenus de son témoignage soient trop fragmentaires et n'indiquent pas vraiment le rôle important qu'il a joué durant plusieurs années dans l'évolution de la pensée nationaliste de l'Union nationale. Ce dont nous convenons. Le dernier chapitre, consacré à l'avenir de l'Union nationale, a été mis à jour, de façon à actualiser la position de M. Biron vis-à-vis des événements récents. La démarche journalistique fait aussi place, en conclusion, à celle de l'universitaire. En ce sens, ce livre constitue aussi une tentative que la série radiophonique avait d'abord permise, la jonction du travail de journalistes et d'un politicologue, la rencontre du reportage et de l'analyse politique.

PREMIÈRE PARTIE :
L'HISTOIRE

Maurice Duplessis accueille le général Montgomery à Québec, le 27 août 1946. (Société des Amis de M. Duplessis)

CHAPITRE PREMIER
LES ANNÉES TRENTE

Maurice Duplessis à la tête de son premier cabinet, le 12 septembre 1936. (Société des Amis de M. Duplessis)

L'Union nationale aura marqué plus de quarante ans d'histoire politique au Québec. L'Union nationale, c'est toute une époque: celle des oeufs communistes, du gaz naturel, de l'enquête Salvas, de la grève de l'amiante, de l'autonomie provinciale et plus récemment de la loi 63. M. Jean-Charles Bonenfant, secrétaire de Maurice Duplessis de 1937 à 1939, et Me Noël Dorion évoquent les débuts de cette époque.

J.-C. Bonenfant. L'Union nationale est née de la réunion de deux groupes qui, au milieu des années trente luttaient contre le gouvernement libéral dirigé par M. Taschereau. Le Parti libéral était au pouvoir sans interruption depuis 1897. Pendant toute cette période, l'opposition conservatrice proprement dite a été très très faible ; il y a eu des élections où les libéraux étaient élus le jour de l'appel nominal. Les conservateurs étaient faibles dans le Québec plus souvent pour des raisons fédérales.

Les conservateurs ont repris de la force lorsque Maurice Duplessis a été élu chef du parti au congrès de Sherbrooke. A ce congrès, Maurice Duplessis avait été opposé — c'est assez intéressant de le rappeler — à M. Onésime Gagnon qui représentait les conservateurs fédéraux. M. Duplessis, lui, tout en étant légèrement attaché au Parti conservateur fédéral, n'avait pas fait beaucoup de politique fédérale.

N. Dorion. Bennett était au pouvoir à ce moment-là. Et Bennett était très centralisateur ; c'est une des raisons pour lesquelles, on ne prisait pas le Parti conservateur, même ceux qui, comme moi, avaient fait campagne pour lui. (Un de mes frères était député du comté de Québec à Ottawa.) Armand Lavergne, en particulier, ne prisait plus du tout Bennett. Armand Lavergne sera un de ceux qui aideront puissamment Duplessis à se faire élire au congrès de Sherbrooke.

F. *Sauvageau*. Vous étiez un des organisateurs de M. Duplessis à ce congrès et vous avez eu à faire face à la machine du Parti conservateur, qui désirait plutôt faire élire Onésime Gagnon...

N. Dorion. La machine du Parti conservateur à ce moment-là était devenue assez impuissante; nous étions à la veille de la chute de Bennett. Onésime Gagnon était l'homme d'Ottawa. D'ailleurs, je pense que Gagnon avait commencé son discours par une espèce de profession de foi à l'endroit de son chef d'Ottawa.

Vous me faites penser à quelque chose d'assez intéressant : je me souviens qu'il a été extrêmement difficile, après son élection, de faire consentir Duplessis à accepter une résolution de sympathie à l'endroit du gouvernement conservateur. D'ailleurs les termes de la résolution étaient tellement édulcorés que ça ne voulait à peu près rien dire.

F. *Sauvageau*. Ainsi, lorsqu'on prétend que le nationalisme de Duplessis n'était que de la stratégie, vous n'êtes pas du tout d'accord.

N. Dorion. Non, non! loin de là. Ce petit fait que je vous signale en est un indice. C'est d'ailleurs pour cette raison que Armand Lavergne lui-même, qui était député conservateur fédéral, s'est rallié à Duplessis. Et je me rappelle encore la finale de son discours au congrès de Sherbrooke : «Ouvrez-lui les portes de la gloire, il en est digne.»

Il est peut-être intéressant de rappeler ici qu'Armand Lavergne, député d'abord libéral puis conservateur à Ottawa, fut l'un des adversaires les plus acharnés de la conscription pendant la Première guerre mondiale.

J.-C. Bonenfant. Je crois que les conservateurs seuls auraient eu beaucoup de difficultés à vaincre les libéraux de M. Taschereau, qui avaient des ramifications dans tous les domaines de la société; c'était un parti qui était vraiment bien établi.

Pour expliquer la défaite des libéraux, il faut tenir compte d'un autre facteur. A partir de 1933-34, à l'intérieur même du Parti libéral, il y a des jeunes turcs qui se sont réveillés. Les plus connus étaient Paul Gouin et Jean Martineau. Ces gens-là ont commencé à protester à l'intérieur du parti, puis à demander des transformations. Ils étaient assez encouragés par les libéraux fédéraux, en particulier par les libéraux de M. Lapointe. Et ils ont formé finalement l'Action libérale nationale.

Le programme de ces libéraux dissidents s'inspirait largement des travaux de l'École sociale populaire et des Semaines sociales, alors animées par les Pères jésuites. L'un des militants de l'Action libérale nationale, M. Wheeler Dupont, rappelle le rôle de Paul Gouin.

W. Dupont. Notre ami Paul Gouin et quelques autres participaient de temps en temps à ces Semaines sociale. Paul Gouin réunissait chez lui des gens qui étaient considérés comme les principaux artisans des Semaines sociales; Esdras Minville entre autres.

Ils dénonçaient le manque de vigueur du parti, son manque d'ouverture intellectuelle; ils trouvaient que le Parti libéral n'était pas adapté aux circonstances difficiles dans lesquelles nous vivions. Circonstances difficiles, évidemment joliment agrandies du fait de la crise économique. Ces libéraux mécontents ne voulaient pas la mort du Parti libéral. Effectivement, ils voulaient créer l'Action libérale tout court, ils voulaient relibéraliser le parti par en dedans, chasser les anciens du parti, puis les remplacer. Ils ont d'abord tenté d'orienter le Parti libéral vers de grands changements au point de vue politique. Dans un premier temps alors, c'était l'Action libérale. Et puis il fallait aller chercher non seulement des libéraux mécontents, qui étaient nombreux, mais possiblement aussi des conservateurs mécontents d'être toujours dans l'opposition, ou qui avaient l'esprit ouvert et qui désiraient que leur parti puisse enfin atteindre le pouvoir et mettre en pratique leurs idées.

F. Sauvageau. **En fait, il s'agissait de changer, de faire bouger un parti qu'on considérait comme sclérosé.**

W. Dupont. Parfaitement. C'est exactement cela.

F. Sauvageau. **Est-ce qu'il n'y avait pas aussi la volonté de créer un mouvement beaucoup plus nationaliste que ne l'était le Parti libéral à ce moment-là.**

W. Dupont. Oui. Je pense qu'à Québec, du moment qu'on veut faire quelque chose pour la majorité canadienne-française, il faut que le gouvernement soit nationaliste. Sans ça, il n'est rien, il suit la finance qui est, elle, anglo-saxonne dans la province de Québec.

F. Sauvageau. **Et, justement, c'était la naissance d'un certain nationalisme économique très fort, avec le docteur Hamel...**

W. Dupont. A ce moment-là, le docteur Hamel n'a pas pu entrer immédiatement dans le parti parce qu'il faisait la lutte aux trusts, puis il trouvait qu'il en avait assez. Mais un an plus tard, il est devenu membre du parti avec son ami intime, René Chaloult, et avec Grégoire, qui entre-temps s'était fait élire maire de la ville de Québec.

L'Union nationale va naître d'une alliance éléctorale entre le Parti conservateur de Duplessis et l'Action libérale nationale de Paul Gouin.

J.-C. Bonenfant. Pour les élections provinciales du 25 novembre 1935, il y a eu une entente entre les deux groupes afin de se partager les candidatures. C'est-à-dire que dans telle circonscription, le seul candidat d'opposition était un conservateur de M. Duplessis, et dans d'autres c'était un membre de l'Action libérale dirigée par M. Gouin. C'est ça le début de l'Union nationale.

A ce moment-là, de nombreuses tractations ont lieu entre conservateurs et membres de l'Action libérale nationale. L'un des témoins, l'ancien maire de Montréal, M. Adhémar Raynault, explique d'où est venue l'idée d'une alliance entre les deux groupes.

A. Raynault. Elle a germé chez Duplessis d'abord, parce qu'il avait absolument besoin de ça pour aller au pouvoir. Duplessis a été habile. On ne peut pas dire qu'il était habile partout — dans l'administration c'est une autre affaire — mais il était un habile manoeuvrier politique.

Dans l'Action libérale nationale, j'étais un de ceux qui prônaient l'alliance avec Duplessis. Paul Gouin me disait: «Qu'est-ce qu'on va faire? Si on avait Duplessis avec nous, les deux, on serait forts.» Mais je crois que Gouin connaissait mieux Duplessis que moi; il voyait mieux le danger qu'il courait, lui. Il était le moins pressé de tout le groupe, parce que c'était un homme calme, pondéré et qui avait un bon jugement. Puis, je crois bien qu'il voyait d'avance qu'il attelait mal avec Duplessis — excusez-moi l'expression, mais on dit atteler, c'est une expression canadienne: ils ne tirent pas ensemble. — Cependant, il a fini par accepter notre idée.

A un moment donné il me téléphone pour me demander de me rendre à Saint-Adolphe, dans un club qu'il y avait là dans le bois: «On va avoir la réunion avec Duplessis pour enfin examiner la possibilité d'une union.» «Bon, j'y serai.» Je me suis fait conduire là. Mais, arrivé à l'endroit: pas de Duplessis! Il avait envoyé ses représentants.

F. Sauvageau. Est-ce bien au cours de cette réunion dans le nord de Montréal que furent posées les fameuses conditions: Duplessis allait devenir premier ministre et Gouin allait choisir, lui, les ministres?

A. Raynault. C'est bien ça. Ç'a été décidé là.

F. Sauvageau. Une chose n'est pas encore claire: qui a pris l'initiative de cette rencontre? Est-ce l'Action libérale nationale ou M. Duplessis?

A. Raynault. L'initiative a originé, j'en suis sûr, dans la tête de Duplessis.

Comment voyait-on les choses du côté conservateur? L'un des amis de M. Duplessis et organisateur du parti, M. Jean Mercier, en parle.

J. Mercier. Je travaillais avec des amis; on allait à Chicoutimi pour tâcher de trouver un candidat du Parti conservateur, ou causer avec eux pour voir quelle était la mentalité, ce qu'ils désiraient, s'ils étaient satisfaits de la politique telle que la préconisait Duplessis, etc. En Gaspésie ou ailleurs, nous avions partout une demande incessante: «Mais qu'est-ce que ça va faire l'Action libérale d'un côté puis nous autres de l'autre? Faudrait une union entre les deux.»

Et nous revenions, puis je disais ça à M. Duplessis, on en parlait. Mais, lui il disait: «Après tout, ils n'ont qu'à entrer dans notre parti. Ils ne sont pas contents des libéraux, bien alors qu'ils viennent frapper à notre porte, ils prêchent la même chose que nous autres.» Il y eut beaucoup beaucoup de pourparlers qui ne faisaient qu'agacer Duplessis. C'était Gouin que Duplessis devait rencontrer.

Je me rappelle que ce jour-là du mois de novembre, j'étais à notre bureau de l'organisation et je recevais du monde. Je voulais travailler mais tout le monde m'achalait avec la question de la réunion des deux oppositions. Je disais: «Duplessis y travaille, Duplessis le veut, mais est-ce que ça va se faire? Il faut le consentement de deux pour conclure une entente. M. Duplessis le veut, mais est-ce que l'autre est prêt et à quelles conditions?» Parce que personne d'entre nous n'était prêt à sacrifier Duplessis pour M. Gouin. Ça il n'en était pas question. Mais ils croyaient que tous les deux pouvaient être chefs. Alors, Duplessis répondait: «Oui, ça va être beau un corps à deux têtes!»

F. Sauvageau. **Vous semblez dire que cette volonté d'union venait surtout de la base.**

J. Mercier. Ah! oui, oui, c'était les gens qui venaient des comtés qui nous parlaient de ça.

F. Sauvageau. **M. Duplessis, qu'est-ce qu'il en pensait vraiment?**

J. Mercier. Il était pour l'union mais pas à tout prix. Alors le 7 novembre, dans l'après-midi, j'ai eu un téléphone de Duplessis m'annonçant que l'entente était faite et signée entre les deux. Il m'en a expliqué un peu quelques parties mais...

F. Sauvageau. **Vous ne savez pas comment ça c'était fait?**

J. Mercier. Ah, ils s'étaient vus tous les deux et ils l'avaient signée.

F. Sauvageau. **Mais lequel des deux avait pris l'initiative de voir l'autre?**

J. Mercier. Ils ont été poussés tous les deux par leurs lieutenants. Quand on a su qu'il y aurait 60 candidats de l'Action libérale nationale, mais seulement 30 à 40 de nos candidats, à nous autres conservateurs, bien que Duplessis serait le chef, là un gars comme M. Gosselin s'est découragé net; il a dit: «C'est épouvantable!» Voyez-vous? La première chose que nos gars voient, c'est les petits effets secondaires: 60 contre 30! Ce qu'ils ne savaient pas mais que Duplessis savait, c'est que, dans les gars qui étaient rendus avec l'Action libérale nationale, il y en avait pratiquement la moitié qui avaient dit en sous-main à Duplessis: «Ça passe mieux sous la bannière, je vais être élu plus facilement.» Je donne ici le cas de Tancrède Labbé, qui a été longtemps député de Mégantic. C'est mon pays natal, je le connaissais, Tancrède Labbé: c'était un conservateur qui avait été candidat de Camilien Houde en 1931.

F. Sauvageau. **Et maintenant il était membre de l'Action libérale nationale...**

J. Mercier. Il avait bien assuré Duplessis: «Vois-tu, ça prend mieux à Thetford et dans le comté d'être de la bannière de l'Action libérale nationale. Alors laisse-moi faire. Mais tu sais bien ce que je pense.» Ce n'était pas de l'hypocrisie, c'était s'habiller comme il fallait l'être pour passer.

Aux élections du 25 novembre 1935, la coalition Gouin-Duplessis réussit à faire élire 42 de ses candidats, contre 48 pour les libéraux. M. Jean-Charles Bonenfant commente ces résultats.

J.-C. Bonenfant. M. Taschereau demeure au pouvoir, mais il doit maintenant faire face à une opposition très très forte. Il a retardé pendant un certain temps à convoquer la session parce que ce n'était pas gai pour lui d'affronter des adversaires, mais finalement, au mois de mars, — si ma mémoire est bonne — il a convoqué les Chambres, parce qu'il fallait tout de même les convoquer les Chambres.

C'est le début de ce que l'on a appelé «l'enquête des comptes publics», c'est-à-dire que M. Duplessis a réussi à faire convoquer le comité des Comptes publics. Et là il y a eu toute une série d'accusations qui à l'époque ont paru graves mais qui aujourd'hui nous semblent plutôt ridicules; des accusations de corruption où on a prouvé que des gens du gouvernement avaient retiré de l'argent pour des raisons indues. Il y a eu un vrai scandale politique.

F. Sauvageau. **Les scandales de l'époque, est-ce qu'on pourrait les comparer par exemple à l'enquête Salvas ou plus près de nous, à l'enquête sur le crime organisé ou encore à la Commission Cliche?**

J.-C. Bonenfant. Je dirais que, vu à distance, c'était à mon sens moins substantiel qu'aujourd'hui. On a des scandales qui correspondent à l'époque. Je pense que ce qu'il y a de plus révélateur, c'est que le gouvernement est tombé au lendemain de ce qui a été considéré comme un gros scandale, alors qu'il s'agissait d'une bagatelle ridicule. Le ministre de la Colonisation de l'époque s'appelait Vautrin. M. Vautrin faisait des voyages en Abitibi comme tout bon ministre de la Colonisation. Et il s'était fait payer par le gouvernement des «breeches» — pour employer le mot anglais que les Canadiens utilisent. Or, le gouvernement est tombé au cri des «culottes à Vautrin».

Mais il y avait tout de même des cas peut-être un peu plus graves. Par exemple, le frère du premier ministre, qui s'appelait Antoine Taschereau, était comptable de l'Assemblée législative. Or, il se faisait donner une somme d'argent, il plaçait cette somme d'argent, il en retirait les intérêts et c'est lui qui payait les comptes. Donc ce n'était pas tout à fait régulier. Je pense qu'on pourrait dire qu'il y a eu les scandales qu'on constate dans un parti qui reste très longtemps au pouvoir et qui en arrive à confondre ses propres intérêts avec les intérêts du peuple. Je pense que ç'a été ça. Et il y a eu évidemment des abus de pouvoir.

D'autre part, il y a eu aussi pendant cette session-là une rivalité assez intéressante. Au fond, l'opposition avait deux chefs : M. Duplessis, qui avec son expérience parlementaire était maître du Parlement, et M. Gouin qui était un poète, un intellectuel, un collectionneur qui faisait de temps à autre un bon, un grand discours. Mais tout de suite on s'est aperçu d'un phénomène : M. Duplessis, intentionnellement ou non, est devenu le vrai chef du parti. Et avant les élections de 1936, il y a eu la rupture Gouin-Duplessis. M. Duplessis est devenu alors le seul chef de l'Union nationale, en gardant tout de même avec lui des éléments assez importants de l'Action libérale nationale, en particulier M. Ernest Grégoire, le docteur Philippe Hamel, M. René Chaloult.

* * *

Vincent Lemieux rappelle les grandes lignes du programme de l'Action libérale nationale.

V. Lemieux. C'était un programme de réformes qu'il faut comprendre dans le contexte de la crise du temps, c'est-à-dire crise économique doublée d'une crise politique : c'est la fin du régime libéral, on est en 1934. Le programme propose une formule d'action pour essayer de contrer et de surmonter cette crise. C'est dans cet esprit qu'il faut le voir.

M. Cardinal. **Mais de façon très précise, est-ce que ce programme proposait des réformes sur le plan économique?**

V. Lemieux. Oui, on propose des réformes économiques et des réformes politiques. Sur le plan économique, on commence par des réformes agraires. Et c'est assez étonnant de lire ça aujourd'hui. Pour l'Action libérale nationale, il faut commencer par les réformes agraires et ce qu'elle propose en tout premier lieu c'est un vaste plan de colonisation c'est-à-dire, une espèce de plan de retour à la terre.

Il y avait aussi la nationalisation de l'électricité. On s'en prend beaucoup aux cartels, aux trusts, en particulier celui de l'électricité et celui du papier. C'est un autre aspect important du programme.

Enfin, il y a des réformes politiques. Par exemple, on propose de remplacer le Conseil législatif par un Conseil économique où seraient représentées les corporations. On propose aussi des réformes électorales qui sont assez actuelles: on veut limiter les souscriptions aux partis. On ne parle pas de la carte électorale et du mode de scrutin, mais beaucoup de l'argent qui va aux partis.

M. Cardinal. **Ce programme était donc un peu révolutionnaire pour l'époque?**

V. Lemieux. Il était révolutionnaire par certains aspects, mais il était aussi un peu rétrograde par d'autres, du moins quand on le voit actuellement, par exemple la colonisation, le retour à la terre. Bref, il y avait de l'ancien et du nouveau dans ce programme.

*   *   *

Après l'élection de 1935, M. Duplessis s'affirme donc en Chambre comme le seul et vrai chef de l'Opposition. M. Wheeler Dupont rappelle comment cela s'est produit.

W. Dupont. Quand nos députés à nous de l'Action libérale nationale, qui étaient nouveaux, s'empêtraient dans les règlements de la Chambre, aussitôt M. Duplessis se levait et venait à leur secours. Bientôt, les députés de l'Action libérale nationale ne comptaient que sur M. Duplessis pour les sortir du pétrin le cas échéant. De plus en plus Duplessis avait le vent dans les voiles; de plus en plus M. Taschereau était fatigué; Duplessis jouait de tous ses feux et avait la force derrière lui, une députation formidable qui l'applaudissait à tout rompre, etc. Alors dans l'esprit de nos députés, dans les faits aussi, ils ont vu que le seul homme capable de les mener, de les conduire, était réellement M. Duplessis.

F. Sauvageau. **Parce que M. Gouin, lui, n'avait pas la personnalité du stratège politique?**

W. Dupont. D'abord, il n'avait pas ça, mais il n'avait pas non plus aucune connaissance de la Chambre. Le caractère de M. Paul Gouin était celui d'un homme qui aimait réfléchir longtemps, qui aimait peser ses mots, par conséquent pas spontané, alors que Duplessis était le gars spontané par excellence. M. Duplessis entourait tous les députés, les siens, les nôtres, de tapes dans le dos, de coups de poing dans les reins, il les emmenait dîner un par un. Il leur disait: «Si vous avez des dépenses électorales qui vous ennuient, à la banque, n'importe où, dites-le moi.» Alors il leur passait de temps en temps un vieux $1000 pour tâcher d'éteindre la dette du député.

Les députés en somme voyaient en Duplessis leur propre père. D'autant plus que M. Gouin était un homme distant de nature. C'est un homme qui ne tutoyait personne — j'ai travaillé deux ans avec lui, il ne m'a jamais tutoyé. C'est un homme avec qui il était difficile de devenir intime. Et de là à juger que l'homme s'intéressait peu à nous, il n'y avait qu'un pas à franchir que beaucoup de gens ont franchi. Et les gens me disaient, à moi qui étais à ce moment-là secrétaire parlementaire de l'Action libérale nationale et qui avais mon bureau dans le propre bureau de M. Gouin: «Dupont, vous êtes proche du chef, qu'est-ce qu'il fait? comment se fait-il qu'il ne parle pas en Chambre? Il ne parle jamais en Chambre, Duplessis est toujours debout, Duplessis nous entoure. M. Gouin, on ne le voit pas. M. Duplessis nous invite à dîner. M. Gouin ne semble pas nous aimer.»

Cette rivalité entre les deux chefs devait inévitablement conduire à la rupture. M. Noël Dorion en raconte les circonstances.

N. Dorion. Encore selon sa manière, Duplessis me téléphone, téléphone à Mercier, téléphone à quelques autres, et nous invite à monter au Mont-Royal où il avait réservé des chambres pour nous. Parce qu'il était extrêmement généreux, Duplessis; on n'avait à se préoccuper de rien de ce côté-là, d'ailleurs l'eussions-nous voulu que nous n'étions pas en mesure de faire ce genre de dépenses. Pendant ce temps, le groupe de Gouin se réunissait au Windsor, je crois. Il y avait là le docteur Philippe Hamel, Gouin, Oscar Drouin, en particulier, qui eux craignaient énormément la rupture. Ils avaient l'impression que c'était la fin de tout, alors que Duplessis désirait ardemment cette rupture. Il croyait que c'était le début de tout pour lui. Et effectivement, c'est lui qui a eu raison.

Je me rappelle à peu près ce qu'il avait dit lorsque ç'a été annoncé que c'était fini, que Gouin ne marchait plus selon les conditions qui avaient été posées; il avait fait cette réflexion: «C'est le plus beau jour de ma vie à part celui de ma première communion.»

Fin juin 1936, M. Duplessis convoque, à une semaine d'avis, un caucus à Sherbrooke; 35 des 42 députés d'opposition lui donnent son appui. Le 17 août, l'Union nationale fait élire 76 députés et renverse le gouvernement Godbout. M. Bonenfant commente cette victoire.

J.-C. Bonenfant. Il ne faut pas oublier que le gouvernement libéral était demeuré au pouvoir pendant près de quarante ans, avec les abus et les habitudes que cela comporte. C'était aussi un gouvernement légèrement aristocratique. On parlait du contrôle de la Grande-Allée à Québec; les cousins avaient des occupations, les familles étaient fortes; il y avait des familles où les juges étaient nommés, puis tout ça. M. Duplessis et l'Union nationale, à ce moment-là ç'a paru — ç'a été d'ailleurs à mon sens dans la réalité — une sorte de victoire populaire. C'était dans bien des cas les petites gens qui venaient remplacer les aristocrates qui avaient contrôlé le pouvoir pendant quarante ans. Il ne faut pas oublier non plus que M. Duplessis a été élu avec une promesse et un programme de renouveau dont certaines parties se sont réalisées immédiatement. Je crois que le premier règne de M. Duplessis, qui va du mois d'août 1936 jusqu'au mois d'octobre 1939, est une période analogue — on ne peut jamais dire semblable — aux premières années de M. Lesage.

F. Sauvageau. **Vous avez dit que Duplessis devient alors le «maître incontesté», mais on a l'impression, quand on lit un peu ce qui s'est passé à l'époque, que tout de suite après cette victoire de 36 des tensions ont persisté à l'intérieur du parti...**

J.-C. Bonenfant. Oui, peut-être que le mot «incontesté» était mal choisi. Incontesté dans les faits, mais contesté, si vous voulez, dans la lutte contre lui. Et ça s'est manifesté dès le soir du choix des ministres. Dans le cabinet n'apparaissaient pas des vedettes comme le docteur Philippe Hamel ou M. Grégoire; y apparaissait toutefois M. Oscar Drouin. Tout de suite, il y a eu une protestation, il y a même eu une assemblée au Palais Montcalm, le soir du choix du cabinet.

F. Sauvageau. **Et ces deux personnes, le docteur Philippe Hamel et M. Grégoire, étaient des anciens de l'Action libérale nationale.**

J.-C. Bonenfant. Oui, mais il y a plus: M. Grégoire, M. Hamel, René Chaloult, tout en étant des représentants de l'Action libérale nationale, avaient beaucoup attaché leurs personnes à un élément du programme:

l'étatisation de l'électricité. Est-ce que M. Duplessis s'était engagé à étatiser l'électricité? est-ce qu'il a rompu sa promesse? Ç'a été, je dirais, la première grande contestation à l'égard de M. Duplessis.

F. Sauvageau. **Les gens de l'Action libérale nationale qui s'étaient joints à M. Duplessis...**

J.-C. Bonenfant. Pour eux, il fallait étatiser.

L'un des tenants de la thèse de la nationalisation de l'électricité, M. René Chaloult, témoigne de la déception des anciens de l'Action libérale nationale lors de la formation du premier cabinet Duplessis.

R. Chaloult. Nous avons tenu une assemblée au Palais Montcalm après l'élection de Duplessis. Et là nous nous sommes aperçus que nous ne pouvions pas collaborer harmonieusement avec Duplessis.

F. Sauvageau. **Duplessis, avait-il changé du jour au lendemain?**

R. Chaloult. Du jour au lendemain. C'est-à-dire que en réalité, je pense qu'il n'avait pas changé, il avait été le même Duplessis qu'il a été toute sa vie. Il y avait beaucoup d'esprit opportuniste chez Duplessis.

F. Sauvageau. **L'alliance avec l'Action libérale nationale, maintenant quand vous y songez, pour Duplessis c'était uniquement une alliance tactique, stratégique, pour des fins électorales. A-t-il jamais cru au programme?**

R. Chaloult. Je ne crois pas qu'il ait jamais cru au programme de l'Action libérale nationale, ni aux idées de Paul Gouin ni à celles du docteur Hamel. Quand le docteur Hamel s'est aperçu qu'il était trompé, il m'a communiqué la nouvelle, à moi. Par la suite, j'ai été très méfiant envers M. Duplessis; je continuais à le voir de temps en temps, mais toujours avec des soupçons au sujet de sa véritable attitude.

F. Sauvageau. **Après les élections de 1936, vous attendiez-vous à ce que plusieurs anciens membres de l'Action libérale nationale soient invités à détenir des postes importants au cabinet?**

R. Chaloult. Nous n'avons pas été consultés du tout. M. Duplessis a pris l'Action libérale nationale, ou l'Union nationale telle qu'on l'appelait dans le temps, et il a choisi dans cette Union les gens qui lui convenaient le mieux, les gens qu'il pensait les plus aptes à le suivre et à dire toujours comme lui.

F. Sauvageau. **Il s'entourait, en fait...**

R. Chalout. De «yes-men».

M. Paul Bouchard, ancien directeur du journal La Nation, et qui devait devenir ensuite propagandiste de l'Union nationale, explique pourquoi les tenants de la nationalisation de l'électricité ont été exclus du premier cabinet Duplessis.

P. Bouchard. Le Parti conservateur a toujours été au Québec le parti de la haute finance, et c'est évident que les financiers de la rue Saint-Jacques avaient souscrit généreusement à la caisse de l'Union nationale, parce que Duplessis, conservateur pour eux, était de toute sécurité, il n'y a aucun doute. Et il est évident qu'il a protégé le trust de l'électricité parce que j'avais appris par quelqu'un de son entourage qu'il avait accepté une souscription de $60 000 de la Shawinigan Water and Power.

F. *Sauvageau*. Vous affirmez donc que, même avant les élection de 36, alors qu'il avait promis de nationaliser l'électricité et qu'il avait appuyé toutes les thèses de l'Action libérale nationale, Duplessis n'y croyait pas du tout.

P. Bouchard. Évidemment, une des conditions de l'union avec l'Action libérale nationale, c'était d'accepter en bloc son programme économique, national et social qui devenait ainsi le programme de l'Union nationale. Parce que le Parti conservateur comme tel n'avait guère de programme; c'était un parti de politiciens qui faisaient tout simplement les promesses d'usage et les critiques d'usage dans la province de Québec. Mais pas plus que ça.

En réalité, la révolution nationale et sociale, c'est Paul Gouin et l'Action libérale nationale qui l'apportaient, et non pas le Parti conservateur de Maurice Duplessis. Pour moi, c'était bien clair dans le contexte de l'époque.

F. *Sauvageau*. Ainsi, d'un côté, Duplessis entérinait les thèses du docteur Hamel et de M. Gouin, et, de l'autre, il acceptait les souscriptions de la Shawinigan.

P. Bouchard. Oui, oui. Le chat est sorti du sac au moment de la formation du cabinet, lorsqu'il a voulu immobiliser le docteur Hamel en lui offrant la présidence de la Chambre et non pas le portefeuille qui lui aurait permis — on peut employer les propres paroles du docteur — de «mater le trust de l'électricité.»

Le docteur Fernand Lizotte, qui devait devenir plus tard député de l'Union nationale, était alors sympathisant de l'Action libérale nationale. Il donne sa version des événements.

F. Lizotte. M. Duplessis avait le sens politique. Son principe, c'était que pour faire la nationalisation de l'électricité, il fallait d'abord être au pouvoir; deuxièmememt il fallait avoir l'argent nécessaire pour tâcher de payer aux compagnies l'expropriation de leurs biens. A ce moment-là, les compagnies, qui sentaient venir ça depuis longtemps, ont négligé l'entretien de leurs réseaux, de sorte qu'on aurait exproprié des réseaux qui étaient pratiquement à refaire au complet, et ce dans plusieurs parties de la province. Alors, en plus de l'expropriation qui aurait été payée à gros prix — comme ça s'est fait d'ailleurs à la vraie expropriation qui a eu lieu avec M. Lévesque — il aurait fallu en plus investir des sommes considérables pour remettre ces réseaux-là au moins à l'ère de 1948 ou 1950. Quand vous avez déjà fait de la politique, que vous avez été chef de l'Opposition et que vous commencez à calculer ça en chiffres, cet argent-là, vous savez qu'il faut aller le chercher dans la poche des citoyens. Or, on sortait à peine d'une crise et ça voulait dire une augmentation de taxes. Augmenter les taxes à brûle-pourpoint sous prétexte que l'on va nationaliser, il n'y a pas un «Canayen» qui aurait pardonné ça à M. Duplessis.

F. Sauvageau. **M. Duplessis avait quand même promis et avait été élu en promettant la nationalisation de l'électricité.**

F. Lizotte. Mais il n'avait pas dit quand.

Le docteur Hamel, Ernest Grégoire et d'autres quittent l'Union nationale. M. Bonenfant commente ces départs.

J.-C. Bonenfant. Je dirais que le gros coup qui a été donné à M. Duplessis dans ce domaine-là, ç'a été le départ de M. Oscar Drouin. M. Oscar Drouin est un personnage aujourd'hui oublié mais qui était un homme assez pittoresque et assez révélateur; c'était le représentant de Québec-Est, avocat, député populaire. Et il avait été un très grand militant dans le Parti libéral; il avait été député de M. Taschereau et il est passé à l'Union nationale par le truchement de l'Action libérale nationale. En août, M. Duplessis lui a confié le ministère des Terres et Forêts, duquel relevait le problème de l'étatisation de l'électricité. Évidemment ses amis, le docteur Hamel, M. Grégoire faisaient des instances auprès de lui pour qu'il démissionne: «Tu as promis l'étatisation de l'électricité. Regarde, M. Duplessis ne fait rien.» Il a démissionné, si ma mémoire est bonne, fin février 1937, en disant: «Je ne peux plus rester dans un cabinet Duplessis qui ne réalise pas l'étatisation.» Ca, je crois que ç'a été le gros coup qui a été donné, le premier gros coup véritable qui a été donné à M. Duplessis. Parce qu'après tout, le fait que M. Hamel et M. Grégoire ne soient pas là, ça pouvait s'expliquer. Mais le départ d'Oscar Drouin, ç'a été un événement assez révélateur.

Là, il reste un problème historique. Je ne pense pas, d'après ce que j'ai lu, que ç'a été vraiment percé: jusqu'à quel point M. Duplessis a été sincère ou pas? Je crois que c'est un sujet que les historiens futurs pourraient scruter. Il y a aussi une autre question que l'on peut se poser. En politique, il ne suffit pas de faire des promesses. Dieu sait si les gens n'étaient pas socialistes à l'époque; ils étaient conservateurs d'esprit; est-ce que l'étatisation était possible? Je ne le sais pas.

F. Sauvageau. Revenons à nos élections, M. Bonenfant. En 39, c'est la défaite et on a dit qu'il était content, M. Duplessis, de perdre ses élections...

J.-C. Bonenfant. Les élections de 39 sont assez intéressantes. La guerre a été déclarée au début de septembre 39; le Canada est entré en guerre une semaine après la Grande-Bretagne, et là on s'est aperçu que c'était «la drôle de guerre» en Europe, et puis tout de même on s'est aperçu que la guerre serait sérieuse. Et surtout le gouvernement fédéral a pris la guerre au sérieux. Il ne faut pas oublier que déjà entre le premier ministre fédéral, M. King, et M. Duplessis il y avait une inimitié mortelle, inimitié qui avait été augmentée par une alliance entre M. Duplessis et M. Hepburn, qui était le premier ministre de l'Ontario.

On s'est donc aperçu que la guerre serait sérieuse et par conséquent, il ne fallait pas dépenser de l'argent pour d'autres fins que la guerre. D'ailleurs, le gouvernement fédéral a tout de suite réussi à contrôler l'argent. Alors, M. Duplessis a eu des difficultés financières; il s'est aperçu que les banques ne prêteraient pas. Il y a eu même un moment où il a été obligé d'emprunter de l'argent du fonds de la Commission des accidents du travail. Il a saisi que ça serait dur de gouverner pendant la guerre. Et ça aussi, c'est un événement mystérieux qui mériterait d'être étudié: — j'en ai été le témoin et je ne l'ai pas percé complètement — sans beaucoup consulter, M. Duplessis décide de faire des élections. Et il fait des élections fin octobre.

Pendant les élections, il a eu à lutter contre Ottawa. Les libéraux d'Ottawa sont entrés dans la lutte, M. Lapointe en particulier. M. Lapointe a posé l'alternative ou le dilemme suivant: «Choisissez entre nous, les libéraux, qui allons vous protéger contre la conscription — il faut se rappeler la psychose de la conscription — ou M. Duplessis. Si vous élisez M. Duplessis, nous partons et vous aurez la conscription.» Je simplifie, mais ça s'est fait à peu près dans ces termes-là.

Aux élections du 25 octobre 1939, l'Union nationale est renversée et les libéraux, dirigés par Adélard Godbout, reprennent le pouvoir avec une majorité écrasante: 70 députés contre seulement 14 pour l'Union nationale.

J.-C. Bonenfant. On a choisi la sécurité contre la conscription. D'autre part, les élections, surtout à cette époque-là, ça se gagne pour autant qu'on a bien travaillé dans chaque circonscription. Excusez! mais pour autant qu'on s'est bien occupé du patronage. Or, l'Union nationale n'était pas très homogène. Il y a eu des circonscriptions qui ont été galvaudées, où des députés ne répondaient pas à des lettres, par exemple. Et je pense qu'une deuxième raison de la défaite de M. Duplessis, c'est que, lorsque l'Union nationale s'est présentée devant le peuple en octobre, elle n'était pas préparée à faire la lutte. Une lutte ça s'organise, il ne faut pas être angélique.

J'ajouterais une troisième raison, mais là qui est très subtile... je ne le sais pas. Je me suis toujours demandé, moi, si M. Duplessis n'avait pas été content d'être défait. Et si j'avais été à sa place, j'aurais été content d'être défait. Parce qu'il n'aurait peut-être pas connu la carrière qu'il a connue, s'il avait été vainqueur en octobre 39. Il aurait été incapable de lutter contre la puissance du gouvernement fédéral pendant la guerre. On a accusé M. Godbout d'avoir cédé les droits du Québec. N'importe qui aurait été obligé de les céder. Ça lui a permis de passer la guerre dans l'Opposition, de se reposer, j'oserais dire de vieillir, de s'assagir, en particulier. C'est la période où M. Duplessis — je ne dis pas qu'il n'était pas sérieux avant — mais c'est la période où il s'est transformé. Il était malade, il a subi une intervention chirurgicale à ce moment-là, et il est devenu le M. Duplessis que les gens ont connu après, un homme pittoresque, mais rangé après tout, et faisant une vie presque d'ermite.

Duplessis faisait sa propre analyse de la défaite de 39. M. Bona Arsenault (qui fut au cours des années 30 directeur de l'hebdomadaire de l'Union nationale, Le Journal) et M. Paul Bouchard commentent cette analyse.

B. Arsenault. Je l'ai rencontré presque immédiatement après la défaite de 39, à son bureau. Vous savez qu'il avait promis de faire une enquête Salvas à sa façon contre le régime Taschereau. Et il ne l'avait pas faite. En 39, vous savez que celui qui avait le plus contribué à sa défaite, c'était Ernest Lapointe. Mais Duplessis n'a jamais voulu admettre ça; en privé, il disait: «C'est parce que j'ai promis une enquête, puis je ne l'ai pas faite. Ah! c'était difficile de faire une enquête contre un tel et contre un tel, des amis de la famille, puis il a rendu service à mon père...» et il donnait toutes sortes d'excuses comme ça. Mais la vraie raison de la défaite de Duplessis, c'était ça.

A ce moment-là, la dette de la Province a fait des bonds prodigieux, et comme on m'attribuait une certaine influence auprès de Duplessis, l'auditeur de la Province et le trésorier, deux très hauts fonctionnaires, m'ont demandé de le recontrer: «Il faut faire quelque chose, la province s'en va à la ruine.» De 36 à 39, ç'a été un désastre pour le Québec.

P. Bouchard. En 1939, Duplessis a essayé d'exploiter la guerre pour déclencher inopinément des élections, en invoquant que l'autonomie financière de la province était en jeu, parce que le gouvernement fédéral avait enlevé aux provinces le droit d'emprunter librement sur les marchés étrangers, en particulier sur le marché de New York. Dans l'état des connaissances économiques de la masse des Québécois, il est évident que cet argument leur passait par-dessus la tête. On ne peut pas préparer, on ne peut pas brusquer une élection sur un thème constitutionnel sans préparer la masse de la population; la population est en général ignorante de ces grandes questions. Et puis, comme à ce moment-là nous étions en guerre, les chefs du Parti libéral fédéral sont intervenus et ont placé la population du Québec devant un chantage absolument extraordinaire. Il y a la fameuse phrase de Lapointe que j'entends encore sonner à mes oreilles lors d'une assemblée célèbre à Québec: «Ils ont administré la province comme un gang de matelots en goguette!» en faisant allusion évidemment à certains incidents bachiques trop fréquents durant la première administration de l'Union nationale.

F. Sauvageau. **Mais, est-ce que ce n'était pas un peu vrai que, de 36 à 39, la Province avait été administrée, comme disent d'autres, non pas en goguette mais au champagne?**

P. Bouchard. Disons au scotch pour être plus précis.

Il est évident que M. Duplessis a précipité la tenue de ces élections. Deux témoignages: celui de Jean Mercier, organisateur du parti, et celui d'un député libéral élu à cette élection, Jacques Dumoulin.

F. Sauvageau. **Comment expliqueriez-vous la défaite de 1939? Certains ont dit que c'était une défaite voulue par Duplessis pour ne pas diriger la Province pendant la guerre. Est-ce que vous croyez à ça?**

J. Mercier. Il n'y a pas de danger. Il a déclenché la tenue d'élections, alors que j'étais en vacances aux États-Unis; je n'en avais jamais entendu parler. Je n'étais pas préparé comme organisateur; mes amis qui étaient en charge de la littérature électorale, de la réserve des postes, tout ça, ils ont tous été pris par surprise; ils n'étaient pas préparés du tout. Mais lui, il pensait qu'il avait la victoire assurée. Il s'en est consolé en donnant toutes ces raisons-là que, avec les mesures de guerre, il n'aurait pas pu continuer les travaux de voirie, construction d'écoles, ainsi de suite; partout il aurait été bloqué. Et les gens auraient dit: «Ils ne font plus rien!» et ils nous auraient détestés. «Eh bien! laissons nos adversaires être détestés, ce sont eux qui vont être dans l'inactivité à cause des mesures de guerre, des restrictions partout...»

F. Sauvageau. C'était sa consolation de la défaite.

J. Mercier. Il se consolait comme ça, puis il nous consolait comme ça. Et il a eu vite fait de remettre un bon moral. De sorte qu'au bout de quelques mois, il y a eu une élection partielle dans Mégantic, et Labbé, qui avait été battu en 39, fut réélu à cette occasion. Un gouvernement dans la province de Québec remporte toujours ses élections partielles. Eh bien! déjà, le peuple en avait assez.

J. Dumoulin. J'ai l'impression que c'est un compliment que certains amis lui auront fait «ex post facto», après l'événement. Connaissant assez M. Duplessis, pour lequel du reste j'ai eu bien de la considération, c'était un bon garçon, j'ai la vive impression qu'il croyait que la meilleure manière de résister à la conscription, c'était encore d'être premier ministre du Québec et qu'il préférait, comme première étape d'une résistance possible, une base solide qui était celle du poste de premier ministre de la Province. Non, je crois qu'il désirait gagner et avoir ainsi plus d'influence pour combattre toute mesure conscriptionniste.

F. Sauvageau. Vous êtes convaincu qu'il a tout fait pour gagner en 39.

J. Dumoulin. Ah! il n'y a pas l'ombre d'un doute; il a tout fait pour gagner.

*   *   *

Mesdames et Messieurs, la guerre est à un tournant. L'heure viendra où ce sera enfin le tour de nos hommes de prendre l'offensive et de rejeter l'ennemi au-delà de ses frontières. La victoire exigera alors de nouveaux sacrifices et nous avons confiance que le peuple canadien les consentira généreusement. Pour assurer la victoire, il nous faut plus d'hommes dans l'armée, plus d'hommes dans l'armée, plus d'hommes dans la marine, plus d'hommes dans l'aviation. Plus de soldats, plus de marins, plus d'aviateurs. C'est pourquoi, l'appel que j'ai lancé l'autre soir à la jeunesse de mon pays, je le répète aujourd'hui à la jeunesse de ma province. N'hésitez pas, faites votre devoir avait qu'il ne soit trop tard, faites-le librement. A ceux qui hésiteraient encore, je leur demande: voulez-vous remplacer la croix de feu qui illumine chaque soir le mont Royal et la colline de Lévis en face de notre vieille capitale par le simulacre de croix aux bras tordus, à la forme sinistre qui est l'emblême de la tyrannie prussienne? (Appel de Ernest Lapointe, à Québec, le 24 septembre 1941)

*   *   *

Vincent Lemieux commente l'attitude des adversaires fédéraux de Duplessis, après leur victoire de 1939.

V. Lemieux. On peut dire qu'ils ont fait machine arrière, en tout cas, ils ont changé leur position. Et c'est en bonne partie parce que le monde a beaucoup changé : de 39 à 41, par exemple, il y a eu la défaite de la France, c'était une période très sombre. Alors, les adversaires fédéraux de M. Duplessis, qui étaient opposés à toute forme de participation du Canada à la guerre en 39, ont ensuite accepté une certaine forme de participation...

M. Cardinal. **L'enrôlement volontaire, par exemple...**

V. Lemieux. Oui, on a incité les jeunes Canadiens à s'enrôler volontairement, tout en continuant de s'opposer à la conscription au sens strict. Mais les invitations se faisaient de plus en plus pressantes.

CHAPITRE 2
VINGT ANS D'HISTOIRE : 1944-1964

Avant de devenir un parti unifié, l'Union nationale a d'abord consisté en une alliance entre le Parti conservateur et l'Action libérale nationale. Alliance assez peu homogène que domine très tôt la forte personnalité de Duplessis. La corruption d'un régime libéral qui durait sans interruption depuis 1897, la crise économique des années trente et l'habileté de Duplessis portent l'Union nationale au pouvoir, en 1936. Toutefois en 1939, au début de la deuxième guerre mondiale, les électeurs du Québec préfèrent les libéraux de Godbout aux unionistes de Duplessis. L'intervention des libéraux fédéraux, qui se présentent comme des remparts contre la conscription, est déterminante. Le gouvernement Godbout, identifié à la période de guerre, est battu de peu, en 1944, par une Union nationale maintenant bien unifiée, sous la direction de Duplessis.

Mgr Maurice Roy et Maurice Duplessis. (Société des Amis de M. Duplessis)

Après sa défaite de 1939, l'Union nationale reprend le pouvoir en 44 mais avec une faible majorité. Pendant quatre ans, les gros canons libéraux font la vie dure à Duplessis, qui n'en réussit pas moins à faire adopter nombre de mesures importantes. C'est en tout cas l'opinion de Paul Bouchard, ancien adversaire de Duplessis devenu propagandiste de l'Union nationale.

P. Bouchard. On se glorifie d'avoir établi le Crédit agricole, l'électrification rurale, le drainage des terres aux frais de l'État... C'est l'Union nationale qui a commencé à créer les coopératives de pêcheurs, qui a modernisé les pêcheries maritimes par les chalutiers, favorisé la vente des produits de la pêche par la multiplication des entrepôts frigorifiques et des établissements de pisciculture.

F. Sauvageau. Mais lorsqu'il s'agit de remporter des élections, est-ce que l'organisation et les techniques pour rejoindre chaque électeur au niveau de chacun des bureaux de scrutin ne sont pas beaucoup plus importantes que la théorie, ou que les grands exposés sur les réalisations?

P. Bouchard. Bien oui, mais ce sont précisément les techniques qui font connaître au peuple les réalisations. N'oubliez pas une chose: la faiblesse de l'Union nationale de 36 à 39, c'est qu'elle n'avait pas de journal; même l'*Illustration nouvelle* d'Adrien Arcand, pendant toute une époque, s'était retournée contre elle. Lorsque Duplessis reprend le pouvoir en 1944, il n'a pas un seul journal; il entreprend toute une campagne pour acheter *Montréal-Matin*. Mais enfin la grande presse lui échappe. Et précisément une de nos réussites en 1948, et nous avons pris les libéraux au dépourvu, ce fut la location de pages complètes dans les journaux libéraux, par l'intermédiaire d'une agence commerciale. Ces journaux ne savaient pas ce qui allait être placé dans leurs pages. Nous nous sommes servis des journaux libéraux pour faire connaître au peuple de la province de Québec les réalisations de l'Union nationale et les idées nationalistes qu'elle défendait.

*   *   *

M. Cardinal. Professeur Lemieux, en quoi l'élection de 1948 est-elle différente de celle de 1944 ?

V. Lemieux. C'est très différent, parce qu'il s'agit d'une victoire écrasante : l'Union nationale remporte 90% des sièges avec 50% du vote. Il y a aussi des différences du côté des tiers partis. En 1944, le Bloc populaire, il ne faut pas l'oublier, avait 15% du vote et quatre sièges. En 1948, il n'y a plus de Bloc populaire, mais il y a un autre tiers parti assez important : l'Union des Électeurs, qui obtient 9% du vote mais aucun siège. Il y a enfin des différences du côté des libéraux : en 1944, ils avaient quand même conservé beaucoup de gros canons, beaucoup de leaders importants ; en 1948, à peu près tous ces gens-là sont balayés. Les libéraux se retrouvent avec huit députés seulement.Le chef du parti est lui-même battu dans L'Islet.

*   *   *

Sur cette victoire unioniste, deux témoignages: celui de George Marler, qui succéda à M. Godbout, et celui d'Antoine Rivard, député de Montmagny et ministre dans le gouvernement Duplessis.

G. Marler. Je pense que si on lit l'histoire politique du Québec, on remarque un fait constant : l'électorat a toujours opté pour le chef qui semblait être le plus fort. Et je pense que, à tort ou à raison, la population jugeait que M. Duplessis était plus fort que M. Godbout. Il n'y a aucun doute que le facteur argent, le facteur machine électorale, tout cela a aidé énormément. Mais il y a des électeurs qui ne sont pas influencés par ces facteurs extrinsèques ; à mon sens c'était une question de choix entre deux leaders.

F. Sauvageau. Avez-vous l'impression qu'en 48 l'Union nationale était un peu plus «pure» qu'elle ne l'est devenue par la suite ? Les accusations de corruption et de favoritisme politique ne sont venues que plus tard...

G. Marler. Je pense que le début de la corruption dont on a parlé a probablement commencé avec les élections de 48. Le fait d'être au pouvoir, le fait de pouvoir accorder des contrats sans soumissions est certainement un avantage. Et je pense que les sommes énormes que l'Union nationale a dépensées au cours de l'élection de 1952 ont prouvé qu'il y avait de la corruption. Parce qu'on dépensait non seulement de l'argent de la caisse électorale; les dépenses gouvernementales prouvent que, sûrement, en 52, l'opposition libérale était en face de forces qui dépassaient de loin ses capacités.

A. Rivard. Duplessis avait mis en avant sa campagne de l'autonomie provinciale. Il avait le don de mettre à la portée de tous les électeurs des questions qui sont souvent théoriques. On se souvient de plusieurs de ses formules: «On veut ravoir notre butin!» Ca, le Canadien comprenait ça. «Ils nous enlèvent et ils donnent à tout le monde, et ils oublient la province de Québec.»

F. *Sauvageau.* Mais est-ce qu'il n'y avait pas là-dedans un peu de démagogie, M. Rivard?

A. Rivard. Certainement, certainement. Je serais heureux de connaître un politicien, de quelque parti que ce soit, qui gagne ses élections et qui ne fait pas un petit peu de démagogie.

La lutte aux communistes fut l'un des thèmes favoris de Maurice Duplessis. Il devait même les tenir responsables de l'écroulement du pont de Trois-Rivières survenu le 31 janvier 1931.

G. Marler. J'en parle avec un certain amusement, de la chute du pont de Trois-Rivières, non pas à cause de la chute, mais des circonstances que je vais vous raconter.

Le soir dont il s'agit, je descendais du Parlement assez tard. Il faisait très froid, je pense que c'était 25° en bas de zéro. Je me couche dans ma chambre à l'hôtel, et vers 2h30, peut-être 3h du matin, le téléphone sonne. Je réponds, et c'est un journaliste qui me dit: «Le pont de Trois-Rivières est tombé ce soir.» Je lui ai dit: «Faites pas de farces, surtout à 3h du matin; des plaisanteries de ce genre-là me laissent un peu froid.» Il dit: «C'est une réalité, le pont est tombé.» Alors, je lui dis merci et je retourne au lit; un quart d'heure plus tard le téléphone sonne encore et une voix me dit: «Je suis le commis en bas, à l'hôtel, je viens d'apprendre la nouvelle que le pont de Trois-Rivières est tombé et je me demandais si vous vouliez être le premier à téléphoner à M. Duplessis pour lui faire part de la nouvelle.»

F. *Sauvageau.* Le commis de l'hôtel ne voulait pas le faire?

G. Marler. Non. Moi-même, j'y ai renoncé immédiatement.

F. Sauvageau. On a dit que M. Duplessis a expliqué que c'étaient les communistes qui avaient fait le coup. Comment réagissiez-vous à ces accusations, à ces attaques, et à cet anti-communisme?

G. Marler. Nous avons attendu jusqu'au moment de l'enquête qui a eu lieu par la suite. J'ai nommé Louis-Philippe Pigeon, qui était mon conseiller juridique comme chef de l'Opposition, pour me représenter devant la commission d'enquête. Je pense que c'est le dernier jour de l'enquête que la question du fil posé par les soi-disant communistes a été discutée. M. Pigeon a constaté en regardant le fil que c'était un fil tout à fait ordinaire qui était employé par la compagnie Bell Telephone. Pendant l'ajournement, à midi, il a fait venir devant la commission deux employés du Bell qui ont identifié le fil comme un fil posé après la chute du pont pour rétablir les communications téléphoniques entre Trois-Rivières et Cap-de-la-Madeleine.

F. Sauvageau. Est-ce que M. Duplessis a continué à parler des communistes?

G. Marler. Je pense que c'était la fin des communistes, parce qu'on ne prétendait pas que les employés du Bell étaient mal inspirés.

* * *

Juillet 1952: élections générales au Québec. L'Union nationale est reportée au pouvoir, avec une majorité réduite cependant. Maurice Duplessis remportera également la victoire lors de sa dernière campagne électorale, aux élections de 1956.

M. Cardinal. M. Lemieux, est-ce que les élections de 1952 et de 1956 ne se ressemblent pas quant aux résultats?

V. Lemieux. Oui, elles se ressemblent beaucoup quant aux résultats. A peu près le même pourcentage de votes et le même nombre de sièges aux partis. Elles se ressemblent aussi en ce qu'elles se produisent dans une période de prospérité économique. Je crois que c'est très important pour comprendre les succès de l'Union nationale de 1944 à 1960. Les choses allaient bien au Québec et au Canada; ce n'était pas une période pour battre les gouvernements.

Par contre, les thèmes principaux de ces deux élections sont très différents. Il faut se rappeler qu'en 52 beaucoup de syndicalistes appuient le Parti libéral, suite à la grève d'Asbestos en particulier; l'Union nationale contre-attaque sur ce plan-là. En 56, on parle beaucoup des réalisations du gouvernement, mais on exploite beaucoup l'anticommunisme aussi; c'est l'histoire des oeufs polonais, dont on dit que les Québécois sont forcés d'en manger.

* * *

A cette époque, la principale cible de M. Duplessis était Jean-Louis Gagnon, publiciste au Parti libéral. Tour à tour, Paul Bouchard et Jean-Louis Gagnon rappellent les circonstances.

P. Bouchard. Évidemment, dans le contexte contemporain, ça peut étonner. Mais il ne faut pas oublier que la politique, au niveau de l'électoralisme, fait feu de tout bois. Les adversaires accusaient tous les nationalistes d'être des fascistes ou des nazis, alors il était de bonne guerre pour les nationalistes d'accuser de communisme ou enfin de radicalisme quelconque les libéraux. D'autre part, quant à Duplessis lui-même, il y croyait à l'infiltration communiste.

F. Sauvageau. Mais dans le cas de Jean-Louis Gagnon, par exemple, est-ce que c'était seulement de l'électoralisme? Ou est-ce qu'on croyait vraiment que M. Gagnon était un dangereux communiste?

P. Bouchard. Je sais que notre organisation à Montréal a distribué un feuillet de propagande qui contenait des documents au sujet de Jean-Louis Gagnon, de ses collaborations avec certains éléments communistes durant la guerre, au moment où on fraternisait avec les Russes. J'admets que la conduite de Jean-Louis était probablement assez imprudente à cette époque et qu'il n'en a peut-être pas pesé les répercussions dans l'avenir. De toute façon, les documents venaient des filières de la police; ils avaient été saisis par l'escouade anticommuniste au cours de descentes dans les locaux communistes de Montréal. Les documents étaient authentiques, ils n'ont jamais été niés par le Parti libéral.

F. Sauvageau. Et c'était de bonne guerre en période électorale.

P. Bouchard. En période électorale, c'était de bonne guerre. Évidemment que le résultat de cette campagne était de placer M. Georges-Émile Lapalme sur la défensive. Et on assiste à cette situation complètement cocasse d'un parti d'opposition qui, au lieu d'attaquer le gouvernement, à la fin de la campagne se défendait du communisme et des relations de son publiciste en chef.

J.-L. Gagnon. Moi, j'avais été contre Franco durant la guerre d'Espagne. Et je l'étais ouvertement à la radio, dans les journaux où j'écrivais. Après l'attaque contre l'Union soviétique, j'avais été favorable à l'alliance avec l'U.R.S.S. Avant ça, c'était l'époque où dans la province de Québec, beaucoup de sociétés commerciales se qualifiaient de catholiques; on avait le charbon catholique, des choses comme ça par exemple. Avec ce résultat que, M. Bennett, qui était au pouvoir à Ottawa, avait décidé de ne plus acheter en U.R.S.S.; c'était le boycott des produits soviétiques, c'était le cordon sanitaire. Puis il y avait eu M. Lapointe qui avait fait biffer l'article 98 du Code pénal. Cet article permettait aux agents de la Gendarmerie de faire des perquisitions sans mandat dans les maisons des citoyens canadiens. Et à ce moment-là on avait dit: «C'est la porte ouverte aux subversifs» évidemment. Toutes ces raisons ensemble faisaient naturellement qu'on était «communiste».

F. Sauvageau. De là à accuser les communistes d'avoir saboté pour provoquer la chute du pont de Trois-Rivières, vraiment! Est-ce que vous pensez que M. Duplessis, quand il se lançait dans ces attaques, il croyait à ce qu'il disait?

J.-L. Gagnon. Ah! non pas du tout. Ah! non, ça j'en suis persuadé, il n'y croyait pas du tout. Il n'était pas fou le père Duplessis. Non, ce n'est pas ça: c'est que, évidemment, il fallait bien qu'il dise quelque chose. A ce moment-là, c'était l'époque du maccarthysme; le contexte international lui permettait de se comporter de telle façon. En plus, dans la province de Québec, il fallait bien une tête de turc quelque part. Et, comme on ne pouvait pas parler des maçons, on ne pouvait pas parler d'autre chose, on parlait des communistes.

Aux élections de 1956, l'Union nationale remporte 72 sièges, 4 de plus qu'en 1952. M. Jean-Charles Bonenfant commente cette victoire.

J.-C. Bonenfant. C'est la dernière élection de M. Duplessis, je pense qu'il l'a senti peut-être. C'est cette année-là que Gérard Dion et Louis O'Neill ont sorti leur livre sur la corruption. Il y avait des choses vraies dans leur livre, mais est-ce que la corruption explique la différence? Bien là évidemment on joue dans les si; je ne le sais pas. Mais j'ai l'impression que c'est vraiment le début de la fin de l'Union nationale. Les gens ont vieilli, peu de jeunes y sont. Il y a tout de même des nouvelles recrues qui sont venues, comme Daniel Johnson, Jean-Jacques Bertrand. Mais en général, c'est un parti où les hommes sont devenus vieux, relativement vieux. Et l'habitude du pouvoir, ce n'est pas un don des dieux; c'est peut-être la punition des dieux, l'habitude du pouvoir.

F. Sauvageau. Mais qu'est-ce qui vous fait dire que Duplessis a senti qu'en 56 c'était le commencement de la fin?

J.-C. Bonenfant. Je ne le sais pas. Bien! il y avait l'âge; il souffrait du diabète, ce qui faisait tout de même qu'il surveillait énormément sa santé. Il était encore resplendissant, je vous prie de le croire. Moi, j'étais à ce moment-là directeur de la bibliothèque, et ma fenêtre donnait sur une allée que M. Duplessis traversait en revenant du Château. Et je me rappelle le voir passer le matin, la canne montée presque jusqu'aux nues tellement il y avait l'enthousiasme du matin. Ce qui arrive très souvent aux gens qui commencent à vieillir, je pense.

Et là, après 56, vous avez les attaques de plus en plus violentes du *Devoir* où vous avez des gens brillants comme Filion, comme Laurendeau, comme Pierre Laporte; vous avez le scandale du gaz naturel qui, à mon sens, est un phénomène de vieillissement. Je pense que M. Duplessis a été l'homme le plus surpris du monde d'apprendre le scandale du gaz naturel.

On demande souvent ce qui a fait la force de M. Duplessis, qui tout de même, il faut l'admettre, est resté fort, jusqu'à sa mort en 1959. Évidemment, il y a une première réponse qui vient à l'esprit, c'est la corruption: il achetait tout le monde, les élections étaient volées. Je crois que c'est simplifié. Je ne voudrais pas faire de l'angélisme, et j'admets que l'organisation de l'Union nationale était remarquable, que l'Union nationale avait pénétré dans tous les milieux, qu'elle jouissait d'une publicité considérable à la radio, à la télévision et qu'elle disposait de fonds considérables. Mais ça ne suffit pas à expliquer la défaite perpétuelle des libéraux. A la rigueur, ça permet d'expliquer 3 ou 4% du vote. Mais je pense qu'une foule de gens votaient librement pour M. Duplessis.

C'est que les Canadiens français moyens, bourgeois, en arrivent à aimer beaucoup voter pour celui qui est au pouvoir; ils votent pour celui qui «contrôle». C'est un vote intéressé mais c'est un vote qui s'explique. Or, l'Union nationale étendait son contrôle à peu près partout. L'Union nationale était, pour les gens religieux, les clercs, les religieuses, les religieux, un parti d'ordre, c'était un parti qui défendait l'Église; c'est un élément qui aujourd'hui a perdu de son importance dans notre province mais qui, encore à cette époque, comptait énormément. Mais à mon sens, le facteur important, — il ne faut pas oublier qu'on est dans une dualité politique et que si l'un perd, l'autre gagne — ç'a été la perpétuelle faiblesse parlementaire, et tout ce qui en découle, de l'Opposition officielle.

En juin 1958, éclate ce qu'on a appelé à l'époque le scandale du gaz naturel. Plusieurs ministres et conseillers législatifs de l'Union nationale sont accusés de s'être procuré des actions de la Corporation de gaz métropolitain peu de temps avant la nationalisation de cette entreprise par le gouvernement. Georges-Émile Lapalme parle de la réaction de M. Duplessis.

G.-É. Lapalme. Le talent de Duplessis a sauvé la situation... Lorsque Pierre Laporte avait sorti l'affaire dans *Le Devoir*, Duplessis n'en connaissait pas le premier mot. Il y avait Johnson, Barrette et d'autres... qui étaient pris là-dedans. Il s'est retourné excessivement vite ; il a fait prendre des actions par tous ces personnages contre *Le Devoir*, et après ça il a dit : «Sub judice !» On n'a plus jamais été capable d'en parler en Chambre. C'était un chef-d'oeuvre.

F. Sauvageau. Mais la défense des gens impliqués dans cette affaire a été celle-ci : «Les courtiers sont venus nous voir, mais nous ne savions absolument pas de quoi il s'agissait. Les courtiers achetaient les actions pour nous.»

G.-É. Lapalme. Oui, mais la défense n'a pas eu à s'exprimer nulle part, parce que ç'a été bloqué par le «sub judice». Pas moyen d'en parler ! Même dans le temps de Sauvé, je n'ai pas été capable d'en parler. Et ça s'est terminé en queue de poisson. Ç'a été très habile, parce que ça avait sorti dans un journal. Je trouve que c'est un chef-d'oeuvre de machiavélisme politique.

F. Sauvageau. Vous avez déjà dit de Duplessis : «C'était quelqu'un !» A entendre vos explications, on a l'impression que c'était «quelqu'un» dans ce sens-là...

G.-É. Lapalme. Dans ce sens-là, c'était plus que quelqu'un, il était extraordinaire. Il a été quelqu'un en dehors de ça ; en soi, il était quelqu'un. Mais dans ce domaine, il n'y avait personne pour le battre.

Le 31 mai 1958, Jean Lesage est élu chef du Parti libéral. Mais il ne devait jamais affronter M. Duplessis. Celui-ci meurt le 7 septembre de la même année. Yves Prévost, alors secrétaire de la Province, nous parle des événements qui ont suivi la mort du Chef.

Yves Prévost. Il appartenait au secrétaire de la Province de convoquer tous les collègues, advenant le décès du premier ministre. Ce que j'ai dû faire. Et je ne l'oublierai jamais, ça coïncidait avec la fête du Travail. Rejoindre les collègues, tous les collègues, un par un, le jour de la fête du Travail, par téléphone, ce n'est pas facile. J'en ai rejoint un à Old Orchard, j'en ai rejoint un dans un camp de pêche dans les Laurentides, j'en ai rejoint un autre qui était à bord d'un avion, j'en ai rejoint un autre... là où ils étaient. J'ai fini par tous les rejoindre pour leur annoncer la mort de M. Duplessis et la convocation d'une réunion immédiate pour le lendemain afin d'aviser de certaines mesures à prendre.

M. Cardinal. Et, c'est là que M. Paul Sauvé a été désigné?

Y. Prévost. Oui, tout naturellement: il s'imposait à tous.

L'arrivée de M. Sauvé intéressait au plus haut point le nouveau chef du Parti libéral, M. Jean Lesage.

M. Cardinal. Est-ce que le célèbre «désormais» de Paul Sauvé ne serait pas un peu le prélude de la Révolution tranquille? Ou croyez-vous plutôt que la Révolution tranquille avait commencé avant l'arrivée de Sauvé au pouvoir?

J. Lesage. C'était commencé avant. Il y avait des grondements sourds depuis longtemps. Mais les gens ne pouvaient pas, n'osaient pas s'exprimer. Durant la campagne électorale de 1960 et tout au cours de la pré-campagne de 58 à 60, nous appelions ça la «peur bleue». Avec son système de recrutement, de contacts personnels et de lieutenants, l'Union nationale s'était créé une influence très très forte partout dans la province, surtout à la campagne. Les gens craignaient de perdre le moindre avantage qu'ils avaient ou qu'ils espéraient obtenir éventuellement. Ils redoutaient les chefs, les sous-chefs et les petits chefs de l'Union nationale. Contre ça, inévitablement, comme partout ailleurs dans le monde lorsque ça se produit, il s'était créé une lutte sourde, cachée, mais qui augmentait d'année en année.

Quand M. Duplessis est mort, je pense que les gens voyaient venir le changement, la population était prête pour un changement. Et M. Sauvé, qui était un homme très intelligent, a très bien compris le climat. Son «désormais» n'a pas été un prélude à la Révolution tranquille, ç'a été un reflet intelligent du climat qui existait à ce moment-là et sur lequel M. Sauvé a capitalisé. Si j'avais été un politicien comme lui, j'aurais fait comme lui. Le «désormais» et son auteur étaient fort populaires, vous savez. A l'automne, durant les cent jours de M. Sauvé, je n'avais pas l'impression, comme chef du Parti libéral, d'en mener bien large dans la province.

M. Cardinal. De sorte que s'il avait vécu, le pouvoir que vous avez pris en juin 1960 avec une majorité relativement faible de huit députés, peut-être que ce pouvoir, vous ne l'auriez jamais pris?

J. Lesage. Je ne dis pas jamais, mais je ne l'aurais pas pris à ce moment-là. Je suis très franc, et je vous dis sincèrement que si M. Sauvé n'était pas décédé et s'il y avait eu des élections en juin, je ne pense pas que j'aurais pu prendre le pouvoir. J'aurais certainement augmenté le nombre de députés libéraux. Ça c'est sûr, parce que quand même il y avait un sentiment anti-Union nationale, mais je ne pense pas que nous aurions pu faire élire un nombre suffisant de députés pour prendre le pouvoir.

Le 2 janvier 1960, Paul Sauvé meurt subitement chez lui à Saint-Eustache. Maurice Bellemare explique la signification de cette mort pour son parti.

M. Bellemare. Je pense que la mort de M. Sauvé a dérangé énormément toutes les stratégies possibles du parti. Nous comptions tellement sur cet homme-là dans le parti qu'on n'avait peut-être pas pris la peine de bien se structurer devant l'importance qu'on apportait aux hommes plutôt qu'à l'équipe. L'équipe était très bonne parce qu'il y avait des hommes d'un grand dynamisme. Mais quand on est arrivé devant ce fait assez extraordinaire de la mort de M. Sauvé, la panique s'est emparée de bien des gens. Moi, j'ai vu siéger dans ma chambre pendant des heures et des heures tout un groupe de ministres qui se cherchaient, qui disaient: «Un tel, un tel, un tel, un tel, un tel». Et à quatre heures du matin, un consensus avait été établi que M. Prévost devait prendre la relève. Et pendant les funérailles, tout le monde se répétait de bouche en bouche que Prévost avait accepté. Une fois à Québec, on a vu qu'une orientation différente avait été donnée; M. Prévost vous dira lui-même pourquoi on l'a éliminé. Alors, la décision s'est portée sur M. Talbot. M. Talbot a dit non, carrément non; M. Rivard ne voulant pas accepter, d'autres préconisaient M. Daniel Johnson, qui était de beaucoup plus jeune, mais la candidature de M. Johnson a travaillé énormément l'équipe à ce moment-là, énormément.

F. Sauvageau. **Finalement, M. Barrette, c'est vraiment le dernier choix?**

M. Bellemare. M. Barrette a été celui qui semblait, à la dernière minute, rassembler, devant la panique, le plus d'unanimité. Et particulièrement, il y avait avec lui l'organisateur en chef, M. J.-D. Bégin.

Voici ce qui est arrivé. J'ai été chargé par M. Bégin d'appeler tous les députés durant la soirée. J'ai appelé tous les députés et je leur ai dit que les ministres s'étant rassemblés, on voyait d'un bon oeil la nomination de M. Barrette. Pendant les téléphones que j'ai faits, j'ai reçu plusieurs non catégoriques: «On ne marchera pas, c'est sûr et certain!» Et le soir, au Château, on a eu une réunion qui a été assez tumultueuse... Et le lendemain pendant le caucus, il y en a même un qui a dit: «J'accroche mes patins, puis je m'en vais.» Et il s'est en allé.

Ce député qui ne se représente pas en 1960, c'est le docteur Fernand Lizotte.

F. Lizotte. Les députés s'étaient réunis en caucus avant de rencontrer les ministres. Une grande partie d'entre eux avaient convenu de demander à M. Arthur Leclerc, député de Charlevoix, qui avait une belle réputation, une belle culture, d'être chef intérimaire en attendant de faire un congrès. On aurait profité de ce même congrès-là — ça c'était mon point de vue — pour rebâtir un programme de l'Union nationale.

M. Jean Lesage commente la nomination de M. Antonio Barrette à la tête de l'Union nationale.

J. Lesage. Au moment de la mort de M. Sauvé, ç'a été le désarroi complet, dans la province et au sein de l'Union nationale, particulièrement chez les collègues de M. Sauvé. Il y a eu plusieurs réunions et on a cherché à avoir un candidat de compromis, un homme qui puisse faire un degré d'unanimité autour de sa personne comme chef du parti. Et on pensait au «désormais», on pensait qu'il fallait quand même essayer de continuer dans la ligne de Sauvé, de capitaliser, parce que définitivement le «désormais» était populaire. Alors, comme M. Barrette avait été en rupture de ban depuis des années avec M. Duplessis, il cadrait bien dans le renouveau de l'Union nationale. Et, on pensait que vis-à-vis de la population, on continuerait de bien marquer la césure qui s'était faite entre l'ancien et le nouveau avec le «désormais» de M. Sauvé.

Aux élections du 22 juin 1960, le Parti libéral de Jean Lesage fait élire 51 députés; l'Union nationale ne réussit à en faire élire que 43. Après la défaite, les événements se précipitent. Antonio Barrette démissionne le 14 septembre. M. Yves Prévost devient chef intérimaire, mais cède rapidement sa place pour des raisons de santé. L'ancien ministre de la Voirie, M. Antonio Talbot, assume la direction, toujours intérimaire, le 11 janvier 1961, et annonce en février qu'un congrès à la chefferie aura lieu en septembre. Les candidats les plus importants: MM. Daniel Johnson et Jean-Jacques Bertrand. Un autre candidat, l'ancien maire de Sherbrooke, M. Armand Nadeau parle de ce congrès.

A. Nadeau. Le congrès, à mon sens, s'est fait uniquement à l'échelle personnelle. On était pour Bertrand ou on était pour Johnson. Ça pouvait être fondé, ça pouvait ne pas l'être. Bertrand était le porte-étendard des honnêtes gens de l'Union nationale, alors que Johnson sortait d'une période de publicité où on le caricaturait avec deux pistolets dans les mains et on l'appelait «Danny Boy» Johnson. Je sais, moi, que les gens disaient: «Bertrand, ça c'est honnête.» Ils disaient: «Regardez la *gang* qui est avec Johnson, puis regardez-les ceux-là.»

M. Cardinal. Ç'a été un congrès, donc, de personnalités, mais est-ce que ça n'a pas été aussi un congrès d'organisations?

A. Nadeau. Ah bien, défintivement! Quand je suis arrivé là-bas, je suis resté estomaqué. Quand j'ai vu l'organisation qu'il y avait sur quatre étages du Château Frontenac: deux étages complets au service de M. Bertrand, avec des tables garnies de bouteilles de boissons tout le long des passages, et puis deux étages plus haut ou deux étages plus bas, vous aviez le même phénomène à l'échelle de l'organisation de M. Johnson.

M. Cardinal. L'alcool coulait à flot?

A. Nadeau. L'alcool coulait à flot. Il y avait plus que l'alcool aussi. Moi, j'avais des délégués qui m'ont confié des choses que je n'aurais pas tolérées dans mon organisation, de toute façon.

M. Cardinal. Comme quoi, par exemple?

A. Nadeau. Entre autres le racolage, puis toutes sortes de choses. Moi, ça ne m'avait pas impressionné très favorablement.

M. Cardinal. Vous voulez dire qu'on avait organisé des réseaux de prostituées pour les délégués?

A. Nadeau. Ça, c'était admis, puis c'était courant. Tout le monde était au courant de ça.

M. Cardinal. Donc, «la nuit des longs couteaux», comme on l'appelle communément, elle a vraiment eu lieu?

A. Nadeau. Oui, mais je n'ai pas l'impression que c'était un cas unique, parce qu'après on m'a informé que ça se passait pas mal comme ça un peu partout. Quand on parle du congrès de l'Union nationale de 1961, il ne faut pas oublier qu'il y avait des budgets. Si ma mémoire est fidèle, il y avait du côté de l'organisation Bertrand au moins une caisse de $400 000; et si ma mémoire est encore fidèle, j'ai su le vendredi midi que le gros argentier de l'Union nationale, M. Martineau, était embarqué avec M. Johnson le vendredi midi avec un apport en argent assez important.

A ce congrès, Daniel Johnson devient chef du Parti. M. Bertrand tarde à se rallier après le congrès. L'un de ses principaux collaborateurs, Me Jean Bruneau, en explique les raisons.

J. Bruneau. M. Bertrand n'était pas amer, disons cependant qu'il avait été désappointé. Il avait oublié le congrès et était prêt à se rallier totalement, à condition que le parti modifie certaines de ses politiques. Il trouvait que le parti était beaucoup trop à droite. En 1962, M. Bertrand avait hésité avant de se lancer dans la campagne électorale.

M. Cardinal. Vous voulez dire qu'il a songé à ne pas être candidat en 1962?

J. Bruneau. Oui, définitivement. Je suis allé le rencontrer chez lui, le soir; nous avons causé jusqu'à onze heures. Et à onze heures, sans plus de préparations — je n'avais rien apporté — il est monté dans ma voiture et nous nous sommes dirigés vers Québec. Lui-même n'avait apporté qu'un rasoir, quelques effets personnels.

Nous avons rencontré Daniel à une heure. J'ai pris une consommation avec eux en arrivant à Québec, mais je me suis retiré subséquemment. Jean-Jacques est revenu à la chambre vers les six heures du matin, nous avons déjeûné ensemble. Je pense que la même journée, il quittait pour Amqui avec Daniel. Je présume que durant la nuit ils se sont entendus.

Dans l'entourage immédiat de M. Johnson, déjà on remarque un groupe de jeunes collaborateurs très actifs, dont Mario Beaulieu, qui, plus tard, devait devenir ministre des Finances.

M. Beaulieu. Ce qu'il y a de difficile dans cette élection de 1962, c'est qu'elle a eu lieu à peine quelques mois après l'accession de Daniel Johnson au poste de chef de l'Opposition. Il n'a pas le temps de structurer son organisation... Et aussi nous avons vécu en 62 le fameux scandale des faux certificats, qui a été un point, à mon avis, extrêmement important dans la campagne électorale. On a fait croire que l'équipe de l'Union nationale continuait certains actes de banditisme qui avaient pu être exposés davantage par M. Salvas dans certains cas. On a reproché à l'Union nationale beaucoup de cas de petit patronage à gauche et à droite.

On avait essayé de faire un monstre avec ce petit patronage, tellement que les faux certificats sont venus confirmer un peu ce que les gens pensaient, que Daniel Johnson était un voleur, un bandit, un «Danny Boy», un cowboy. Le lendemain de la défaite de 62, on a été obligé de recommencer à refaire l'image de M. Johnson, à prouver qu'il n'était point un «Danny Boy» un cowboy, un voleur, que certaines circonstances lui avaient fait acheter une centaine d'actions de gaz naturel, qui lui avaient peut-être rapporté $700 à $800 de profit. Par la suite, j'ai découvert qu'il avait acheté ça pour une équipe de placement, dont plusieurs confrères de l'Université de Montréal, — ça me tenterait de les nommer, mais je crois que dans certains cas il est mieux de taire les noms — où les huit s'étaient divisé les profits, ce qui veut dire que Daniel Johnson avait fait un profit formidable de $89 à l'époque.

«Maîtres chez nous», le thème de la nationalisation de l'électricité, est au coeur de la campagne électorale de 1962, aussi marquée d'un événement qui fera époque: le débat télévisé Lesage-Johnson.

J. Lesage. Comme premier ministre, je ne pouvais pas prendre le risque de faire un four. Je m'étais préparé très sérieusement, j'avais même des amis qui étaient allés étudier aux États-Unis non seulement le débat Nixon-Kennedy, mais aussi le comportement des deux adversaires, avant et pendant le débat.

M. Cardinal. Et la journée du débat vous êtes resté bien tranquillement chez vous.

J. Lesage. J'étais enfermé chez moi avec mes conseillers, qui avaient l'expérience du débat Kennedy-Nixon, qui l'avaient visionné avec moi... j'étais mentalement prêt.

M. Cardinal. Avez-vous eu l'impression, le soir pendant le débat, que M. Johnson était aussi bien préparé que vous?

J. Lesage. Non, il n'était pas préparé, je ne pense pas. Et il était fatigué. J'ai eu l'impression qu'il était plus fatigué que moi. Moi, j'étais reposé.

M. Cardinal. Dans cette journée-là, je pense qu'il avait tenu une assemblée électorale autour de Montréal.

J. Lesage. Ah, oui, vous me le dites là. Alors, il ne fallait pas faire ça. C'était une erreur de faire ça.

M. Cardinal. Sur quoi, d'après vous, misait-il dans ce débat-là?

J. Lesage. Je pense bien qu'il espérait me faire fâcher, parce qu'il avait déjà réussi en Chambre, dès ce moment-là. Mais je m'étais bien préparé, j'étais reposé, je n'avais pas de fatigue accumulée. Et je me l'étais fait dire, et comment: «Surtout, fâche-toi pas!» Alors, j'étais prêt à n'importe quoi, mais j'étais décidé à rester serein; je suis resté serein.

M. Cardinal. Et la position de M. Johnson?

J. Lesage. J'ai été grandement surpris de le voir se fâcher. J'ai dit: «Ça y est, il culbute.»

* * *

Extraits du débat Lesage-Johnson.

Jean Lesage. Or, qu'est-ce que disent les commissaires? - et je me fie à eux. Ils disent bien que M. Daniel Johnson a acheté 150 unités, soit la valeur de $21 000, à $140 l'unité... chez Forget...

Daniel Johnson. C'est faux...

Raymond Charette (modérateur du débat). M. Johnson — je m'excuse, M. Lesage — M. Johnson, vous avez accepté de vous conformer à la procédure, les échanges...

Daniel Johnson. Et non pas de laisser répéter des faussetés. J'ai donné ma parole. Et c'est faux...

Raymond Charette. M. Johnson, je vous rappelle à l'ordre, s'il vous plaît.

* * *

Les libéraux remportent 63 sièges, l'Union nationale 31. L'Union nationale sort de l'élection tout aussi déchirée que de son congrès de 1961. Armand Nadeau et Maurice Bellemare en parlent.

M. Cardinal. M. Nadeau, vous aviez été candidat aux élections de 62 dans Sherbrooke. Vous vous êtes retrouvés après l'élection, candidats et députés élus, pour faire l'autopsie de la défaite...

A. Nadeau. Ça c'était passé au Club Renaissance, à Québec. Il y avait une bonne délégation. M. Johnson a expliqué la situation et a parlé des différents problèmes qui confrontaient l'organisation de l'Union nationale; il a fait appel à toutes les bonnes volontés. A un moment donné, il y a un candidat malheureux de Montréal qui s'est levé et qui a fait une sortie en règle contre M. Johnson et l'éloge évidemment de M. Bertrand. Et là ça s'est gâté, et le premier geste officiel qui a été posé, ç'a été que M. Bertrand donnait sa démission, qu'il sortirait des rangs du parti. M. Johnson, avec la diplomatie qu'on lui connaissait, a rencontré M. Bertrand; après ça, ça s'est replacé et on a continué notre assemblée.

M. Cardinal. Mais en aucun moment, pendant cette assemblée, M. Johnson n'a laissé entendre qu'il pouvait abandonner la direction du parti?

A. Nadeau. Absolument pas! Johnson, il n'était pas question qu'il abandonne. Il dit: «S'il faut que je me batte seul, je me battrai seul. Là ce n'est pas le temps de lâcher.»

M. Bellemarre. Vous savez ce qui a détruit l'Union nationale le plus? D'abord, c'est la mort de cinq chefs dans l'espace de dix ans. Il ne faut pas oublier ça; il n'y a pas un parti politique qui a enduré ça: des hommes en autorité, qui meurent, cinq. Ensuite, les trois grands congrès nous ont divisés totalement, Johnson et Bertrand en 1961, Cardinal et Bertrand en 1969 — on n'avait pas besoin d'une convention pour trouver que M. Bertrand était le chef incontesté — et le dernier, celui de Loubier et de Masse avec Beaulieu, qui a déchiré complètement l'Union nationale.

CHAPITRE 3

DE DANIEL JOHNSON AU CONGRÈS DE MAI 1976

De 1944 à 1959 l'Union nationale connaît des heures de gloire. Elle domine à peu près totalement la politique québécoise, favorisée par la conjoncture économique de l'après-guerre. Puis ce sont les morts successives de Maurice Duplessis et de Paul Sauvé et la défaite électorale de 1960. Daniel Johnson devient chef du parti, en 1961, suite à un congrès d'investiture où il ne recueille qu'un peu plus de votes que Jean-Jacques Bertrand. L'Union nationale sort très divisée de ce congrès. L'année suivante elle est nettement battue par le Parti libéral, lors d'élections générales qui portent surtout sur la nationalisation de l'électricité. Plusieurs observateurs de la politique au Québec ont l'impression que Daniel Johnson est un homme politique sans avenir et que l'Union nationale est un parti condamné à une mort lente.

Le premier ministre Daniel Johnson accompagné de son ministre de l'Éducation, Jean-Guy Cardinal. (Archives de l'U.N.)

La révolution tranquille se poursuit à un rythme rapide après l'élection de 1962 et la consolidation des positions libérales. L'Union nationale panse encore les blessures qui ont suivi la mort de Paul Sauvé et le congrès Johnson-Bertrand. Il faut relancer le parti, lui donner une nouvelle image, un nouveau souffle. Le premier congrès d'orientation politique dans l'histoire de l'Union nationale, les assises de 1965 y serviront. Marcel Masse, l'un des principaux animateurs de cette rencontre, nous en parle.

M. Masse. A ce moment-là l'image générale de l'Union nationale n'était pas vers l'ouverture aux idées nouvelles. Et l'Union nationale avait traversé la période de l'enquête Salvas, alors que le Parti libéral avait le vent dans les voiles. L'Union nationale formait une opposition numériquement assez importante : une trentaine de députés et environ 40% des votes. Mais en vue des élections qui devaient arriver en 66, il fallait relancer le parti pour en faire un groupe d'opposition enraciné dans les nouvelles idées ; il fallait créer quelque chose de neuf.

F. Sauvageau. **Est-ce que ça marquait pas en même temps la fin des hostilités de l'Union nationale avec les «intellectuels» ? On sait que M. Duplessis ne les tenait pas dans son coeur, les intellectuels ; d'ailleurs tous le lui rendaient bien.**

M. Masse. Oui, dans le sens que l'Union nationale acceptait de se faire dire par d'autres que par ses propres gens ce que devait être son programme. Mais, il ne faut jamais oublier non plus que les partis traditionnels n'ont jamais été tellement dans le coeur des intellectuels.

On se souviendra qu'à l'hiver de 1965 Jean Lesage donne son appui à la formule Fulton-Favreau d'amendement à la constitu-

tion. C'était là le cheval de bataille que cherchait Daniel Johnson.
Il publie alors sa pensée constitutionnelle dans **Égalité ou Indépen-**
dance, *un petit ouvrage distribué à ces mêmes assises, dont parle*
l'un de ses principaux collaborateurs, Paul Chouinard.

P. Chouinard. Je pense que l'on peut dire qu'avec les assises, c'est la
fin du duplessisme, de l'image duplessiste de l'Union nationale; c'était
une façon de faire accepter cette nouvelle orientation du parti par les
éléments de droite ou réactionnaires. On peut dire que l'Union nationale revenait à son esprit initial de 1936, parce qu'en 1936, l'Union nationale c'était quand même un parti à gauche du centre, ce qui était
révolutionnaire pour l'époque.

M. Cardinal. **Est-ce que Marcel Masse n'a pas aussi contribué, à ces**
assises, à pousser un peu plus l'Union nationale du côté d'une plus
grande autonomie, sinon d'une ouverture à l'idée d'indépendance?

P. Chouinard. Disons que Marcel Masse à ce moment-là est le proto-
type de la nouvelle jeunesse qui entre dans l'Union nationale. Et les
idées nouvelles dont le parti a besoin pour renouveler ou refaire son
image aux yeux du public, ces idées-là ne parviendront pas des gens en
place, de la vieille garde. Les assises ont certainement eu une envergure
qui n'était même pas espérée par les organisateurs. On ne s'attendait
pas à ce que ça ait autant d'éclat que ça. C'était un test pour l'Union
nationale, mais ç'a été une victoire. Il suffit de regarder les journaux
qui ont été publiés le dimanche et le lundi matin suivant les assises; tout
le monde était stupéfait de l'importance que la presse avait accordée à
l'Union nationale à ce moment-là.

F. Sauvageau. **Avec le recul, quelle a été l'importance de ces assises?**
Est-ce que, comme certains le disent, ç'a été la véritable renaissance du
parti?

M. Masse. Je crois que ç'a été très important pour les militants de sentir
une relance. Parce que c'est beau d'être militant, il faut quand même
avoir un peu d'espoir d'accéder au pouvoir un jour. Et dans ce sens-là,
ç'a été un ciment pour les militants qui ont cessé les luttes internes pour
s'orienter beaucoup plus vers un objectif précis, c'est-à-dire les élections
qu'on attendait dans l'année qui suivait.

F. Sauvageau. **Parce qu'au moment des assises de 65, la réconciliation**
entre M. Johnson et M. Bertrand n'était pas faite...

M. Masse. Elle s'est faite à l'intérieur de ce processus-là. Au moment
des assises, je ne crois pas que ce ralliement était réel. Mais les assises
ont été préparées pendant six mois. Il y a eu d'abord un comité politique mis sur pied par M. Johnson, auquel M. Bertrand participait, et de
façon très importante. Et puis, il y a eu les assises. Après les assises il y

a eu l'élaboration du programme; il y a eu un conseil national... Alors, tout travail auquel participait M. Bertrand a aidé à faire en sorte que les deux hommes se rejoignent, tant sur le plan personnel et émotif, que sur le plan intellectuel.

Le 5 juin 1966: élections générales au Québec. Contre toute attente, l'Union nationale reprend le pouvoir avec 55 sièges et 40% des suffrages. Les libéraux obtiennent 47,2% des voix, mais ne font élire que 51 candidats. La victoire a été une surprise même pour les candidats de l'Union nationale. L'un d'eux, Clément Vincent, y avait cru à cette victoire.

C. Vincent. J'y ai cru beaucoup plus la dernière semaine de la campagne électorale, parce que je parcourais le Québec. J'y ai cru surtout parce que nous avions des candidats de valeur dans toutes les régions du Québec. Je me suis aperçu, par exemple, que Jean-Noël Tremblay était le candidat idéal pour Chicoutimi, que le docteur Boivin était le candidat rêvé pour le comté de Dubuc, que Georges Gauthier était le candidat qui avait avec lui tout le comté de Roberval, et que Léonce Desmeules, maire d'Alma, était le type même qui pouvait devenir l'excellent député de Lac-Saint-Jean. Sur cinq comtés nous avions la certitude d'en avoir quatre, où les gens pouvaient voter pour un candidat de valeur sur le plan du comté et qui pouvait éventuellement devenir ministre dans un gouvernement. Et c'est à la dernière semaine de la campagne électorale que j'ai réellement cru que nous pouvions former le gouvernement.

Naturellement, au début de la campagne électorale, comme bien d'autres, je croyais que nous étions capables d'augmenter assez considérablement le nombre de députés, mais je ne croyais pas qu'il y aurait cette marge de quelques députés de plus que le Parti libéral. Mais la dernière semaine, j'y croyais.

F. Sauvageau. **Est-ce qu'on ne peut pas dire que la victoire de 1966 n'a pas été celle de Daniel Johnson mais celle de dizaines de candidats locaux, et que la véritable remontée de M. Johnson dans l'opinion publique s'est faite après 66.**

M. Masse. Durant toute la campagne, pour bien motiver ses candidats, M. Johnson répétait: «Que chacun se fasse élire. Moi, tout ce que je peux faire, c'est ne pas vous empêcher de vous faire élire.» Ç'a été un leitmotiv qui est revenu constamment dans la préparation de l'élection. Ç'a été une élection basée sur le plan local...

F. Sauvageau. **On a dit que certains candidats locaux ne voulaient pas voir M. Johnson dans leurs conscriptions en 1966...**

M. Masse. Oui, c'est historique. Je pense que c'est vrai, dans certaines régions on préférait ne pas voir M. Johnson, on essayait de se faire élire malgré Daniel Johnson.

Monsieur Jean Lesage analyse la défaite de son parti en 1966.

M. Cardinal. Le type de campagne électorale que M. Johnson a faite en 1966, est-ce qu'il vous inquiétait? C'est un type de campagne assez particulier.

J. Lesage. Oui. Je ne l'ai pas réalisé sur le moment. Il a touché là où il fallait toucher... Vous savez, je n'ai aucune rancoeur contre personne; j'ai fait ma vie politique et je suis heureux, je n'ai rien à reprocher à qui que ce soit, je ne blâme personne. Et je vous dirai qu'en 66 il a été habile, très habile; il a frappé là où il fallait frapper pour prendre le vote à la campagne; c'est ça qu'il a fait.

N'oubliez pas que nous avons eu 47% du vote populaire. Il n'en a eu que 41%, mais il a élu plus de députés, parce que ses députés ont été élus en dehors des grandes villes. C'est là qu'il a pris ses votes. Il a surtout exploité intelligemment le mécontentement des gens en dehors des grandes villes sur la question scolaire, et l'exemple frappant qu'on donnait c'était l'autobus scolaire: on déracinait les enfants du rang. Ç'a été extrêmement populaire; ça a fait mal au Parti libéral.

Deuxièmement, il a exploité ou fait exploiter très habilement cette espèces de sourde rancoeur, souvent presque indéfinissable, des gens de la campagne contre les grandes villes, en disant: «Montréal a tout eu!» C'était la préparation de l'Expo 67, c'est vrai; il y avait eu la transca-nadienne, il y avait eu le pont Louis-Hippolyte-Lafontaine, il y avait eu les grands travaux, puis tout ça était centré ou dirigé vers Montréal. Ca été exploité à fond. Voilà deux grandes causes de la défaite. J'en vois une troisième — je ne pense pas qu'on l'ait jamais décelée — mais qui, jointe aux deux autres, était extrêmement importante. C'est qu'en 66, pour la première fois, nous avions signé une convention collective avec les fonctionnaires. Il y a un groupe de fonctionnaires qui n'avait pas signé et qui était en grève, c'étaient les professionnels. Or ça, ça veut dire que les agronomes, les vétérinaires, les ingénieurs de la voirie, les gens qui voyaient les cultivateurs tous les jours, étaient tous en grève durant toute la campagne électorale. Alors...

* * *

F. Sauvageau. **Est-ce qu'on ne peut pas dire, professeur Lemieux, que l'administration de M. Johnson de 1966 à sa mort, en 1968, en a d'abord et avant tout été une de continuité?**

V. Lemieux. Certainement, parce qu'il faut bien voir qu'une bonne partie des lois adoptées par le gouvernement Johnson, surtout au début de son règne, étaient des lois préparées par les libéraux. Je pense, par exemple, aux grandes lois dans le domaine de l'éducation, à la création des cégeps et de l'Université du Québec, à la création des communautés urbaines de Montréal et de Québec...

Par contre, il y a eu des éléments nouveaux. On peut penser à la création de grandes commissions d'enquête: Commission Castonguay, dans le domaine des affaires sociales, Commission Prévost dans le domaine de la justice. Il y a eu aussi de la part du gouvernement Johnson une action très nette dans le domaine des affaires intergouvernementales: création du ministère de ce nom, création de maisons du Québec à l'étranger; il y a eu la visite de de Gaulle, évidemment, et les débats avec Trudeau.

Et puis finalement, on peut dire aussi que ce gouvernement a été caractérisé par des problèmes assez aigus dans le domaine des relations de travail; il y a eu le premier décret contre les enseignants, la fameuse Loi 25; il y a eu aussi des problèmes du côté des hôpitaux et des transports publics. De ce point de vue-là, c'est un gouvernement qui fait penser un peu au gouvernement Bourassa par les problèmes qu'il a dû rencontrer dans ce domaine.

* * *

Le 26 septembre 1968, à Manicouagan, quelques heures à peine avant les cérémonies qui devaient marquer l'inauguration du grand barrage de Manic 5, Daniel Johnson meurt subitement à six heures du matin. Le 2 octobre 1968, M. Jean-Jacques Bertrand devient premier ministre du Québec et chef intérimaire de l'Union nationale. Le ministre de l'Éducation du temps, M. Jean-Guy Cardinal, parle de cette succession.

J.-G Cardinal. M. Bertrand étant alors vice-président du Conseil et par conséquent vice-premier ministre, il était normal, légal — il n'y avait pas de surprise dans tout cela — qu'il soit premier ministre par intérim. D'ailleurs, M. Bertrand a eu l'honnêteté de mentionner qu'il était premier ministre par intérim. Il déclenche presque immédiatement deux élections, l'une dans la circonscription de Notre-Dame-de-Grâce qui était ouverte depuis plusieurs mois et pour laquelle M. Johnson n'avait pas voulu faire d'élection, et l'autre dans Bagot, qui était la circonscription de M. Johnson. M. Bertrand m'a lancé immédiatement dans la bataille comme député, parce que, comme plusieurs ministres, il n'acceptait pas qu'après quatorze mois je sois encore ministre sans être député.

M. Cardinal est donc élu dans Bagot. A peu près au même moment, en décembre 1968, M. Bertrand subit une crise cardiaque. A-t-il songé, à ce moment-là, à quitter la politique? L'un de ses plus proches collaborateurs, Jean Bruneau, et Jean-Guy Cardinal répondent à cette question.

J. Bruneau. Avant la mort de M. Johnson, il m'avait confié qu'il n'avait pas l'intention d'être candidat aux élections qui auraient eu lieu normalement en 1970. Je pense qu'il avait pris sa décision: il espérait finir ses jours comme juge.

M. Cardinal. **Alors, comment expliquez-vous que, de septembre 68 à février ou mars 1969, il ait changé d'idée et qu'il ait décidé d'être candidat à la direction du parti au congrès de 69?**

J. Bruneau. C'est difficile. Il a probablement consulté les siens, les membres de sa famille, des amis. Et je pense qu'il avait décidé pour le bien du parti, croyant qu'il était à l'avantage du parti qu'il fasse une élection. Moi, ce qu'il m'a dit, c'est qu'il faisait une élection mais pas plus, et peut-être qu'il n'aurait pas terminé son terme.

J.-G. Cardinal. Au début de janvier 69, M. Bertrand, chez lui à Cowansville, après son départ de l'Institut de cardiologie de Sainte-Foy, avait vraiment songé à quitter la politique. Il y avait pensé avant, pour des raisons de santé uniquement, je pense.

M. Cardinal. **Est-ce qu'il l'avait fait savoir à des membres de l'Union nationale?**

J.-G. Cardinal. Au moins, j'étais un de ceux qui le savaient. Il me l'avait dit très clairement. Je pense qu'il l'avait dit aussi à M. Bellemarre et à M. Dozois. C'est le 12 mars 1969, à Limoilou, que M. Bertrand lança l'idée d'un congrès, et d'un même souffle se disait candidat. Je n'ai pas bougé avant le 27 avril 1969. C'était la première fois au Québec ou au Canada que quelqu'un se présentait alors qu'il était membre du pouvoir contre un premier ministre, fût-il par intérim. C'est quelque chose, si l'on y pense vraiment, de paradoxal. Ce congrès n'aurait jamais dû avoir lieu pour l'Union nationale. Si M. Bertrand n'avait pas gagné ce congrès, le gouvernement était renversé par un membre du gouvernement. Or M. Bertrand avait demandé à ce congrès d'avoir une majorité absolue, ce qu'il n'a pas obtenu. Ce qui veut dire que dès lors l'Union nationale était divisée entre deux clans.

Il y eut donc ce congrès en juin 1969. M. Bertrand fut élu chef en obtenant 1325 voix; son adversaire Jean-Guy Cardinal en recueillit 938. A l'automne, la Loi 63 accentua les divisions au sein d'un parti déjà déchiré.

L'année précédente, en octobre 1968, M. Bertrand avait présenté à l'Assemblée nationale le projet de loi 85, qui rendait accessible à tous les Québécois l'enseignement dans les deux langues, française et anglaise; le projet n'avait pas été adopté. Un an plus tard, le projet de loi 63 reprenait les grandes lignes de ce premier projet. Le député Fernand Grenier, nous parle de ces événements.

F. Sauvageau. Comment se fait-il que M. Cardinal ne se soit jamais vraiment rallié après le congrès de 1969?

F. Grenier. On se rend compte que le projet de loi 63 est arrivé peu après le congrès de juin. Je pense que c'était encore des gens qui étaient de très mauvais conseillers auprès de M. Bertrand qui l'ont amené à présenter ce projet. Et on disait à ce moment-là: «Le groupe Cardinal qui ne s'est pas rallié... vous allez justement tomber dans ce qu'il y avait de différence entre vous et M. Cardinal, soit le nationalisme, pendant la campagne à la chefferie. Et si vous prenez cela, ils seront nécessairement obligés de faire front commun et on les verra tous sur le même côté.» Et à la grande conférence de presse pour le lancement du «bill 63», vous voyiez autour de M. Bertrand des gens connus par leur nationalisme comme M. Cardinal, qui présentait le projet de loi, M. Jean-Noël Tremblay, M. Marcel Masse, M. Mario Beaulieu; évidemment ce n'était qu'au niveau des ministres, ça.

F. Sauvageau. Mais vous êtes-vous demandé comment on avait réussi à convaincre M. Cardinal et M. Jean-Noël Tremblay de défendre ce projet de loi-là.

F. Grenier. Ils auraient bien pu démissionner au lieu de faire face au projet de loi. Et, je ne vous cache pas qu'à une réunion qui s'était tenue à mon appartement à Québec, notre intention c'était ça, c'était de démissionner, parce que ce projet de loi-là n'avait pas place, ce n'était pas à l'Union nationale de présenter un tel projet de loi.

F. Sauvageau. MM. Cardinal et Tremblay étaient présents à cette réunion?

F. Grenier. Oui, oui. Et c'était ça notre intention, c'était d'une démission en bloc des députés qui avaient appuyé M. Cardinal et M. Cardinal lui-même, pour que l'on comprenne que ce n'était pas un projet de loi qui devait être présenté par l'Union nationale. C'était un projet de loi qui aurait pu être présenté par le Parti libéral; ç'aurait été dans l'esprit du Parti libéral que de présenter un projet de loi de ce genre-là.

F. Sauvageau. Et qu'est-ce qui s'est passé pour que M. Tremblay et M. Cardinal changent d'avis?

F. Grenier. Ah, il y a d'abord l'aspect que quand on est ministre, on n'est pas député, et je pense que, quand on siège au Conseil des ministres, il faut quand même en être solidaire dans les décisions. C'était un point de vue important, je pense, dans le temps. Et puis, je pense que et M. Cardinal et M. Tremblay étaient quand même assez politiciens pour savoir que ce n'était pas le temps de claquer les portes et de jeter encore du discrédit sur le parti, la veille d'une élection.

Avec cette querelle autour de la loi 63, les députés Jérôme Proulx et Antonio Flamand quittent l'Union nationale.

J. Proulx. La Loi 63 a divisé le parti. A ce moment-là, je me souviens très bien, c'est par milliers que les Québécois adhéraient au Parti québécois, c'est par milliers que les gens nous soutenaient, et l'Union nationale s'effritait, se divisait. A l'Assemblée nationale, les députés, qui habituellement dînaient un peu partout dans le café, dînaient tous ensemble. Ça m'avait donc frappé: dans les moments de crise, ils avaient tous peur; ils étaient dix, douze, quinze ensemble à la même table. C'était grave, c'étaient les signes avant-coureurs du désastre.

F. Sauvageau. Et la Loi 63, tout autant que le projet 85 qui l'avait précédée, c'était la décision de M. Bertrand, de lui seul; il n'en avait pas parlé, ni au caucus ni au Conseil des ministres...

J. Proulx. Le projet 85, c'est Marcel Masse qui avait préparé ça. Je pense qu'il avait dit, dans le corridor, à Marcel Masse: «Prépare donc quelque chose pour ça.» Alors, Marcel Masse avait préparé le projet, mais ils ont été obligés de le retirer. Pour le deuxième, M. Bertrand était soutenu par tout le caucus, députés et ministres, excepté sept ou huit; à la fin on était quatre à s'y opposer. Il y avait une détermination, un entêtement, un aveuglement à passer cette loi-là. Je me souviens des coups de poing sur la table: «Nous allons passer cette loi coûte que coûte, même si nous sommes battus!» C'était des périodes tendues; on savait que c'était presque la fin du parti.

F. Sauvageau. Dans cette affaire, ce que je comprends mal, c'est que vous présentiez Jean-Guy Cardinal comme une victime.

J. Proulx. Oui, parce que M. Jean-Guy Cardinal était pris dans une situation extrêmement difficile. La loi, c'était la loi du premier ministre soutenu par tout le monde. Et Jean-Guy Cardinal, lui, il passait la loi, ou il s'en allait.

F. Sauvageau. Oui, mais Flamand et vous, vous êtes quand même allés au bout de vos principes.

J. Proulx. Aller au bout de nos principes... on ne peut pas demander à tout le monde d'avoir la même colonne vertébrale.

F. Sauvageau. Vous faites état, par exemple, de rencontres avec Cardinal chez lui...

J. Proulx. Ah oui, on a travaillé longtemps. Je me souviens, un soir, on était cinq, six, dans un appartement, et là on avait négocié : «Jean-Guy, tu t'en viens avec nous autres, Jean-Guy tu ne passeras pas cette loi-là.» On avait discuté toute la nuit, puis on pensait bien l'avoir. Et le lendemain matin, Cardinal a dit : «Je signe le «bill» et je le passe.» Alors, Cardinal a choisi entre le «bill» et la liberté ; il a choisi entre rester dans l'Union nationale et s'en venir avec nous autres. Cardinal n'était peut-être pas prêt aussi. Il y a une espèce d'évolution aussi vers la souveraineté.

F. Sauvageau. Mais vous êtes convaincu qu'il ne croyait pas à la loi dont il était le parrain?

J. Proulx. Ah non, absolument pas! Non, il n'y croyait pas. Parce que dans le fond, Cardinal, c'est un nationaliste ; il l'affirme aujourd'hui, on le sent qu'il est nationaliste. J'ai beaucoup discuté avec lui, c'est un vrai nationaliste. Mais il n'avait pas eu la force de dire non et de quitter. Aujourd'hui, ç'aurait été peut-être un grand bonhomme, il se serait affirmé, mais il n'a pas eu la force.

La Loi 63, ce n'est pas la loi de Jean-Guy Cardinal, c'est la loi de tout le cabinet et de toute la députation : «On la passe, la loi, coûte que coûte, puis on va mettre de l'ordre à Québec, c'est nous qui menons et puis on va régler ces problèmes-là.» Tu sais quand on dit : «Si je vote contre, je perds mon $10 000, je perds mon $15 000; je perds tous les avantages, je perds le pouvoir.» On devient simple député de l'Opposition. C'est là que se fait un choix capital. Pourquoi M. Cardinal ne l'a pas fait? C'est le mystérieux, le fond de la conscience. Il faudra le lui demander.

M. Cardinal. Le projet de loi 63 ressemblait passablement au projet de loi 85...

J.-G. Cardinal. A quelques virgules près, c'était la même chose.

M. Cardinal. C'est vous qui l'avez piloté, ce projet de loi 63.

J.-G. Cardinal. Pardon, j'en ai été le parrain, parce qu'un après-midi j'ai appris à l'Assemblée nationale, par le premier ministre — on pourrait le voir au Journal des débats — que le ministre de l'Éducation présenterait le lendemain, en première lecture, le projet de loi 63. Je ne veux pas faire de blagues avec ceci, parce qu'on sait que par la suite j'ai demandé le rappel de ce projet de loi, j'en ai été le parrain, mais je n'en ai jamais été le père.

M. *Cardinal.* Vous voulez dire qu'à vingt-quatre heures d'avis M. Bertrand vous a demandé de présenter ce projet de loi?

J.-G. Cardinal. Il ne me l'a pas demandé; il a dit: «Le ministre de l'Éducation, demain, déposera le projet de loi 63.»

Le ministre de l'Éducation avait préparé un autre projet de loi, le projet de loi 62, qui devait créer le Conseil scolaire de l'île de Montréal et remplacer les commissions scolaires existantes par 12 nouvelles dont le territoire allait être beaucoup plus étendu.

J.-G. Cardinal. J'avais le choix de ne point présenter le projet de loi 63, de démissionner et d'oublier le projet de loi 62. Or, je tenais énormément au projet de loi 62, qui de toute façon réglait le problème de Saint-Léonard, puisque la commission scolaire disparaissait. Il faut se rappeler de plus la conjoncture. C'est que j'avais déjà envoyé dans la nature — vous m'excuserez l'expression — le projet de loi 85, et nous nous trouvons à l'automne 1969, alors que la crise de Saint-Léonard n'est pas réglée, que Jean-Guy Cardinal est encore ministre de l'Éducation, malgré le congrès, qu'il veut présenter le projet de loi 62, qu'enfin il le présente en deuxième lecture du projet de loi 63. Mais le projet de loi 63 demeure à l'Assemblée nationale, tandis que le projet de loi 62 est envoyé à la commission parlementaire comme l'avait été le projet 85.

M. *Cardinal.* Qui a proposé la référence du projet de loi 62 au comité parlementaire?

J.-G. Cardinal. Ç'a été le chef de l'Opposition; le premier ministre a accepté immédiatement.

Selon M. Cardinal, c'est lui-même, alors qu'il remplaçait M. Bertrand comme premier ministre en décembre 1968, qui avait enterré le projet de loi 85. Voyons ce qu'en pense le ministre des Affaires culturelles d'alors, M. Jean-Noël Tremblay.

J.-N. Tremblay. C'est le Conseil des ministres qui a pris sur lui d'enterrer ce projet de loi. M. Cardinal en avait certes le désir et la volonté comme moi-même. Et d'ailleurs j'étais assez lié avec M. Cardinal à ce

moment-là pour emporter le morceau et faire comprendre à nos collègues qu'il n'était pas bon qu'il fût présenté et encore moins voté par
l'Assemblée nationale. D'ailleurs j'avais alerté un bon nombre de collègues députés, et nous avons carrément mis notre gouvernement et notre
parti en face de l'éventualité de démissions possibles, si l'on devait aller
jusqu'au stade de la mise aux voix d'un projet de loi qui, à nos yeux,
n'était pas mûr, d'abord, et ne répondait pas à ce que nous attendions
d'une mesure législative aussi grave tant dans ses objectifs que dans ses
conséquences éventuelles.

**M. Cardinal. Donc, M. Cardinal était également présent au Conseil des
ministres quand on a discuté de reprendre sous une forme différente le
projet de loi 85, pour proposer la Loi 63.**

J.-N. Tremblay. Ici, encore lié, comme je serai toujours, par le secret
d'État, puisque le Conseil des ministres siège à huis clos, je ne peux pas
vous raconter tous les faits pertinents, la genèse de ce projet de loi 63.
Mais une chose est certaine, et ça je le déclare de façon catégorique:
quelle que soit la façon dont le projet de loi ait pris naissance, quels que
soient les gens qui l'aient rédigé, etc., au moment où le projet de loi
allait être déposé à la Chambre, c'est-à-dire avant qu'il ne fût décidé
qu'on le déposerait devant la Chambre, il y a eu unanimité des ministres
du gouvernement de l'Union nationale.

Un autre témoin des événements, M. Maurice Bellemare.

**M. Cardinal. Quand il a présenté le projet de loi 63, M. Cardinal en
connaissait-il le contenu?**

M. Bellemare. Certainement, ç'a été fait en collégialité dans le cabinet
des ministres.

M. Cardinal. Donc, quand M. Cardinal a prétendu par la suite que...

M. Bellemare. Foutaise, foutaise. D'ailleurs, j'étais leader parlementaire et c'est moi qui avais la responsabilité de défendre le projet de loi.
Écoutez, je sais quel appui a donné M. Cardinal, et relisez le Journal
des débats — ça existe aujourd'hui ça, c'est écrit — regardez les discours enflammés qu'il a faits pour le «bill» 63. Qu'il ne vienne pas me
dire qu'il a oublié de relire ce qu'il a dit en Chambre.

**M. Cardinal. Oui, mais là il y avait la solidarité ministérielle qui jouait,
il ne pouvait pas désavouer publiquement...**

M. Bellemare. Il y avait plus que ça. Regardez dans ses dires, dans ses
arguments, il y a pire que ça.

F. Sauvageau. **Si on parlait de l'élection de 70? Vous, vous quittez la politique en 70, vous n'êtes pas candidat. Est-ce que c'est parce que vous pressentez le déluge qui attend l'Union nationale?**

M. Bellemare. Ah non, je suis malade. Le premier ministre m'annonce un matin qu'il va y avoir des élections. Je lui dis: «M. le premier ministre, qui est-ce qui vous a conseillé ça, faire des élections en avril? C'est démuni de tout sens de stratégie possible.» Il dit: «Bourassa arrive, et c'est le temps tandis qu'ils ne sont pas organisés.» J'ai dit: «Vous vous trompez largement. Nous autres, on n'est pas organisés. Nous autres, ne regardez pas eux autres, regardez nous autres, on est mal organisés.»

F. Sauvageau. **On avait dit à ce moment-là que c'était à cause, par exemple, de troubles dans la construction qu'on prévoyait pour l'été, à cause des finances de la province qui allaient mal...**

M. Bellemare. Non, non. C'était la panique, pas autre chose que ça.

Aux élections du 29 avril 1970, l'Union nationale est balayée. M. Bertrand ne fait élire que 17 députés à l'Assemblée nationale; le Parti libéral de Robert Bourassa en fait élire 72; les créditistes 12; le Parti québécois 7. MM. Clément Vincent et Jean-Guy Cardinal analysent la défaite de leur parti.

C. Vincent. Quand est arrivé l'élection, on était à peu près assurés que l'Union nationale serait réélue. Mais on s'est aperçu que le parti était divisé. Et ça, une population n'accepte pas un parti politique qui est divisé ou du moins qui en donne l'apparence; il peut être divisé à l'intérieur, mais il doit au moins donner une apparence d'unité. En 70, nous n'avons pas donné la preuve au Québec qu'il y avait une unité entre des gars comme Bertrand, Cardinal, Masse, Beaulieu et tous les autres ministres.

J.-G. Cardinal. On ne fait pas d'élections avant qu'un budget ne soit voté. Le budget n'était pas voté. Lorsqu'un budget n'est pas voté, ça veut dire que l'on ne peut rien faire ni rien promettre. On se rappellera qu'au Québec chaque fois qu'une élection a été précipitée de la sorte, le gouvernement a subi une défaite. Les troupes n'étaient pas prêtes; les gens n'étaient pas satisfaits; on s'attendait à une crise dans le domaine de la construction; comme je l'ai mentionné, il n'y avait pas de budget qui établissait ce qui irait à la voirie, ce qui est très important en temps d'élections, et surtout au printemps.

M. Cardinal. **Est-ce que vous, M. Cardinal, et peut-être d'autres ministres aussi, étiez d'accord avec le style de campagne que M. Bertrand a faite en 1970?**

J.-G. Cardinal. Oh, je ne voudrais pas parler pour les autres ministres. Disons que personnellement je n'étais pas d'accord. La campagne de M. Bertrand en 1970 ressemble étrangement à la campagne de M. Lesage en 1966. C'est-à-dire que c'était la campagne du chef du parti et non pas la campagne d'un parti. J'ajouterai, et j'irai peut-être au-devant de vos questions, que je pense que M. Bertrand était peut-être déjà fatigué à ce moment-là et qu'il ne cherchait peut-être pas tellement le pouvoir.

Dès l'été 1970, dans une interview à l'agence Presse canadienne, M. Bertrand indique son intention de quitter la direction du parti. Il s'attaque alors aux anciens ministres Masse, Beaulieu et Cardinal, dont les déclarations auraient sapé la position mitoyenne de l'Union nationale en matière constitutionnelle. En juin 1971, nouveau congrès à la direction de l'Union nationale. Les principaux candidats: MM. Mario Beaulieu, Marcel Masse et Gabriel Loubier.

G. Loubier. La première raison qui m'a incité à me présenter, c'est que je n'ai pas été indifférent ou insensible aux pressions des députés, des anciens députés, qui invoquaient une foule de raisons, ne disant pas que j'étais un génie, — je n'ai jamais eu cette prétention-là — mais que dans le contexte il fallait que j'aille. Et il y avait l'aspect Masse, qui était très intelligent et qui avait beaucoup d'audace et qui était très ambitieux. Mais on sentait ce malaise chez les partisans, une grande partie des partisans, face aux attitudes de M. Masse concernant l'aspect constitutionnel...

M. Cardinal. **On en avait un peu peur?**

G. Loubier. On craignait un petit peu des volte-face de M. Masse ou encore ses attitudes assez nébuleuses et mystérieuses quant à sa position sur l'avenir constitutionnel du Québec. On me disait aussi: «Pour rebâtir l'Union nationale, ça nous prend un gars bien pratique, les deux pieds par terre, un gars qui est habitué à se mêler à l'organisation de polls.» Alors on m'avait fait cette réputation de bon organisateur, à bon aloi ou non.

M. Cardinal. **Mais vous n'étiez pas considéré pour autant comme le fédéraliste qui va venir bloquer, qui va venir faire échec à Marcel Masse?**

G. Loubier. Ah pas du tout, non pas du tout. Parce qu'on savait que j'étais extrêmement, très nationaliste. Et j'épousais la thèse de M. Johnson et surtout les méthodes de travail de M. Johnson, ses approches, je trouvais que c'était formidable. Il n'y avait pas de candidat qui avait des chances de gagner sur Masse.

A ce congrès, Gabriel Loubier l'emporte de justesse sur Marcel Masse: il obtient 607 voix, contre 584 pour son rival.

M. Masse. Je n'ai jamais vu de congrès, nulle part, qui n'a pas eu de dissensions. Et c'est normal. A un moment donné, les gens s'emballent pour un tel plutôt que pour un autre. Et ensuite c'est la sagesse du vainqueur que d'aller chercher les vaincus. Et si ce vainqueur n'a pas cette sagesse-là, eh bien! là il y a des problèmes.

F. *Sauvageau.* M. Loubier n'a pas eu cette sagesse?

M. Masse. Enfin, ce sont les faits qui le révèlent. Vous savez, c'est plus difficile d'être un vainqueur que d'être un vaincu. Et il ne semble pas qu'il y ait eu un ralliement à la suite du congrès, pour toutes sortes de raisons.

F. *Sauvageau.* Mais, est-ce que vous pensez toujours, j'imagine que vous le pensiez en 1971, au moment où vous vous êtes opposé à lui, que M. Loubier n'avait pas l'étoffe pour diriger les troupes de l'Union nationale?

M. Masse. Ah, c'est évident! Je ne me serais pas opposé à lui, si je n'avais pas été profondément convaincu qu'il ne faisait pas le poids. Je pense qu'il ne faisait pas le poids à cause de l'expérience administrative que nous avions eu ensemble. On avait eu des heurts profonds sur l'aménagement de la Gaspésie et les orientations constitutionnelles et tout. Alors, j'étais en désaccord idéologique avec M. Loubier sur le rôle du Québec dans la Confédération; j'étais en désaccord avec M. Loubier sur la responsabilité de l'État comme structure administrative devant des actes que nous devons poser quotidiennement.

F. *Sauvageau.* Mais le nationalisme que pouvait représenter Daniel Johnson, dont on s'était éloigné avec M. Bertrand, pensez-vous que M. Loubier s'en éloignait encore plus?

M. Masse. Je crois que oui, parce que c'était la moindre des préoccupations de M. Loubier que les orientations constitutionnelles.

En octobre 71, le bureau de direction du parti décide que l'Union nationale s'appellera désormais Unité-Québec. En janvier 73, Unité-Québec redevient l'Union nationale.

Le 29 octobre 1973, les libéraux sont reportés au pouvoir avec 102 députés sur 110; le Parti québécois devient l'Opposition officielle. Tous les candidats de l'Union nationale sont défaits, y compris son chef, Gabriel Loubier.

G. Loubier. Ç'a été le référendum, mais dans des conditions extrêmement anormales et injustes pour les Québécois, et injustes pour toutes
les formations politiques. C'est la psychose, névrose et tout ce que vous
voudrez, qui s'est emparé du peuple et qui s'est emparé des bourgeois à
l'effet que: «Ça n'a pas de bon sens. C'est terrible, la séparation. Ça va
être la guerre.» J'ai aidé involontairement à créer ce climat-là; on a
tous collaboré — M. Lévesque la même chose — on a tous collaboré à
créer le climat le plus vicié sur le plan expression populaire. Il n'était
plus question du parti Union nationale, il n'était plus question du Crédit social: «Es-tu «séparatiss», oui ou non? — et «séparatiss» avec un s
péjoratif. — Bien si tu l'es, c'est Lévesque! Et si tu ne l'es pas, tu
n'aimes pas Bourassa, tu n'aimes pas le programme, ça ce n'est pas
important. Vote libéral, parce que si tu divises le vote, tu donnes une
chance au Parti québécois de passer, et là c'est le communisme qui
arrive, et tout ce que tu voudras.» C'est ça qu'on disait.

*Deux autres explications de la défaite: celle de l'ancien ministre
des Finances, Mario Beaulieu, et celle de Jean-Guy Cardinal.*

M. Beaulieu. Je pense qu'on a assisté à un deuxième référendum en 73.
Et Loubier a été victime du même référendum dont M. Bertrand avait
été victime en 70. Les gens, en 70, ont voulu savoir, ils ont continué à
vouloir savoir en 1973. M. Loubier a changé les structures du parti, il a
essayé par différents moyens, même en changeant le nom, de recréer
une nouvelle Union nationale. Mais à ce moment-là, je pense que les
gens ont réellement voulu savoir: étions-nous fédéralistes ou séparatistes? C'est à la suite de la crise d'octobre qu'est venue l'élection de
73; les gens étaient craintifs et ils voulaient savoir. Moi, je connais des
gars qui ont été ministres de l'Union nationale en 68, 69 et qui ont voté
libéral en 73, simplement pour que le Parti québécois ne passe pas.

**M. Cardinal. Comment expliquez-vous la défaite de 1973? Est-ce que
vous l'expliquez uniquement par la personnalité du chef de l'Union
nationale? Y avait-il d'autres facteurs, d'après vous?**

J.-G. Cardinal. Oh non, je ne l'explique pas du tout par la personnalité
de M. Loubier. Ç'aurait été un autre chef et le résultat aurait été le
même. Depuis le congrès de 69, toute une partie de l'organisation de
l'Union nationale était passée soit au Parti québécois soit au Parti
libéral. D'autre part, la Loi 63 a fait perdre une grande partie de la
clientèle à l'Union nationale. Et même si l'Union nationale dans l'opposition a demandé le rappel de la loi, il était trop tard. Enfin, l'Union
nationale ne s'est pas suffisamment préoccupée d'une ville comme

Montréal. Peut-on gouverner le Québec, si l'on oublie Montréal, où se trouve, si je ne me trompe, au moins la moitié de la population?

* * *

F. Sauvageau. Est-ce qu'on peut, M. Lemieux, comparer, comme certains le font, les élections de 70 et de 73 et dire que dans les deux cas ils s'est agit d'un référendum, pour ou contre l'indépendance du Québec?

V. Lemieux. Je ne pense pas que l'on puisse les comparer. Les deux élections sont très différentes. Prenons les résultats. En 1970 les deux principaux partis ont 45% et 25% du vote, soit 70% ensemble, il reste quand même 30% aux autres partis. En 73, il reste 15% seulement aux tiers partis. Le Parti québécois et le Parti libéral obtiennent ensemble 85% du vote. En 70 finalement, l'élection ne porte pas principalement sur les problèmes constitutionnels, c'est l'attaque contre le gouvernement de l'Union nationale par trois partis assez importants, dont le Parti libéral, qui ne se bat pas surtout sur le plan constitutionnel. En 73, c'est différent. Là, la polarisation est plus grande, le débat porte davantage sur les problèmes constitutionnels, en partie parce que le P.Q. parle du budget de l'An 1 et que les libéraux attaquent sur ce plan-là. Alors là, peut-être que c'est davantage un référendum qu'en 1970.

* * *

Pour l'Union nationale, c'est la débandade, elle n'obtient que 5% du vote populaire. Gabriel Loubier démissionne le 30 mars 1974. L'Union nationale se cherche un nouveau chef, qu'elle trouve en la personne de Maurice Bellemare. Voici ce qu'en pensent Clément Vincent, Fernand Grenier et Maurice Bellemare lui-même.

C. Vincent. Dans les circonstances, il fallait aller chercher quelqu'un d'énergique, quelqu'un de connu, quelqu'un d'intègre, quelqu'un qui avait un nom à travers la province, pour démontrer d'abord que l'Union nationale n'était pas disparue, qu'il y avait des personnes qui y étaient intéressées.

F. Grenier. C'était le stratège, le gars de l'organisation, le gars des décisions fermes. Il faut se rappeler qu'à ce moment-là, c'était important pour le parti d'avoir un homme avec de la poigne, parce qu'on parlait de nettoyage et d'épuration. Alors Bellemare est arrivé là avec des bottines de soldat. Et je pense que de mars à août, il a réglé pas mal de problèmes d'administration, de régie interne du parti.

M. Cardinal. **Quand vous avez repris le parti, qu'est-ce que vous avez trouvé?**

M. Bellemare. J'ai trouvé d'abord... il a fallu faire un grand ménage de régie interne.

F. Sauvageau. **Vous avez trouvé des intellectuels que M. Loubier avait invités.**

M. Bellemare. Oui, les petits génies. Je leur ai dit: «Je ne pourrai pas m'adapter à vous autres. C'est sûr et certain qu'il va falloir que vous partiez. Moi, j'ai été élu pour rester et pour essayer de faire quelque chose de neuf. Alors si vous vouliez bien gentiment ne pas faire de troubles à personne et vous en aller. Allez-vous-en tranquillement et ne cassez pas les portes.» Il y en avait qui gagnaient $60 000 par année; il y en avait d'autres, $50 000; il y en avait plusieurs à $25 000. Ils ont dépensé bien de l'argent dans pas grand temps.

F. Grenier. Si on avait amené une autre candidature que celle de M. Bellemare, ç'aurait pu être un gain des intellectuels. Mais, à ce moment-là, est-ce que c'était vraiment ce qu'il nous fallait. Est-ce que ce n'était pas plutôt un vrai politicien? Et pas longtemps après, à l'occasion de l'élection complémentaire dans Johnson, on s'est vite rendu compte que c'était peut-être plus utile d'avoir un politicien que d'avoir un intellectuel à la tête du parti.

Les créditistes présidentiels qui se joindront à l'Union nationale en juin 1975 ne font pas obstacle à M. Bellemare qui pose sa candidature à cette élection et réussit à se faire élire.

M. Bellemare. Lorsque les brefs ont été émis, le 25 juillet, immédiatement j'ai convoqué le conseil exécutif du parti. J'étais, je pense, avec le président du conseil national, M. Grenier, enthousiasmé par cette nouvelle qui nous arrivait de l'élection partielle dans un comté semi-urbain, ça me plaisait énormément. Au Conseil exécutif, 39 membres sont présents; alors on prend le vote, ils sont 34 contre, il y en a 5 pour. Alors je fais une crise, et je dis: «Vous ne connaissez pas ça. Je vais me présenter quand même et on verra après ce qui arrivera.» Et là je me suis présenté. Ça m'a énormément choqué quand le premier ministre de la province a dit: «Johnson, c'est une victoire personnelle de Bellemare.» Non. C'est le reflet d'un peuple qui se révolte. Dans Johnson, on a voté contre le gouvernement. Ça n'a pas été un vote pour quelque chose, ç'a été un vote contre quelque chose. Et ça, quand même on dirait: «Bellemare, c'est à cause qu'il connaissait ça.» Non, non, non. Je ne pense pas que les Anglais vont aller voter pour Bellemare, parce qu'il s'appelle Bellemare! Non. Ils ont voté contre le gouvernement, comme les ouvriers d'Acton ont voté contre le gouvernement, comme les cultivateurs d'Acton ont voté contre.

DEUXIÈME PARTIE:
LES CHEFS

Au centre: Paul Sauvé, premier ministre; aux deux extrémités: deux membres de son cabinet et futurs premiers ministres, Daniel Johnson et Jean-Jacques Bertrand. (Société des Amis de M. Duplessis)

CHAPITRE 4

UN PARTI, UN CHEF:
MAURICE DUPLESSIS

La victoire de l'Union nationale, en 1966, a surpris un peu tout le monde. Le parti de Daniel Johnson s'est retrouvé au gouvernement dans un contexte très différent de celui où avait régné l'Union nationale avant 1960. La mort de Daniel Johnson, en 1968, ouvrait une période troublée entre autres par deux congrès d'investiture qui donnaient à Jean-Jacques Bertrand, en 1969, puis à Gabriel Loubier, en 1971, un leadership bien peu assuré. L'Union nationale était nettement battue en 1970, et en 1973 elle ne conservait que 5% des votes et aucun député. En 1974, la résurrection commençait avec l'élection de Maurice Bellemare dans la circonscription de Johnson. Le parti de Duplessis refaisait surface. Mais qui était Duplessis? Nous allons tenter de cerner cette figure prestigieuse dans le présent chapitre, le premier d'une série de trois consacrés aux chefs de l'Union nationale.

Maurice Duplessis en 1927. (Société des Amis de M. Duplessis)

*«Duplessis? Connais pas,» affichait il n'y a pas si longtemps le **Magazine Maclean**, coiffant de ce titre éloquent le compte rendu des interviews d'une quinzaine de jeunes Québécois qui ne savaient du fondateur de l'Union nationale — lorsqu'ils en savaient quelque chose — que ce que leur en avait révélé tout le bruit provoqué par la pièce de théâtre **Charbonneau et le Chef**. L'attitude du chef lors de la grève de l'amiante, ses démêlés avec l'évêque de Montréal, Mgr Charbonneau, tels que relatés par l'auteur, John Thomas McDonough, ont laissé de M. Duplessis un portrait que ses fidèles n'ont guère apprécié, mais dont d'autres affirment la justesse.*

Maurice Duplessis, 1890-1959, né à Trois-Rivières, fils d'un député conservateur à Québec, études au collège Notre-Dame à Montréal, au séminaire de Trois-Rivières et à l'Université de Montréal. Avocat, député de Trois-Rivières de 1927 jusqu'à sa mort, premier ministre du Québec de 1936 à 39 et de 44 à 59. Ses intimes, ses amis et ses adversaires politiques racontent Maurice Duplessis.

F. Sauvageau. **Pouvez-vous nous dire un peu, M. Bonenfant, comment lui est venue cette passion — parce que je pense que le terme n'est pas trop fort — pour la politique?**

J.-C. Bonenfant. Ç'a commencé très jeune, à Trois-Rivières. Il avait été élevé dans un milieu politique; son père avait été député. Et je pense que le milieu politique d'une ville moyenne comme Trois-Rivières, il n'y a rien de pire que ça, je ne dirais pas pour corrompre un homme, mais pour l'entraîner dans la vie politique. Deuxièmement, il ne faut pas oublier qu'il est resté célibataire, et c'est le cas de dire que la politique a été vraiment son épouse.

F. Sauvageau. **Ou sa maîtresse.**

J.-C. Bonenfant. Sa maîtresse, ça dépend du point de vue que vous adoptez. Je dirais aussi qu'il avait la tournure d'esprit de l'homme politique. Même lorsqu'on lui a reproché la chose la plus terrible, il a toujours cru qu'il avait raison. Et je crois que cette qualité-là est extrêmement importante pour quiconque veut réussir en politique.

F. Sauvageau. **C'était un bagarreur aussi.**

J.-C. Bonenfant. Oui, justement, je pense que l'homme politique aime se bagarrer. Par ailleurs, je crois qu'il avait les qualités, surtout à cette époque-là, qui faisaient le succès politique. Il avait la mémoire des noms, il était charmeur même pour ses adversaires.

Un des adversaires les plus acharnés de M. Duplessis, qui le lui rendait bien d'ailleurs, artisan de la première heure de la Fédération libérale du Québec, M. Jean-Louis Gagnon.

J.-L. Gagnon. C'était un homme volontaire... Tout le monde lui prêtait des amours... comme à Henri IV... mais sa vraie maîtresse c'était la politique, la politique comme source de pouvoir. Il était fasciné par Taschereau; il aurait bien voulu continuer Taschereau, du moins rester aussi longtemps que Taschereau avait réussi à durer; et il a pas mal réussi d'ailleurs à ce point de vue-là. Ça, c'est l'élément principal de Duplessis. Je n'irais pas jusqu'à dire comme Paul Bouchard avait écrit un jour: «Saluons son austère célibat, cette race de traîtres ne se reproduira pas.» Quand j'étais là au moment où Paul Bouchard l'a écrit, j'avais trouvé ça assez méchant mais pas mal tourné quand même. Alors, ça explique beaucoup de choses, dont son célibat peut-être.

Mais il arrive aussi que Duplessis était réellement un nationaliste moyen canadien-français, ça incontestablement. Il l'a démontré; il croyait par exemple qu'il fallait enrichir les Canadiens français. Il ne pouvait pas tous les enrichir; il en a enrichi quelques-uns. Là aussi il y avait un intérêt, parce qu'il savait très bien que la caisse du Parti libéral était faite par les grandes compagnies, qu'il n'y avait pas de grandes compagnies canadiennes-françaises et que son parti à lui aurait un petit ton canadien-français nationaliste. Il a donc inventé ce qui était d'ailleurs facile: les contrats avec versements à la caisse. Il voulait le pouvoir, il a pris les moyens d'y arriver; il voulait le garder, il fallait donc une caisse, il a pris les moyens de la faire, mais il était à travers ça nationaliste, ça je le crois. Pour lui, enrichir un Canadien français, c'était une oeuvre pie, si je puis dire. Alors il a réussi à le faire, il en a enrichi des Canadiens français.

*Le fondateur de la faculté des Sciences sociales de l'Université
Laval, un lieu de réflexions un peu trop intenses au gré de M.
Duplessis, le Père Georges-Henri Lévesque.*

G.-H. Lévesque. On pourrait dire qu'il a été grand politicien dans ce
sens qu'il avait une habileté vraiment exceptionnelle, une lucidité extraordinaire. Mais en même temps un très petit politicien, parce que presque tous ses jugements, presque toutes ses actions étaient mesquines sur
le plan politique. Je pourrais même dire que si Duplessis n'avait pas été
si mesquin, si petit politicien, il aurait probablement été un des plus
grands premiers ministres du Canada, un des plus grands premiers ministres provinciaux, bien entendu. Il avait une mémoire prodigieuse et
aussi, ce qui est très intéressant chez un politicien, un grand courage et
une grande force de caractère. Malheureusement, ce courage, cette force de caractère, étaient souvent mis au service de causes mesquines...
C'était pour le parti, c'était pour son pouvoir à lui, parce que pour M.
Duplessis ce qui comptait, c'était le pouvoir.

*Un portrait différent, tracé par un ministre de M. Duplessis, M.
Yves Prévost.*

Y. Prévost. Un homme très ferme, très autoritaire, ayant extrêmement
confiance en lui-même. Ce n'était donc pas un homme porté à faire
équipe, de sorte qu'il restait de la place pour le dialogue, mais en autant
que vous aviez solidement et énormément raison et de bons arguments à
lui soumettre. Il avait du respect pour ses ministres, c'est certain; il en
avait peut-être un petit peu moins pour quelques-uns de ses ministres en
qui il avait, disons, une confiance plus limitée en ce que j'appellerais
leurs compétences professionnelles. Il les suivait de plus près, il les
voyait plus fréquemment.

**M. Cardinal. Lui arrivait-il souvent de rabrouer ses ministres en leur
disant, peut-être un peu sur un ton mi-blague, mi-sérieux: «Toi, tu ne
connais rien en politique, laisse-moi faire.»**

Y. Prévost. Non, non, ce n'était pas son genre. Non, c'était un homme
extrêmement poli et il n'avait rien de vulgaire... Je vais aller plus loin
que ça: à mes yeux, il était souvent trop bon. Ça va étonner bien des
gens de m'entendre dire ça.

M. Cardinal. Il ne terrorisait pas ses ministres, donc?

Y. Prévost. Loin de là, loin de là!

M. Cardinal. Diriez-vous que M. Duplessis était un dictateur?

Y. Prévost. Non, chaque fois que j'ai entendu dire ce mot-là, ça m'a
toujours fait rire. Il n'avait rien du dictateur. J'irais plus loin, je le

trouvais parfois trop faible devant certains de ses amis, parce que ses amis, encore une fois, c'était sa famille. Rappelons-nous qu'il était célibataire. Si cet homme-là n'avait pas été célibataire, il aurait été encore plus fort.

Un adversaire politique, député libéral de 1939 à 48, complète ce tableau: M. Jacques Dumoulin.

F. Sauvageau. Est-ce qu'il permettait quand même à ses ministres de s'exprimer en Chambre?

J. Dumoulin. Seulement quand il était absent de l'Assemblée législative. Non, il était resté évidemment le chef.

F. Sauvageau. Est-ce qu'il ne lui arrivait pas, par exemple, d'être même désagréable pour certains de ses proches collaborateurs?

J. Dumoulin. Oui, c'était le cas pour l'honorable Onésime Gagnon, qui était procureur général et qui pouvait faire un excellent discours... eh bien! au bout de quelques instants, on entendait une voix perceptible d'une extrémité à l'autre de l'Assemblée législative. Peut-être était-ce un compliment? Peut-être voulait-il épargner à M. Gagnon un excès de fatigue? Il avait sa manière à lui de manifester sa charité. Et cette manière était de dire à son ministre: «Tais-toi! Assieds-toi! C'est assez!»

Et maintenant, un portrait plus personnel et plus intime aussi, tracé par des proches de l'ancien premier ministre. D'abord, deux secrétaires de M. Duplessis, Mlle Auréa Cloutier qui était déjà à son emploi bien avant qu'il ne devienne premier ministre, puis M. Roger Ouellet, secrétaire de M. Duplessis de la fin des années 30 jusqu'à la mort du premier ministre.

F. Sauvageau. Est-ce que M. Duplessis avait une vie sociale? Avait-il des amis chez qui il allait manger? Sortait-il beaucoup à Québec?...

A. Cloutier. Rarement...

F. Sauvageau. Est-ce qu'il vivait seul au Château Frontenac?

A. Cloutier. Seul au Château Frontenac? Il recevait beaucoup au Château Frontenac. Quand il avait des entrevues importantes, il les recevait au Château, d'autres c'était au bureau.

F. Sauvageau. Et quand il venait à Trois-Rivières, il ne fréquentait personne?

A. Cloutier. Ici aux Trois-Rivières? Monsieur, il arrivait chez lui, il n'avait pas le temps d'entrer et de saluer sa soeur chez qui il demeurait,

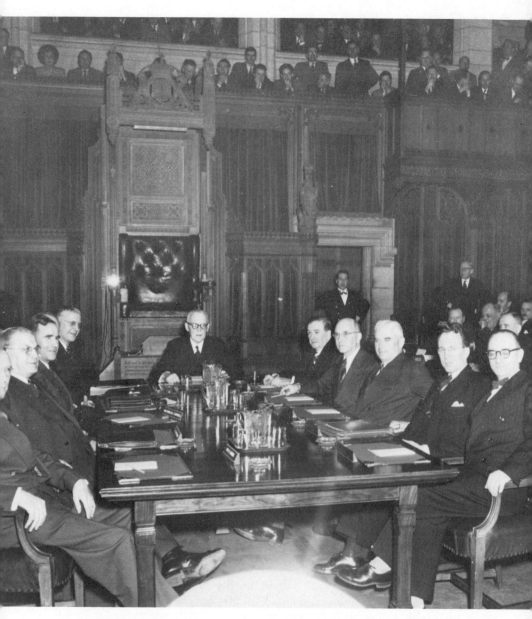

Maurice Duplessis participe à une conférence des premiers ministres présidée par Louis Saint-Laurent, 1949. (Archives publiques du Canada)

que déjà il y avait cinq, dix, vingt personnes qui envahissaient la maison. Le jour de Pâques, les gens venaient le saluer, pas tous pour demander des faveurs, vous savez; beaucoup venaient le saluer. Et ce n'était pas rare qu'à l'occasion de Pâques, du Jour de l'an et d'autres fêtes de l'année, vous rencontriez dans la maison 200, 250, 300 personnes qui envahissaient les deux étages de la maison.

R. Ouellet. Il recevait beaucoup de gens. On pourrait dire que chaque jour il recevait 15, 20 personnes, des fois plus, à part de prendre connaissance du courrier, préparer les séances du Conseil des ministres, les ordres en conseil. Je pense bien qu'il n'y a pas beaucoup d'ordres en conseil qu'il n'ait pas vus lui-même; il voulait vérifier chaque document, chaque rapport, l'étude des rapports des fonctionnaires.

F. Sauvageau. **Outre ses activités politiques, qu'est-ce qu'il faisait? Il faut toujours prendre un peu de loisirs, qu'est-ce qui l'intéressait?**

R. Ouellet. C'était assez rare. Les vacances, s'il en prenait, il prenait une semaine. Il a été plusieurs années sans prendre une seule journée de vacances. Il allait assez souvent au hockey à Montréal les fins de semaine; il était amateur de baseball. Je pense que dans son enfance, il dirigeait une équipe de baseball aux Trois-Rivières, des jeunes, il s'occupait de ça. Assez souvent aussi à l'automne, fin septembre, début octobre, il assistait aux Séries mondiales à New York; son club préféré, c'était les Yankees. Il connaissait tous les joueurs et il pouvait vous dire que Lou Gehrig et un tel, Mickey Mantle et d'autres avaient frappé tant de circuits en telle année.

F. Sauvageau. **Ça veut donc dire qu'il avait d'autres centres d'intérêt que la politique...**

R. Ouellet. Le baseball, le hockey. Mais pour participer de façon active, comme amateur de pêche et de chasse, ça ne lui disait rien.

F. Sauvageau. **Est-ce que c'était ce qu'on peut appeler un bon vivant, c'est-à-dire quelqu'un qui aime bien manger, qui aime boire aussi, qui aime rire, s'amuser?**

R. Ouellet. Oui, ce n'était jamais moche dans son entourage. Il se payait la tête de plusieurs, il aimait ça blaguer. Et quand il était tendu, son plaisir c'était de se faire raconter des histoires, par exemple. Je me souviens du notaire Émile Boiteau, député de Bellechasse, de Wilfrid Labbé, d'Antoine Marcotte; ils étaient des conteurs d'histoires nés. Alors, ça le détendait; il aimait rire. C'est pour ça, je pense, qu'il a pu résister aussi longtemps et travailler d'une façon aussi intense, parce qu'il se détendait facilement.

L'une des nièces de M. Duplessis, sa préférée diront certains,
Mme Berthe Bureau-Dufresne de Trois-Rivières.

B. Bureau-Dufresne. Il adorait la peinture, il adorait la musique. On l'a souvent accusé d'une chose que je n'ai jamais comprise, et c'est de ne pas lire. Il était au courant de tout. Je ne vous dis pas qu'il avait le temps de s'asseoir et de lire le dernier best-seller, mais il était au courant du livre, il avait lu des critiques, pour et contre. En peinture par exemple, surtout du côté des impressionnistes français et de certains peintres paysagistes anglais, de certains peintres hollandais, il était absolument, presque, je ne vous dirais pas tout à fait un expert, mais il connaissait la matière à fond.

F. Sauvageau. **Autrement dit, quand on parle de son mépris de la culture, c'est mal le connaître?**

B. Bureau-Dufresne. Il n'a jamais méprisé la culture, mais on ne peut pas demander à un homme qui travaille dix-huit heures par jour de se mettre à lire le dernier roman de Simone de Beauvoir, mais il va être au courant que Simone de Beaucoir a écrit des romans et de ce qu'elle a écrit... Il s'est fait une opinion. Il était informé de toutes ces choses-là; il y avait des gens qui l'informaient, qui le faisaient pour lui.

F. Sauvageau. **Quand on parle de son goût pour le sport, c'était surtout du sport d'estrade, il ne faisait pas de sport...**

B. Bureau-Dufresne. Il était notablement, comme toute sa famille, gauche, maladroit, malhabile avec ses mains. Je crois que ce qui arrive dans ce cas-là, c'est qu'il pensait beaucoup plus vite que ses mains ou ses pieds ne pouvaient agir. Alors il y a une espèce de manque de coordination, ce qui faisait qu'il avait même de la misère à se faire la barbe. Quand il se faisait la barbe, on aurait dit qu'il était passé dans des fils barbelés.

F. Sauvageau. **On croit que c'était un homme seul. Avec le recul, avez-vous l'impression que c'était un homme heureux?**

B. Bureau-Dufresne. C'est un homme qui a, je crois, rempli l'idéal qu'il s'était proposé; il a pu voir accomplir une partie de son idéal. Mais c'était un solitaire. Ses chagrins, ses plus grands chagrins, il nous en laissait peut-être transpirer quelque chose, mais c'était à ce point de vue-là un véritable célibataire, c'était un solitaire.

F. Sauvageau. **Mais un solitaire n'étant pas nécessairement malheureux.**

B. Bureau-Dufresne. Non, non, il était on peut dire solitaire mais pas seul. Il avait son idéal, il avait sa vie, ce pourquoi il avait donné toute son énergie. Il a réalisé son rêve.

Le docteur Fernand Lizotte complète ces témoignages.

F. Lizotte. Ce n'était pas un intellectuel. Il ne parlait pas à la française, c'est évident. Seulement, Duplessis, c'est une des belles intelligences qu'on a eues. Vous pouviez discuter de n'importe quel sujet avec Duplessis, il était renseigné sur un tas de choses. Je pense qu'il lisait beaucoup aussi. Rien que son goût pour la peinture, c'est déjà une preuve qu'au moins il avait des goûts qui touchaient un peu à la culture.

C'était un bonhomme de gros bon sens. Il écoutait vos problèmes et il trouvait des solutions. C'était un bon père de famille célibataire. C'était l'image qu'il donnait, Duplessis. Il est resté humain. Maintenant, il est resté accroché, au moment où il était dans toute sa puissance, à certains pôles qui canalisaient les gens, comme le clergé. Vous savez, il a été un temps où on disait: «Dans une paroisse, le docteur et le curé, on ne touche pas à ça.» Bien, Duplessis, il a vécu à ce moment-là, de sorte que tous les curés, il leur faisait de l'asphalte autour des églises. Je comprends que c'était matériel, si vous voulez, mais c'était quasiment une des choses dont il avait besoin, le curé, autour de son église pour ne pas patauger dans la boue.

M. Roger Ouellet souligne un autre aspect de la personnalité de Maurice Duplessis.

F. Sauvageau. Duplessis assistait à la messe à Québec, à la basilique, tous les mercredis, a-t-on dit. Est-ce que c'était un homme vraiment très religieux? Le fait d'aller à la messe est-ce que c'était de la façade ou bien était-il profondément religieux?

R. Ouellet. Il n'allait pas à la messe à huit heures le matin; il allait à la messe à cinq heures et demie, tous les mercredis, ça, je peux dire, depuis que je l'ai connu. Il allait à la première messe, mettons que c'était à cinq heures et demie ou six heures le matin; il entrait par la petite porte de côté, et c'était bien discret. Ah! oui, c'était un grand grand religieux. Lorsqu'on était à Montréal parfois, quand on passait aux environs de l'oratoire Saint-Joseph, il disait au chauffeur: «Passe donc par l'oratoire, on va arrêter voir saint Joseph.» Il avait une grande dévotion pour saint Joseph. Toutes ses grandes décisions, il les a prises un mercredi: ses élections, l'ouverture des sessions, etc... Non, ce n'était pas de la façade. Quand on allait à Ottawa, — j'ai assisté peut-être dix, douze fois à des conférences fédérales-provinciales ou à des comités — le mardi après-midi, il me disait: «Téléphone donc à la cathédrale. A quelle heure les messes demain matin?» Je vous dis que c'était en hiver, il faisait noir, et il partait avec M. Tardif ou un autre de ses collègues et ils s'en allaient à la messe à Ottawa. On dit même que dans les années 37, 38, alors qu'il s'entendait bien avec Mitchell Hepburn, premier ministre libéral d'Ontario, à Toronto, c'était la même chose: il trouvait l'église catholique et allait à la messe le mercredi. Il n'a jamais manqué la messe, et il n'en parlait pas. Non, ce n'était pas une affaire de façade, vous pouvez être convaincu de ça.

* * *

O Vierge de l'Assomption, en qualité de chef de notre belle province de Québec, en présence d'autorités religieuses et civiles de tout le pays, je viens vous consacrer notre province tout entière. Protégez tous vos enfants, O Notre-Dame de l'Assomption. Mais, je vous en prie, protégez en particulier votre peuple qui vous a toujours servie. Que la croix et les fleurs de lys de son drapeau lui prêchent sans cesse la fidélité à ses traditions religieuses et nationales.

Maurice Duplessis

* * *

En conclusion, Mme Bureau-Dufresne situe, dans une perspective un peu plus large, la foi de M. Duplessis, né dans une famille conservatrice à Trois-Rivières, fief de Mgr Laflèche et bastion des ultramontains.

B. Bureau-Dufresne. Trois-Rivières était une forteresse conservatrice ultramontaine, une forteresse bleue, si vous voulez. Et ses grands-parents, son père et son grand-père et son arrière-grand-père étaient des ultramontains. Il a été élevé, il a baigné dans un milieu ultramontain. Pour lui, l'évêque, c'était un personnage sacré; un prêtre, c'était un homme qui avait une mission sacrée à laquelle il ne pouvait pas se dérober. Son grand-père, par exemple, était un homme très religieux... presque un moine. Son père était un peu le même genre; il allait à la messe tous les matins. C'était des gens qui consultaient leur conscience. S'ils faisaient même un geste, ce qui nous paraît maladroit à nous aujourd'hui, c'était selon leur conscience. Et c'était absolument en paix avec eux-mêmes, ils ne transigeaient pas avec un principe. Dès qu'ils avaient une idée, qu'ils la croyaient bonne, ils allaient jusqu'au bout.

Un ami de M. Duplessis, curé pendant de longues années à Bois-chatel en banlieue de Québec, l'abbé Pierre Gravel.

P. Gravel. M. Duplessis, c'était un chrétien convaincu. Là encore, il n'avait pas besoin de s'expliquer sa religion, il était chrétien convaincu. On s'est moqué souvent de sa dévotion à saint Joseph — en passant j'aime autant être dévoué à saint Joseph qu'à Mao-Tsé-toung. M. Duplessis était à la cathédrale tous les matins. S'il avait veillé au gouvernement, parce que très souvent il veillait très tard au Parlement, à son bureau, il faisait du travail jusqu'à minuit, le lendemain matin, à six heures et quart, il était à la messe à la basilique de Québec, toujours. J'ai revu dans mes albums une photo de M. Duplessis en arrière d'un pilier; il faisait comme le publicain, il était dans son coin et priait à une messe matinale où il n'y avait pas grand monde dans l'église. Ça, c'était sa dévotion, on peut dire une dévotion enfantine, dévotion qui ne se complique pas la vie. A part ça, il avait cette dévotion à saint Joseph; ça s'explique très bien: il avait le culte de saint Joseph parce qu'il a été l'élève du fameux frère André. A la mort du frère André, il a eu du chagrin et une grande générosité; c'est lui qui a payé le tombeau du frère André.

Ici, quand on causait, Duplessis parlait de religion comme il parlait d'autres choses. Mais, pour lui, la religion, c'était une aide nécessaire; pour lui, on ne vivait pas sans religion. Il ne faisait pas le pharisien, jamais il ne disait: «Un tel ne fait pas sa religion. Un tel est comme ci.» Non, non, il n'y avait pas de ça, il n'y avait rien du pharisien chez Duplessis.

Je crois que si on l'a beaucoup attaqué depuis sa mort, c'est qu'il a eu des défauts, Duplessis. Je vais vous les dire, ça paraît drôle. Ses défauts: c'est d'avoir été dévot; on ne pardonne pas ça aux hommes publics; deuxième défaut, c'est qu'il avait de l'esprit et ça c'est très mal vu. Ce n'est pas d'aujourd'hui, Louis Veuillot disait: «Si vous avez de l'esprit vous avez à peu près le monde entier contre vous. Ne le laissez pas voir, si vous avez de l'esprit. Vous amenez à vous évidemment les gens qui en ont, et ceux qui n'en ont pas, ils ne pardonnent pas ça.» On ne pardonne pas à Maurice Duplessis un mot d'esprit.

Il en a fait des mots d'esprit. Sans malice, si Jean Lesage, que je connais, n'a jamais voulu se faire élire du temps de Maurice Duplessis, c'est qu'il avait peur qu'au Parlement, Maurice Duplessis ne lui réponde en l'imitant. Ça, ça l'aurait estomaqué parce qu'il avait une certaine conscience de sa valeur. On peut dire en somme que, comme homme, Maurice Duplessis n'était pas friand de se montrer très intelligent et tout ça, non, non...

F. Sauvageau. Mais, Monsieur l'abbé, même avec les années, est-ce que ses amis ne restent pas un peu obnubilés? On a l'impression à entendre le portrait que l'on en fait, que c'était un homme parfait et ça me paraît impossible.

P. Gravel. Non, non, c'est impossible un homme parfait; il avait ses défauts. Mais moi dans ma vie, j'ai toujours essayé de parler des qualités des gens que j'ai rencontrés, parce que des défauts il y en a assez pour en parler.

L'ancien chef de l'Opposition libérale, M. Georges-Émile Lapalme.

Antoine Rivard et Maurice Duplessis. (Société des Amis de M. Duplessis)

G.-É. Lapalme. Comme parlementaire, vous savez, je n'ai pas de compliments à lui faire du tout. Quand j'ai quelque chose à dire de favorable à Duplessis, ce n'est pas comme parlementaire, parce que la loi, la procédure parlementaire, c'était lui. Je me rappelle qu'un jour, il se lève, fait une objection, cite un article des règlements avant qu'on ait eu le temps de recourir au volume qui contenait les règlements — l'Orateur rendait toujours une décision favorable à Duplessis, jamais pour les autres. Jamais pendant dix ans, jamais! Alors, le temps qu'on s'en allait aux règlements, on découvrait que l'article n'existait pas, mais l'Orateur avait déclaré que M. Duplessis avait raison. Alors le règlement, la procédure parlementaire, ça n'existait pas, c'était Duplessis; le gouvernement, c'était Duplessis; l'Union nationale, c'était Duplessis.

Je sais qu'un contrat d'impression de $1 500 avait été bloqué par Duplessis lui-même parce que tout passait là. La fonction publique n'existait pas. Ernest Laforce était une sorte de clown en fin de compte, qui disait ne même pas savoir son âge, même dans un procès sous serment; il était le chef de la fonction publique, dont la loi disait qu'elle devait être composée de trois membres; il n'y en avait qu'un, tout était illégal. Duplessis conduisait tout de A à Z, de cent dollars à un million.

F. Sauvageau. **Être chef de l'Opposition sous Duplessis...**

G.-É. Lapalme. Être chef de l'Opposition, c'était à ce moment-là se marcher sur le coeur. Seulement, avec les années, je ne mets pas de côté la valeur de Duplessis comme talent, comme rapidité de jugement, comme mémoire presque infaillible...

F. Sauvageau. **Sa capacité de travail...**

G.-É. Lapalme. Oui, mais je suis peut-être un de ceux qui ont trop parlé de sa capacité de travail. Parce que, dans son bureau toute la journée, il passait son temps, comme on dirait ici, à jaser. Les gens passaient et ils causaient. Quand j'allais au bureau de Duplessis, moi, il avait toujours le temps, même s'il y avait dix personnes. Plus il y avait de personnes, plus il y avait de ministres dans l'antichambre, plus il me gardait longtemps. Il s'en servait après. Alors, il parlait de n'importe quoi, sauf du sujet; je disais: «M. Duplessis, je suis venu pour...» — «Ah! on n'est pas pressés, on a le temps. Vous savez, ça ne paraît pas ce qu'on dit, mais c'est ça qui fait l'administration de la province.» On venait de parler de sir Wilfrid Laurier, d'Honoré Mercier, de n'importe qui.

Un autre ancien ministre sous M. Duplessis, M. Antoine Rivard.

A. Rivard. Duplessis avait été un chef d'Opposition formidable, et une fois rendu premier ministre, il est resté chef d'Opposition.

F. Sauvageau. **Qu'est-ce que vous voulez dire?**

A. Rivard. Je veux dire que, quand il était attaqué, il répondait un petit peu à l'attaque, mais surtout en attaquant ceux-là qui l'avaient attaqué. Et surtout quand il avait affaire à un homme qui était chef d'Opposition et qui était un peu violent, il le faisait sortir de ses gonds et le débat dégénérait en une bataille, non pas sur les points qui avaient été soulevés par ceux-là qui l'avaient attaqué, mais sur les attaques que lui-même avait portées contre l'Opposition ou contre les hommes qui l'attaquaient.

Je dois dire que pendant les douze ans que j'ai été à l'Assemblée législative dans le temps, Marler est peut-être l'homme avec lequel dans le fond Duplessis a eu le plus de misère. D'abord, il ne pouvait pas le faire choquer, il ne pouvait pas le faire sortir de ses gonds; Marler restait sur ses positions exactes. Il posait une question, Duplessis répondait à côté de la question et attaquait Marler sur d'autres points; Marler laissait passer l'orage, et il se relevait et répétait la question du début. Et ça, ça embarrassait Duplessis.

Le prédécesseur de M. Lapalme à la direction de l'équipe libérale,
M. George Marler, raconte à son tour cette époque.

G. Marler. A la fin de la journée, je demandais à M. Duplessis quels projets étudierions-nous le lendemain. Et il me disait, par exemple: «Nous allons prendre le bill 13, ensuite le bill 10. Et si nous finissons avec ces deux lois-là, on prendra le bill 8.» Le lendemain, il arrivait avec le bill 23. Alors je disais: «Mais, Monsieur le premier ministre, nous avons convenu que nous devions commencer avec le bill 13.» Et là, il répondait: «Vous savez, nous avons tâché de donner toute l'aide possible à l'Opposition. Si le chef de l'Opposition n'est pas prêt sur le bill 23, il n'y a pas d'autre chose à faire que de prendre le bill 13.» Voyez comme c'est amusant en «retrospect», mais c'était un peu fatigant d'être exposé...

F. Sauvageau. Ça revenait quotidiennement et constamment?

G. Marler. Je ne dirais pas tous les jours, mais assez souvent pour m'agacer.

F. Sauvageau. Bref, ces années comme chef de l'Opposition ont dû être assez longues pour vous, en particulier la période 48 à 52, à huit députés.

G. Marler. Oh oui! Évidemment, chaque fois que la cloche sonnait pour annoncer l'ouverture de la Chambre, je descendais du troisième étage au deuxième et je me disais: «Quelle bêtise j'ai faite dans le passé qui m'a placé dans cette galère?»

G.-É. Lapalme. Il était partout, il était omniprésent, en sorte qu'on ne pouvait même pas adresser la parole en public vis-à-vis une organisation non politique, sans savoir ce qui nous arriverait sur un ordre de Duplessis. Exemple : un jour, je suis invité dans une coopérative dans Joliette ; j'accepte d'aller prononcer un discours lors du banquet annuel de la coopérative, lorsque le président vient me trouver presque à genoux, il me dit : «M. Lapalme, nous sommes devant un cas extraordinaire. Nous sommes obligés de plier parce qu'il y a une subvention de $50 000. On vient d'être averti par M. Barrette, député de Joliette, que si vous parlez là, M. Duplessis va retrancher la subvention.» Je donne cet exemple pour montrer les ramifications absolument universelles, multiples de Duplessis, ce qui nous faisait, nous les militants contestataires — on n'employait pas le mot à l'époque — ce qui nous faisait le détester.

A la fin des années 30, M. Bona Arsenault était directeur de l'hebdomadaire de l'Union nationale, Le Journal. Voici son témoignage.

B. Arsenault. Je l'ai connu très bien à l'époque, parce que j'avais à transiger très souvent avec Duplessis. Je me souviens d'un soir où Duplessis m'a appelé pour me parler d'une élection partielle qu'il voulait annoncer dans le comté de Lotbinière. Il était dans sa chambre au Château, vers onze heures ou minuit, il était en vêtements de nuit, et là il dit : «Assieds-toi.» Il s'est assis sur une chaise, je me suis assis sur son lit, et c'est là qu'on a décidé de quelle façon on distribuerait *Le Journal* dans tous les foyers du comté de Lotbinière.

F. Sauvageau. **Parce que c'est lui qui dirigeait tout, même la publicité du parti ?**

B. Arsenault. Il dirigeait tout.

F. Sauvageau. **Il n'avait confiance en personne ?**

B. Arsenault. En personne, absolument personne, et il était très ombrageux, il était très soupçonneux. C'était sa très grande faiblesse, parce que c'était un homme supérieurement intelligent ; quelqu'un lui disait : «Écoute, Maurice, fais attention à cet homme-là, parce que l'autre jour j'ai entendu quelqu'un qui m'a dit qu'il avait entendu dire que quelqu'un avait dit qu'il avait parlé contre toi.» Alors, ça finissait là, le gars était flambé.

Duplessis, je le considère comme un homme foncièrement honnête et bien intentionné. Mais il était le chef d'un parti, d'une tribu, d'un parti tribal, d'un parti artisanal, si vous voulez. C'est comme ça que les choses se passaient à l'époque, et la population trouvait ça tout à fait normal. C'était un homme qui n'avait à peu près pas d'amis, qui avait des serviteurs partout dans la province.

L'ancien propagandiste de l'Union nationale, M. Paul Bouchard.

P. Bouchard. Duplessis en réalité était un chef de horde médiévale, d'une horde de Tartares, la horde d'or par exemple. Alors: «Suivez le chef, suivez mon panache blanc.»

L'ancien ministre, M. Antoine Rivard, «victime» du célèbre «Toé, tais-toé» de M. Duplessis en 1958, complète le portrait politique de l'ancien premier ministre.

A. Rivard. Il avait une mémoire dangereuse, Duplessis. Et quand il nous disait: «Celui-là, je l'ai mis dans mon frigidaire,» ça voulait dire que le gars resterait là un petit bout de temps et quand il sortirait de là, il serait gelé.

F. Sauvageau. On a dit que c'était un dictateur, M. Rivard; évidemment il y a ce mot célèbre, — je sais que vous ne l'appréciez pas mais dont on parle — on dit qu'il faisait taire les gens assez facilement.

A. Rivard. Pas moi. Ce qu'on a dit, qu'on lui a rapporté de moi, c'est absolument faux; ni en Chambre, ni ailleurs. En fait, quand il avait plusieurs débats importants et qu'il avait utilisé son droit de parole et qu'il voulait un droit de réplique, il me demandait de prendre la réplique, dans le temps.

F. Sauvageau. Est-ce qu'il laissait une certaine marge de manoeuvre à ses ministres? Aviez-vous une certaine autonomie?

A. Rivard. Oui, oui. Je dirais que l'on n'aurait pas osé instaurer au sein d'un ministère une politique qui engageait toute la politique du gouvernement sans lui en parler, et lui ordinairement en parlait au Conseil des ministres aussi. Mais vous savez, il n'y a pas de doute qu'il avait une autorité dont il s'est servi, une autorité dans la province de Québec. On peut peut-être croire qu'à la fin de sa vie il a exercé cette autorité avec trop de force et trop de sévérité. De telle sorte que, quand il est disparu, ç'a été une explosion chez les gens qui n'avaient pas parlé, parce qu'ils avaient peur de parler quand Duplessis était là.

A nouveau, Mme Berthe Bureau-Dufresne et l'abbé Pierre Gravel.

B. Bureau-Dufresne. C'était un hypersensible qui pleurait aux mariages, qui pleurait aux funérailles. Et si on lui faisait un cadeau, c'était: «Oui,

oui, oui» et il essayait de se donner une espèce de carapace. Mais si ça le touchait au coeur comme dans ces occasions-là, eh bien! c'était un peu de le tenir par la main et de dire: «Laisse-moi pas flancher.»

F. Sauvageau. Avez-vous l'impression qu'on lui a parfois fait mal? Je pense à des choses bien précises comme, par exemple, cette espèce de dénonciation des abbés O'Neill et Dion. Pour un homme religieux comme lui...

B. Bureau-Dufresne. Il trouvait ça épouvantable; il se frottait le genou et disait: «C'est effrayant, c'est effrayant, c'est effrayant! Vous ne pouvez pas savoir comme c'est effrayant!» Ça le blessait au fond du coeur, ça le blessait dans le plus profond de ses convictions. Il se disait: «Après tout, mon Dieu, ils sont là pour prêcher l'amour, la chrétienté et tout... On ne peut pas faire les deux, il me semble.» Élevé comme il l'avait été dans un milieu ultramontain et tellement convaincu, ça l'a blessé au fond du coeur.

F. Sauvageau. Il était sûr de lui, c'est bien évident, mais est-ce qu'il était quand même inquiet dans l'attente, par exemple, des résultats d'élections; je sais que vous avez certaines anecdotes qui indiquent malgré tout une certaine inquiétude.

B. Bureau-Dufresne. Toute la journée, il épuisait trois groupes de secrétaires, il faisait le tour des polls, il voyait chacun; il ne laissait rien échapper à son contrôle. Puis après un léger souper, il s'assoupissait quelques minutes et ensuite il faisait sa valise, parce que tout de suite après le résultat des élections, qu'il soit bon ou mauvais, il repartait pour Québec. Il dit: «Si je suis élu, c'est pour travailler. Il n'est pas question de prendre des vacances.» Et souvent je l'ai trouvé, au moins à deux ou trois reprises, je frappais à sa porte, il était à genoux en train de réciter son chapelet devant une valise ouverte avec du linge étendu sur son lit.

F. Sauvageau. Donc quand il assistait à la messe tous les mercredis, jour de la fête de saint Joseph, ce n'était pas pour la galerie, c'était sérieux?

B. Bureau-Dufresne. A cinq heures du matin, vous savez, la galerie n'est pas nombreuse. Oh! non, c'était par conviction. C'était un chrétien, un croyant sincère; il était très convaincu, comme toute sa famille d'ailleurs.

F. Sauvageau. Au moment des difficultés, est-ce que c'était aussi sa réaction de faire appel à la Providence?

B. Bureau-Dufresne. Il invoquait la Providence, oui, il demandait souvent l'aide de la Providence. Vous savez, il taquinait beaucoup de religieuses qui allaient le voir au Jour de l'an, il leur disait: «Ma soeur, je vais prier pour vous, mais priez pour moi vous aussi.» Mais c'était toujours l'histoire: «M. Duplessis, nous allons prier pour vous, surtout pour avoir des octrois.» Et il leur disait: «Regarde-lui l'allure. Je vais prier pour elle aussi pour qu'elle fasse bon usage des ses octrois.»

P. Gravel. Il avait beaucoup de coeur, M. Duplessis. C'était un homme de grand coeur, c'était un homme qui a tout donné. Quand il est mort, il devait $40 000 à la Banque de Montréal. Et c'est alors qu'un de ses amis, Gérald Martineau, a collecté d'autres amis pour régler cette question-là.

Le dernier chèque qu'il avait fait envoyer par sa secrétaire, c'était adressé à Mgr McGuigan de Toronto, c'était un chèque de $18 000 pour aider l'école française du Sacré-Coeur à Toronto. C'est son dernier geste au point de vue financier. Il n'avait rien à lui.

R. Ouellet. Il était excessivement généreux, tout le monde l'a admis. Pour vous donner un petit exemple qui me revient en mémoire: après la défaite en 39, le fils d'un de ses vieux amis qui avait été député fédéral lui annonce qu'il avait perdu sa position. Il n'était pas fonctionnaire, il était représentant de compagnie qui faisait des affaires avec le gouvernement. Il avait perdu sa position; il avait quatre ou cinq enfants. C'était journée de paye, Duplessis recevait son chèque, et il trouvait le bonhomme bien sympathique. Il a endossé son chèque de la quinzaine ou du mois: «Tiens! Tu achèteras des affaires à tes enfants.» Il lui avait donné son chèque.

Des gestes comme ça, il en a posé. Il a aidé des bons amis, même aussi, pas des ennemis, mais d'anciens adversaires politiques qui étaient dans le besoin, d'anciens députés libéraux qu'il a placés et qu'il a aidés financièrement.

F. Sauvageau. **M. Duplessis était un homme qui travaillait énormément, malgré une santé rapidement chancelante...**

B. Bureau-Dufresne. Il travaillait en moyenne dix-huit heures par jour. Il avait une capacité de travail formidable, au-delà de la commune mesure. Il abattait un travail extraordinaire dans dix-huit heures. Ce n'est pas qu'il travaillait dix-huit heures, il faisait peut-être en dix-huit heures ce que d'autres faisaient en trois jours. Alors évidemment, ç'a attaqué sa santé; le diabète s'est installé assez tôt...

F. Sauvageau. **Très tôt, n'est-ce pas? Beaucoup plus tôt qu'on l'a cru...**

B. Bureau-Dufresne. Assez tôt, je crois qu'il était dans la quarantaine. Et tout de suite il a fallu qu'il s'impose un régime de vie sévère, mais qu'il ne pouvait pas toujours suivre, — n'est-ce pas, quand on fait de la vie publique. Vous savez un diabétique doit avoir un régime calculé, éviter çi, éviter ça; il a fait attention le plus possible, mais il est arrivé des accidents fâcheux. Entre autres, il s'est déjà cassé le dos; après s'être donné une forte dose d'insuline, il est tombé, et c'est un garçon d'étage au Ritz-Carlton, je pense, qui a entendu le bruit. Il était tombé sur un calorifère, il avait accroché une lampe au passage et il s'était fracturé le dos.

F. Sauvageau. **Un de ses collaborateurs m'expliquait ne pas trop comprendre pourquoi il avait tout à coup, au cours des années quarante, cessé de prendre toute goutte d'alcool. C'est sans doute au moment où il a pris conscience de la gravité de sa maladie?**

B. Bureau-Dufresne. Ce n'était pas seulement sa maladie. Il s'est aperçu qu'en consommant de l'alcool, ça pouvait nuire à sa carrière et ç'a été fini.

F. Sauvageau. **C'était un homme très volontaire?**

B. Bureau-Dufresne. Il avait une volonté de fer.

De 1936 à 39, on dirigeait le Québec, selon l'expression de l'ancien ministre fédéral, Ernest Lapointe, «comme des matelots en goguette.» Après la défaite de 1939, les choses vont changer au sein de l'Union nationale. Un autre ancien ministre sous M. Duplessis, le docteur Arthur Leclerc, en témoigne.

A. Leclerc. On est allé le voir, deux députés, et on lui a dit: «Ne comptez pas sur nous autres, on a d'autres choses à faire que de travailler pour un premier ministre qui prend un coup un peu trop fort, et vous allez vous faire battre en 39.» Duplessis aimait ça se faire parler, il n'aimait pas ça tout de suite, mais après ça il le reconnaissait. Alors, il s'est fait battre et il a arrêté de prendre un coup. Après 39, il n'a pas pris une goutte de boisson. Ç'a l'air un petit peu audacieux de dire ça, seulement le gars qui l'a engueulé et qui l'a traité d'ivrogne, c'est le docteur Arthur Leclerc, moi-même.

En 44, quand j'ai été réélu, j'ai été le féliciter pour le beau «standing» qu'il donnait au Parlement, à l'Assemblée législative. Je l'ai rencontré le matin, il était avec son capot de chat et sa canne, et j'ai dit: «Je tiens à vous féliciter. Des compliments, je n'en fait pas souvent, seulement, depuis un mois que vous faites la session, ça va très bien et vous vous conduisez comme un homme.» Là-dessus, il a pris sa canne et m'en a donné un coup sur la jambe, et il a dit: «Ça, ça dépend du maudit cochon qui est venu me traiter d'ivrogne et qui a eu le courage de me dire mes vérités. Puis je ne l'oublierai jamais!» Et il s'est mis à pleurer, puis il est parti. Ça, c'était Duplessis.

Au début de 1942, M. Duplessis, terrassé par la maladie, passe plusieurs semaines à l'hôpital; on craint même pour sa vie. Un témoin privilégié de l'époque et grand ami de l'ancien premier ministre, le juge Thomas Tremblay.

T. Tremblay. C'était le soir vers dix heures, dix heures et demie, peut-être onze heures. Alors j'appelle le docteur... Il va le voir, puis l'examine, ça n'a pas pris de temps; il dit: «A l'hôpital, tout de suite, c'est très urgent.» Il s'est habillé, a mis son manteau de fourrure, a pris sa canne. Je sais qu'il souffrait terriblement, mais rien ne paraissait. Il a traversé le lobby du Château Frontenac comme un homme en parfaite santé, la tête haute, avec sa canne, et il s'en allait à l'hôpital.

Il a été opéré vers minuit; je suis resté là jusqu'au lendemain matin, jusqu'à ce qu'il soit bien réveillé. Mais à un moment donné, il a fait une complication très très sérieuse. Et là j'ai suggéré de faire venir des médecins spécialistes de Montréal, parce qu'il déclinait très rapidement. Il y en a deux qui sont venus; ils l'ont examiné longuement. Moi, je suis resté là; et quand ils sont sortis de la chambre, ils ont dit: «Si notre ami ne prend un mieux appréciable d'ici vingt-quatre heures, c'est un homme fini.» Alors, je suis entré. Et là, dans sa tente d'oxygène, j'ai réussi à lui dire que ça ne faisait pas mourir, mais que ce serait peut-être le temps de voir le prêtre, parce que son état était assez grave et que même les médecins ne savaient pas trop comment ça finirait. Et là, d'une voix très faible, j'étais à peine capable de l'entendre, il m'a dit: «Inquiète-toi pas, ce n'est pas pour cette fois-ci. Je n'ai besoin de personne.» Il est revenu, ça n'a pas été pour cette fois-là.

F. Sauvageau. Au cours des années 50, sa maladie s'est aggravée. Avant de partir pour son grand voyage dans le Nord, en 59, n'était-il pas très malade?

T. Tremblay. Il était très malade et ça paraissait. Il n'avait peut-être pas de maladie spécifique, mais c'était un homme épuisé, complètement fini. Il n'aurait jamais dû partir pour faire ce voyage-là. Il serait peut-être mort quand même. Il était épuisé.

Premier septembre 1959. Conseil des ministres avant le départ de M. Duplessis pour Sept-Iles et Schefferville, prévu pour le lendemain. Le secrétaire de la province, M. Yves Prévost, assistait à la réunion des ministres.

Y. Prévost. En entrant dans la salle du Conseil des ministres, j'ai vu sa figure rouge, ses yeux pochés, je ne dirais pas enflés mais presque. J'ai pensé qu'il souffrait de la grippe, tellement j'ai vu une figure brisée. Et il travaillait au bout de la table.

M. Cardinal. **Il était seul à ce moment-là?**

Y. Prévost. Absolument seul. Alors, je lui ai dit: «Vous avez l'air fatigué ce matin.» Il dit: «Ah! on parlera de ça une autre fois. Alors tu as pris tes vacances, comment ç'a été?» On a causé de différentes choses. La maladie, il n'endurait pas qu'on en parle. Peu après mon entrée dans la salle, le docteur Arthur Leclerc est arrivé; il est resté tellement surpris qu'il a fait un arrêt, juste après avoir passé la porte, et, s'adressant à M. Duplessis, lui dit: «Bonjour. Mais écoutez donc, patron, ce matin vous n'avez pas l'air bien du tout. Vous ne devriez pas laisser le travail de côté?» — «Arthur, viens t'asseoir, on parlera de ça une autre fois.»

M. Cardinal. **Il n'a jamais voulu en parler?**

Y. Prévost. Il n'a jamais causé de maladie. Il n'a jamais accepté d'être malade, même à la fin.

M. Cardinal. **Il n'a jamais envisagé que sa fin pouvait être imminente?**

Y. Prévost. S'il l'a envisagé, c'est sans le dire, sans nous le dire.

Maurice Duplessis devait mourir le 7 septembre 1959 à Schefferville, après quelques jours d'agonie. Il était âgé de soixante-neuf ans.

CHAPITRE 5

DE PAUL SAUVÉ
À DANIEL JOHNSON

Pendant un quart de siècle Maurice Duplessis a totalement dominé l'Union nationale. Au gouvernement du Québec de 1936 à 1939, et surtout de 1944 à 1959, sa domination n'était pas moins totale. Duplessis travaillait fort et son habileté politique surpassait celle de tous ses adversaires. Le gouvernement du Québec était une affaire relativement simple à cette époque et le chef de l'Union nationale pouvait contrôler à peu près tout le fonctionnement de la machine gouvernementale. La mort de Duplessis, et celle de son héritier, Paul Sauvé, marquent, de ce point de vue, la fin d'une époque. Il n'y aura plus de chef de gouvernement, au Québec, qui pourra imposer, comme Duplessis l'avait fait, son style à l'ensemble de la politique québécoise.

Paul Sauvé, premier ministre, septembre 1959 — janvier 1960; en compagnie de Mgr Rodrigue, à Deux-Montagnes (Photo Montreal Star — Canada Wide)

PAUL SAUVÉ

Daniel Johnson est élu en 1966 en critiquant la politique de grandeur du gouvernement Lesage et une Révolution tranquille que certains trouvaient un peu rapide; M. Johnson en surprend plus d'un en atténuant somme toute assez peu, sinon pas du tout, les réformes amorcées par l'équipe libérale. Les analystes parleront de son gouvernement comme de celui de la continuité, d'une continuité que les fervents de l'Union nationale feront remonter à Paul Sauvé. Aux yeux de ces derniers, Paul Sauvé demeure le véritable père de la Révolution tranquille.

L'ancien chef de l'opposition libérale, Georges-Émile Lapalme, nuance cette opinion.

G.-É. Lapalme. André Laurendeau a bien défini les choses, il a dit: «On s'étonne, on s'émerveille de la conduite de Paul Sauvé, mais il n'y a rien de plus simple. Je me demande pourquoi on s'émerveille! Autrefois, les gens marchaient sur la tête, et Sauvé a dit: «On marche sur les pieds maintenant.» C'était en réalité ça. Parce que si vous examinez ce qu'il a fait, il n'a eu que le temps de dire qu'il ferait des choses différentes. On sortait d'une période d'obscurantisme pour entrer dans une période où on ouvrait les fenêtres, où quelqu'un disait: «Dorénavant, «désormais», les choses se feront comme ci, comme ça.» Alors, le passage de Sauvé n'a pas tellement été un passage qui a vu des réalisations, mais ç'a été un passage qui a vu naître une espérance.

Paul Sauvé a été élu pour la première fois dans le comté de Deux-Montagnes en 1936. A 29 ans, il succédait ainsi à son père, ancien chef du Parti conservateur du Québec, qui venait d'être nommé ministre à Ottawa. Il fit la guerre avec les fusiliers Mont-Royal. A son retour d'Europe, le brigadier Sauvé fut nommé ministre du Bien-Être et de la Jeunesse dans le cabinet Duplessis. Il devint

premier ministre à la mort de ce dernier en septembre 1959. Yves
Prévost, alors secrétaire de la province, parle de M. Sauvé.

Y. *Prévost*. Paul Sauvé était en politique depuis assez longtemps. En
somme, dès le début de sa carrière d'avocat, il entre en politique. Il a
fait la guerre et durant la Seconde guerre mondiale est survenue une
élection dans son comté; il a été réélu, mais c'est surtout son épouse, je
pense, qui s'est occupée de sa réélection.

Un compagnon d'armes de Normandie qui devint plus tard chef
de cabinet de M. Sauvé, M. Fernand Dostie.

F. *Dostie*. On était à Carpiquet — si je me souviens bien — lorsqu'il a
appris, avec une correspondance retardée, qu'il avait été élu député de
Deux-Montagnes durant son absence. Avant qu'il parte pour outremer,
M. Godbout lui avait dit: «M. Sauvé, vous qui partez comme ça défendre la patrie et la liberté, etc, etc., vous pouvez être assuré d'une chose,
que nous vous estimons, nous vous respectons, et que jamais en tant
que chef du Parti libéral du Québec nous ne vous opposerons un candidat dans votre comté.» Et la première chose qu'il a faite ç'a été d'en
opposer un.

**F. *Sauvageau*. M. Godbout ne faisait pas partie de ses amis les plus
chers...**

F. *Dostie*. Non, pas du tout. Il a dit quelque chose, lorsqu'il est revenu
par après et qu'il a eu l'occasion de lui parler, il lui a dit ceci — et je
m'excuse de le répéter, mais c'est un fait —: «Vous n'êtes qu'un petit
putois qui pue.»

Y. *Prévost*. Évidemment, les années s'écoulaient et il piétinait un peu
sur place, voyant la nécessité de plus en plus évidente et pressante de
bouger dans certains domaines, et je dirais surtout dans le domaine de
l'éducation et dans le domaine de la jeunesse. Et c'est ainsi que dès la
convocation de la session, avant Noël 1959, on avait déjà fait adopter le
budget et un bon nombre de mesures législatives dans le domaine de
l'éducation. On avait préparé plusieurs lois prévoyant des subventions
statutaires, etc., et bien des modifications à la Loi de l'instruction publique. Tout ça pour dire qu'il fallait désormais prendre les bouchées
doubles, mais nous étions prêts.

Au lendemain de la mort de M. Duplessis, quand M. Paul Sauvé m'a
fait demander à son bureau, il m'a dit — parce qu'on se tutoyait —:
«Tu as des projets de prêts?» J'ai dit oui. Depuis un bon moment, on
se préparait; on savait bien qu'un jour il faudrait prendre les bouchées
doubles et avancer plus vite. «En éducation du moins, nous sommes
prêts dans certains domaines.»

*M. Jean Pelletier, maintenant maire de Québec, fut secrétaire de
presse de Paul Sauvé, puis d'Antonio Barrette. Il complète ce bref
tour d'horizon des cent jours de Paul Sauvé.*

J. Pelletier. Le leadership de M. Sauvé, sa vision des choses étaient tels
que c'était vraiment un autre gouvernement. Et quand on dit que le
premier père de la Révolution tranquille, ç'a été vraiment Paul Sauvé
dans ses cent jours, je pense qu'on a raison. Ç'a été un déblocage
tellement global, non seulement un déblocage administratif, un dépous-
siérage de ce qui avait été mis de côté, abandonné, laissé en cours de
route pendant les deux ou trois années précédentes; ç'a été une nouvelle
vision des choses.

En cent jours, M. Sauvé a redonné aux fonctionnaires le goût d'être
fonctionnaires; ç'a été extrêmement important. Ç'a été aussi l'ouverture, par des meilleurs traitements dans la fonction publique, à une
espèce de prise d'oxygène de la part du fonctionnarisme, et ç'a été aussi
l'attrait pour plusieurs qui n'y voyaient pas un champ possible d'activités professionnelles de se reposer des questions: «Maintenant que le
climat a changé, est-ce que moi qui sors d'une université, qui sors de
disciplines nouvelles, est-ce que je ne peux pas penser à oeuvrer dans la
fonction publique?» Ç'a été, je pense, capital comme changement.

Il a débloqué d'abord les relations fédérales-provinciales. On se souvient, par exemple, de cette entente qui a permis aux universités du
Québec de profiter des largesses du Trésor fédéral. Ça, ç'a été le début
dans le fond de ce que M. Jean Lesage a continué par la suite avec la
route Trans-Canada et avec les projets communs, etc. Pour le Québec,
c'était un renversement politique extrêmement important.

M. Sauvé a accordé à ce moment-là la priorité à l'éducation. On se
souvient que M. Duplessis parlait toujours de l'éducation primaire,
l'éducation secondaire, et ça s'arrêtait là. Pour M. Sauvé, l'éducation
supérieure, c'est devenu quelque chose d'extrêmement important. A
travers les expériences qu'il avait vécues avec ses enfants, il était beaucoup plus ouvert, et on avait l'impression qu'on était vraiment passé de
l'âge d'un célibataire d'une autre époque à l'âge d'un père de famille,
citoyen familialement accompli d'une nouvelle époque.

F. Sauvageau. **C'était un administrateur — vous l'avez dit — mais
conscient, j'imagine, aussi qu'il était un homme politique, chef d'un
parti?**

J. Pelletier. M. Sauvé a été extrêmement marqué, à mon sens, par sa
carrière dans l'armée. De cette expérience de guerre, M. Sauvé avait
acquis une maîtrise parfaite de lui-même en cas de crise. N'importe quoi
pouvait arriver, M. Sauvé restait très froid. Ce qui importait pour lui,

c'est d'assurer un nouveau style, une nouvelle gestion, de nouveaux objectifs. Je me souviens, il disait toujours : «Le même but, mais pas les mêmes moyens.»

*Gérard Filion, directeur du **Devoir** pendant quinze ans, a combattu l'Union nationale avec acharnement dans les dernières années de M. Duplessis. Il parle ici de M. Sauvé.*

G. Filion. Ç'a été une bouffée d'air frais. Parce que durant les premiers jours, disons les premières semaines de son administration, Paul Sauvé a gardé un certain nombre d'attitudes de l'Union nationale; et puis il y a eu une période d'attente, et un bon jour, je ne sais pas en quelles circonstances, il a dit «désormais», le fameux... là ç'a été la coupure avec le passé : «Désormais, je suis Paul Sauvé et je vais administrer la province de Québec.» Je pense que s'il était resté là plus longtemps, il aurait renouvelé passablement son équipe qui aurait introduit beaucoup d'idées neuves. Il faut dire d'ailleurs que Paul Sauvé était peut-être un des seuls, sinon le seul, qui avaient des idées vraiment progressives à l'intérieur de l'Union nationale. Et M. Duplessis, semble-t-il, lui pardonnait beaucoup.

F. Dostie. D'abord la société selon lui, c'est composé d'êtres humains qui ont priorité sur tout. Par contre, avec son esprit de discipline et sa formation, il fallait qu'il y ait un gouvernement fort qui puisse imposer ses vues, tout en défendant les droits des individus et les droits de la province.

F. Sauvageau. C'était un homme autoritaire finalement?

F. Dostie. Oh, pas du tout! Pas Sauvé; il était autoritaire lorsqu'il voulait être autoritaire, mais c'était un homme qui aimait badiner; il était continuellement à faire des farces, il badinait. Mais lorsqu'il était à exécuter un travail sérieux, comme lorsqu'il a été nommé premier ministre, là malheureusement je ne le voyais plus sourire aussi souvent qu'avant.

Sauvé donnait confiance aux gens à qui il faisait confiance, il les épaulait, et il prenait les décisions. Par conséquent, il réglait en cinq minutes ce que d'autres auraient peut-être pu prendre trois semaines pour régler. D'abord, il connaissait tellement les problèmes. N'oubliez pas qu'il a été orateur de la Chambre de 1936 à 1939, par conséquent en Chambre c'était un «debater», c'était un tribun, c'était un homme qui connaissait les règlements sur le bout de ses doigts. Tout paraissait aisé; c'était un peu le Jean Béliveau, on le regarde aller sur la glace et on dit : «Mon Dieu, il ne travaille pas fort.»

Il allait quand même à la chasse quand il pouvait. Vous savez, je pense que la veille de sa mort, il est allé à la chasse avec son fils et un petit voisin.

F. Sauvageau. C'était deux choses parmi les plus importantes de sa vie: la chasse et la famille, non?

F. Dostie. Il était très attaché à sa famille et c'était un grand sportif. Ce qui est très embêtant dans le cas de Sauvé c'est que, quelques jours avant sa mort, il a subi un examen où on lui a dit qu'il était en parfaite santé, alors qu'il avait évidemment quelque chose au coeur.

F. Sauvageau. Est-ce que c'était un bon vivant?

F. Dostie. Oui, il aimait les bonnes choses, il aimait la blague, les copains, la nourriture... il était un grand connaisseur de vins, comme son père d'ailleurs. Et il aimait beaucoup la vie extérieure, la chasse et la pêche.

Longtemps secrétaire de M. Duplessis, Mlle Auréa Cloutier sera aussi secrétaire de M. Sauvé.

A. Cloutier. M. Sauvé croyait que M. Duplessis aurait pu avoir des journées bien cataloguées: neuf heures-midi, deux heures-cinq heures, ce que lui-même a tenté de faire et n'a pas réussi. Il a même, à un moment donné, promis à son fils de l'emmener à la chasse aux outardes; il avait tout préparé pour une fin de semaine. Et le fils n'est jamais allé à la chasse aux outardes... J'ai vu M. Sauvé huit jours avant qu'il ne meure; il sortait du Conseil des ministres et il m'a dit en me serrant les mains: «Je suis assez fatigué! Le problème des universités me bouleverse, je n'en dors pas.»

F. Sauvageau. C'était la question des subventions du fédéral aux universités?

A. Cloutier. Justement, oui. Alors il a dit: «Je n'en dors pas.» C'était une situation terrible.

F. Sauvageau. Quelles étaient ses grandes qualités? On dit qu'il travaillait très vite.

A. Cloutier. Très très vite. Mais il comprenait les problèmes très vite. C'est bien différent de celui qui est obligé d'étudier des heures entières pour découvrir ce qu'il devrait dire. Lui, il avait tout cela facile. Il avait de l'enthousiasme, il était jeune, alors il s'est lancé à vouloir régler, et vite. Ç'a été tellement vite qu'il n'a pas pu le faire.

ANTONIO BARRETTE

Le 2 janvier 1960, nouvelle stupéfiante: Paul Sauvé meurt subitement. Cinq jours plus tard, Antonio Barrette lui succède à la tête de l'Union nationale et du gouvernement. M. Maurice Bellemare rappelle les circonstances de cette succession.

M. Bellemare. M. Barrette a été un homme de transition bien éphémère. M. Barrette n'avait pas, je pense, la stature pour faire un excellent premier ministre. Pour être premier ministre, vous savez, qu'on dise ce qu'on veut, mais il faut quasiment être avocat, connaître le droit, parce qu'enfin le Parlement, c'est une manufacture de lois. Les législateurs, c'est quoi? Ce sont des gens qui font des lois. Le premier ministre, lui, doit être un homme de loi avant tout. M. Barrette était un homme très respectable qui avait été un autodidacte, un homme qui s'était fait lui-même, pour qui j'ai beaucoup de respect, mais il ne possédait pas véritablement cette science d'un bon parlementaire. Et à cause de certaines difficultés qu'il avait eues avec M. Duplessis, il avait eu une absence de deux années qui s'était fait sentir, où il avait peut-être un peu perdu cette ambiance du parlementarisme.

F. Sauvageau. **M. Barrette avait boudé M. Duplessis?**

M. Bellemare. Disons plutôt que M. Barrette avait certaines difficultés à s'adapter à certaines disciplines du parti. D'ailleurs, il s'est produit en Chambre plusieurs phénomènes assez étranges qui ne sont pas relatés nulle part mais qui sont dans les mémoires des parlementaires. Par exemple, un jour, lors de l'étude d'un bill sur les corporations, M. Lapalme, qui le détestait souverainement, lui a demandé: «Est-ce que le premier ministre a pensé aussi d'amender la Loi des faillites?» Alors, le premier ministre dit: «Oui, on a pensé sérieusement à amender la Loi des faillites, parce que c'est absolument nécessaire dans les temps que nous traversons de voir à régler ce problème-là» — «Le premier ministre est bien sûr?» — «Certainement!» — «Eh bien! j'apprendrai au premier ministre que la Loi des faillites est une loi fédérale.» Alors, je n'ai pas besoin de vous dire comment le député de Joliette s'est assis un peu décontenancé...

F. Sauvageau. **Est-ce qu'il se sentait vraiment humilié d'incidents comme ceux-là?**

M. Bellemare. Il y en a eu deux, trois, comme ça où c'était réellement... c'est pour ça que je vous dis que pour être premier ministre, il faut connaître la loi.

Antonio Barrette est né en 1899. Machiniste, courtier d'assurances, il est élu député de Joliette en 1936. Nommé ministre du Travail en 1944, il le restera jusqu'à ce qu'il soit désigné par ses

Antonio Barrette, premier ministre, janvier-juin 1960. [*Photo Montreal Star-Canada Wide*]

collègues comme chef du parti et premier ministre. L'ex-maire de
Joliette, le docteur Camille Roussin, parle de son ami disparu.

C. Roussin. M. Barrette a fait ses études primaires à l'école Saint-
Viateur, ici, jusque vers la septième ou huitième année. Il a ensuite
commencé à travailler ici, tout près, à l'usine qui s'appelait Acme
Glove, dans le temps, où on fabriquait des gants et autres choses comme ça, et aussi au Canadien National. Mais il travaillait ou de jour ou
de nuit, et lorsqu'il ne travaillait pas, il ne dormait pas, il lisait. Et il
lisait pour apprendre, pas pour passer le temps.

M. Cardinal. Qu'est-ce qu'il lisait?

C. Roussin. Il lisait des auteurs d'histoire, il lisait des biographies,
jusqu'au moment où quelqu'un sur son passage lui a suggéré d'établir
un programme pour quelques années. Il l'a suivi, et il a étudié — je
dirais certainement de façon intense — pendant au moins une douzaine
d'années. Et les gens disaient dans son entourage: «Il va passer son
examen de rhétorique ou son examen de belles-lettres» comme s'il avait
été au collège.

M. Cardinal. Est-ce qu'il avait une bibliothèque considérable?

C. Roussin. Il avait une bibliothèque très considérable avec nombre de
volumes d'histoire et nombre de volumes de toutes les théories actuelles
sur le travail, sur l'économie. Et non seulement il les avait pour les
mettre dans sa bibliothèque, mais il les parcourait, il les connaissait.
    Il avait d'ailleurs une mémoire phénoménale. Un jour, j'attendais dans
sa bibliothèque, j'étais allé là pour je ne sais trop quoi, je l'attendais et
j'ai pris un volume: c'était *Les Méditations poétiques* de Lamartine.
Il est entré dans la bibliothèque, et il me dit: «Qu'est-ce que tu lis là?»
Alors, sans le regarder, j'ai lu trois ou quatre vers en haut de la page, et
il m'a continué au moins une quinzaine de vers de mémoire.

L'ancien leader libéral, M. Lapalme, ne partage pas tout à fait ce
point de vue.

G.-É. Lapalme. Avec Barrette, c'est le retour à Duplessis au plus mauvais. Dans ses mémoires, il écrit qu'avant de démissionner, il avait des
choses fantastiques à présenter et que si elles avaient été acceptées,
l'Union nationale aurait balayé la province. Bien, c'était quoi? C'était
de promettre des égouts à toutes les municipalités de la province de
Québec; c'est ça qui est écrit en toutes lettres dans ses mémoires.
    Barrette ne comprenait absolument rien à ce qui se passait. D'ailleurs,
il n'avait pas l'envergure pour être premier ministre. En Chambre,
quand il avait un argument à invoquer devant une objection, il se levait
et disait: «M. le Président, je suis le premier ministre de la province de

Québec.» C'était l'argument, ça. Il passait absolument à côté. Mais si Sauvé était demeuré là, il aurait accompli, lui, la Révolution tranquille, peut-être pas exactement sous les mêmes couleurs que les nôtres, mais il l'aurait accomplie.

F. Sauvageau. **D'après vous, sous Barrette, en quelques mois, il ne s'est strictement rien fait?**

G.É. Lapalme. Il y a eu une chose du côté de l'éducation, mais qui était le prolongement de l'action commencée par Sauvé. Pour le reste, ç'a été simplement l'électoralisme de 1936.

M. Gérard Filion trace pour sa part un portrait plus sympathique de M. Barrette.

G. Filion. Barrette, je pense, était un grand bonhomme. Un grand bonhomme, c'est-à-dire un grand monsieur. Je l'ai connu personnellement — je suis même déjà allé à la pêche avec lui — par conséquent j'ai pu l'estimer comme homme. Avec le peu de préparation qu'il avait eue, c'était un gars extrêmement estimable, qui était intelligent, mais les problèmes le dépassaient de cent coudées. Il n'avait pas la préparation voulue pour conduire un gouvernement et surtout pas pour conduire une campagne électorale. D'ailleurs, il a quand même assez bien fait parce que M. Lesage est passé avec une très faible majorité en 1960.

C'était un homme très chaleureux, très gentil, très aimable, compréhensif, pas fanatique pour deux sous. Il avait un bon sens de l'humour; je me rappelle qu'on pouvait blaguer sur l'Union nationale, sur M. Duplessis, et ça ne le faisait pas pincer le bec pour deux sous. D'un autre côté, c'était un bonhomme qui était assez limité dans ses moyens intellectuels, qui n'avait aucune préparation économique, aucune préparation juridique: par conséquent, la fonction de diriger un gouvernement ou un parti dépassait ses capacités.

F. Sauvageau. **On dit qu'il avait le complexe de l'avocat...**

G. Filion. C'est vrai. Je pense que M. Barrette se sentait un peu humilié de ne pas avoir de diplôme. Et on raconte — je ne sais pas si c'est vrai — qu'il aurait fait des démarches auprès de l'Université de Montréal pour obtenir un baccalauréat «honoris causa». Il voulait absolument être capable de mettre quelque chose sur sa carte de visite, n'est-ce pas, un titre de diplômé de collège classique ou d'université. Je pense qu'il n'avait pas besoin de titres pour se conduire d'une façon convenable.

M. Cardinal. **Docteur Roussin, quand M. Antonio Barrette est devenu premier ministre, on a commencé à le caricaturer un peu comme un ouvrier portant boîte à lunch. Est-ce que ça le faisait souffrir, est-ce qu'il en parlait de ces caricatures?**

C. Roussin. Il en parlait parfois. Personnellement, ça ne l'affectait pas, au contraire ça semblait le grandir, parce que lui-même avait été un ouvrier et qu'il ne craignait pas de passer pour un ouvrier. Mais il avait l'impression que ça dépréciait l'Union nationale, que ça dépréciait son parti.

* * *

Et lorsque mes adversaires dans le comté de Joliette, que je ne veux pas nommer, ce sont de braves petites gens, lorsqu'ils veulent caricaturer le ministre du Travail et qu'ils le montrent avec une boîte à lunch, — on fait des gorges chaudes avec ça — ils croient vraiment pouvoir m'humilier? Ils croient m'insulter en procédant ainsi? Non, mes chers amis! Si l'on veut me faire plaisir, que l'on prenne cette caricature et qu'on la place sur toutes les bâtisses, qu'on place cette caricature sur toutes les clôtures de la province de Québec, j'en serai fier. Je n'ai jamais renié mon passé. Mais si on voulait être juste, on dirait que dans cette boîte à lunch, cette boîte à lunch qui m'a servi pendant vingt ans à gagner la vie de ma famille, il y a aussi quatre doctorats universitaires. J'ai eu l'immense honneur de recevoir des doctorats honorifiques des universités de Montréal, de McGill, de Lennoxville et de Laval; docteur en droit civil, en sciences sociales, économiques et politiques. Ainsi, lorsque l'on prétend que je n'ai pas ce qu'il faut pour diriger la province de Québec, lorsqu'on caricature ainsi le premier ministre, on tente de mettre dans l'esprit que je n'ai pas ce qu'il faut pour diriger le peuple québécois. Eh bien! ce n'est pas l'opinion de quatre grandes universités de la province de Québec qui m'ont décerné des doctorats. J'ai reçu ces honneurs, j'en ai été très heureux. J'ai été surtout heureux de voir qu'on me les décernait parce que je venais de l'immense armée de travailleurs. Je ne les ai jamais oubliés, ceux-là.

Antonio Barrette

* * *

DANIEL JOHNSON

Daniel Johnson est élu chef de son parti le 23 septembre 1961. Il comptait déjà quinze ans de vie politique, d'abord comme député de Bagot, puis comme adjoint parlementaire de M. Duplessis et ministre des Ressources hydrauliques. Il devint premier ministre

en juin 1966, l'emportant dans une élection très serrée sur les
libéraux que dirigeait alors M. Jean Lesage. Celui-ci parle de son
adversaire.

J. Lesage. Je ne le percevais pas à ce moment-là à sa réelle capacité. J'ai eu tort. Il était beaucoup plus habile que je ne croyais, je l'ai réalisé plus tard. Johnson était un homme extrêmement intelligent, un homme subtil, un homme qui avait de vastes connaissances, une grande expérience politique, une grande expérience des hommes sur le plan humain, et qui savait habilement placer son adversaire devant des situations particulièrement difficiles sans jamais pour autant, lui, se prononcer. Et ce qui était sa force dans l'opposition est devenu sa faiblesse au pouvoir, parce qu'il ne s'est jamais prononcé. Égalité ou indépendance, c'est toujours resté égalité ou indépendance; il n'y a jamais eu de réponse. Il n'y a jamais eu de réponse à rien. Il s'en allait vers une impasse; il avait créé ce mythe, «Égalité ou indépendance», auquel il n'avait pas de réponse lui-même. Je vous dis, il a toujours été un chef de l'Opposition, il n'a jamais été un exécutant.

M. Cardinal. **Quel était son comportement comme chef de l'Opposition?...**

J. Lesage. Très intelligent...

M. Cardinal. **Dans ses relations avec vous?...**

J. Lesage. Sur le plan personnel, excellentes, excellentes.

M. Cardinal. **Vous aviez à le consulter souvent?**

J. Lesage. Oui, oui, nous causions fréquemment, presque tous les jours, alors que nous étions en session. Et sur le plan des relations humaines, il n'y a jamais eu de froid entre nous.

M. Cardinal. **Il était donc, selon vous...**

J. Lesage. Un homme charmant et charmeur.

M. Cardinal. **Et un bon chef de l'Opposition?**

J. Lesage. Oui, excellent.

M. Cardinal. **Vous en aviez peur un peu en Chambre?**

J. Lesage. Oui, oui. Il avait le don de me faire fâcher, de me faire sortir de mes gonds. Je le réalisais, puis je tombais dans le panneau. Je travaillais comme un nègre, souvent des parties de nuit, j'arrivais en Chambre le matin et j'étais préoccupé par des problèmes d'administration, des problèmes politiques extrêmement importants; il avait le don de me parler de niaiseries qui m'exacerbaient et je sortais de mes gonds malgré moi; je m'étais promis de ne pas le faire, mais il réussissait à m'avoir — excusez l'expression.

Ministre dans le cabinet Lesage, député de l'Opposition jusqu'en 1970, puis premier ministre à son tour, M. René Lévesque a lui aussi bien connu M. Johnson.

R. Lévesque. J'ai l'impression que Johnson, comme administrateur, était sinon inexistant du moins extrêmement distrait; autrement dit, ce n'était pas ça qui l'intéressait. Et d'ailleurs, ç'a paru au moment où il était premier ministre; je pense que des collaborateurs de Johnson qui l'ont vu comme hauts fonctionnaires ou comme collègues au cabinet vous diront que ce n'était pas exactement l'administrateur le plus assidu. Si on le compare à Lesage, par exemple, qui, à mon humble avis, est probablement l'homme d'administration le plus complet et le plus persistant que j'ai vu, Johnson faisait plutôt dilettante à ce point de vue-là. Ce qu'il avait extraordinairement plus, je pense, que la plupart de ceux que j'ai connus, c'est une espèce de flair politique et un incontestable charme personnel qui le faisaient passer à travers toutes les difficultés.

M. Cardinal. Au lendemain de l'élection de 66, vous étiez encore à ce moment-là dans l'opposition libérale; comment le voyiez-vous, Daniel Johnson?

R. Lévesque. Pendant presque toute la première année, je pense, il a gouverné avec un cabinet tronqué. Il a attendu pour voir qui il pourrait nommer. Et le long du chemin, on s'est rendu compte, justement en dépit de toutes ces difficultés qui étaient venues d'une victoire suprise, de l'extraordinaire maîtrise qu'il avait comme chef politique, cette espèce de mélange d'autorité et d'habileté qu'il semblait avoir découvert tout à coup, parce qu'on ne l'avait jamais vu sous cet angle-là avant.

M. Cardinal. Est-ce qu'il était un bon parlementaire dans l'opposition entre 60 et 66?

R. Lévesque. Quand il s'en occupait vraiment, c'est-à-dire quand ça avait le don de l'intéresser ou qu'il se sentait impliqué directement dans un débat, il pouvait être extrêmement efficace, même extrêmement dangereux. Parce qu'à ce point de vue-là il faut dire une chose, c'est que Johnson était probablement un des politiciens les plus non seulement habiles, mais sans scrupules aussi dans ce jeu-là qu'il y avait en Chambre.

Je me souviens de certains jours où j'avais envie de lui sauter dans la face à cause de la façon dont il se conduisait dans un débat, et souvent ça nous opposait pendant ces années-là, on était face à face, et j'avais vraiment envie de lui sauter dans la figure quand je sortais de la Chambre. Mais il y avait toujours ce côté un peu cynique et charmeur en même temps chez ce gars-là qui faisait qu'il finissait par dire: «Bah! il ne faut pas trop prendre ça au sérieux.» Autrement dit, pour lui, c'était dans le jeu. Mais ça n'empêchait pas qu'à l'occasion il était plutôt déplaisant.

Trois anciens ministres de M. Johnson, le docteur Fernand Lizotte, M. Maurice Bellemare et M. Clément Vincent.

F. *Sauvageau*. Docteur, est-ce que vous n'avez pas retrouvé M. Duplessis en Daniel Johnson au cours des années 60?

F. Lizotte. Comme finasserie, oui. Il était fin, Johnson. D'abord, il avait pas mal le sentiment de l'humanité que Duplessis avait, il était très humain. Il avait ce sens humain de l'homme qui a souffert; c'est drôle, on voit ça en médecine, on voit des gens qui ont souffert et qui sont beaucoup plus humains, qui sont beaucoup plus compréhensifs, ils sont prêts à pardonner plus. On voyait ça, moi je voyais ça vis-à-vis des adversaires. Souvent je jasais avec M. Johnson dans le particulier, puis je parlais d'un adversaire qui le massacrait entre autres et je disais: «Je ne peux pas croire, maudit, qu'on va endurer ça bien longtemps.» Il disait: «Ah! tu sais, Docteur, si on était assis dans son siège, on ferait peut-être bien pire que lui.» C'est l'image que je garde de lui d'ailleurs: c'est un gars profondément humain. Même dans son sourire, dans son regard, il y avait comme un reflet de souffrance interne dans ce gars-là. C'est ce qui le rendait sympathique.

F. *Sauvageau*. Vous avez été assez près de lui finalement, vous avez été un de ses ministres... Au Conseil des ministres, comment se comportait-il? Était-il un chef autoritaire?

F. Lizotte. Oui, oui, au Conseil des ministres. Il était bon père de famille, mais au Conseil des ministres on aurait dit que le siège qu'il occupait lui avait donné une auréole, une auréole de chef, mais pas de chef genre dictateur; au Conseil des ministres, il demandait l'opinion de chacun.

M. Bellemare. Il avait un défaut qui ne paraissait presque pas: il était rancunier. Quelqu'un qui lui faisait quelque chose un jour, il s'en souvenait longtemps. Il avait hérité de ça de M. Duplessis, parce que Duplessis aussi avait ce défaut-là, de se souvenir longtemps de quelqu'un qui lui faisait mal.

C. Vincent. Il avait été caricaturé comme étant le Danny Boy de la politique. Plusieurs organisateurs nous disaient: «Si c'était M. Bertrand au lieu de Daniel Johnson, ce serait beaucoup plus facile.» Mais Daniel Johnson était au courant de tout ça, et c'est pour ça que, quand il allait dans une région, il moussait beaucoup plus la valeur de ses candidats que sa valeur personnelle. Il nous répétait continuellement: «L'élection de 1966 doit donner un gouvernement de l'Union nationale, pas à cause de moi, mais à cause de la qualité de l'équipe. Mais en 70 ou à la prochaine élection, là je vous aiderai à la gagner, je donnerai la preuve à la population du Québec que j'ai les qualités d'être un premier ministre.»

M. Bellemare. Moi, je me rappelle l'élection de Daniel Johnson en 66; dans bien des endroits les gens nous disaient: «Si tu n'avais pas Johnson, tu gagnerais!» parce qu'il y avait un clan opposé. Vous savez que Daniel Johnson en 1966 a battu deux choses: il a battu le Parti libéral et le parti de M. Bertrand.

Malgré cette image de M. Johnson, plusieurs jeunes se joignirent à son équipe, dont Marcel Masse.

M. Masse. Sur le plan intellectuel il acceptait le dialogue, il acceptait la confrontation, il acceptait d'évoluer constamment avec des idées nouvelles. Sur le plan personnel, il est indéniable qu'il avait un charme personnel, un contact facile avec les gens, il savait trouver la bonne petite phrase entre deux portes d'ascenseur qui vous attache quelqu'un. Il était constamment sur la brèche de vouloir, de façon obsédante même, créer un contact avec tout le monde. Je pense que c'est autour de ça qu'étaient les deux valeurs de fond de Daniel Johnson.

F. Sauvageau. Est-ce que par ailleurs M. Johnson n'était pas l'homme le plus désordonné qu'on puisse rencontrer?

M. Masse. Il était désordonné dans le sens qu'il n'attachait pas d'importance au temps, disons, à l'heure. Il était pratiquement toujours en retard, parce que justement entre deux déplacements, il était plus important pour lui de, je ne dirais pas de charmer quelqu'un de passage, mais de dialoguer, de discuter et de s'attacher quelqu'un sur le plan personnel, que d'être exact au rendez-vous.

F. Sauvageau. Pourriez-vous nous en faire un portrait au plan des idées, des centres d'intérêt?

M. Masse. Je crois que Johnson était un homme de liberté, un homme très attaché aux valeurs individuelles. Pour lui, l'État devait être une structure qui met en valeur les libertés individuelles, les choix individuels. Il s'est toujours opposé, enfin, c'est ce que j'ai toujours senti, à l'État qui dominait par ses règlements et qui obligeait les citoyens à être de telle ou telle tendance parce que la loi ou la bureaucratie le disait.

Au-delà de la vie publique et des bagarres politiques, qui était Daniel Johnson? Son fils, Daniel, répond à cette question.

Daniel Johnson rentre d'urgence d'une conférence de premiers ministres provinciaux à Toronto, le 2 août 1966, à cause d'un conflit dans le secteur hospitalier. Il est accompagné par Yves Pratte et Jacques Parizeau. (Photo La Presse, Montréal)

D. Johnson. Il aurait été extrêmement malheureux de ne pas faire de politique, tout simplement. Alors la question ne se posait pas de savoir s'il devait en faire ou n'en pas faire à cause de sa santé, mais simplement s'il devait être en mesure de vivre heureux ou malheureux.

M. Cardinal. **Il pratiquait le sport?**

D. Johnson. Oui, surtout le golf, au moment où je l'ai connu, mais je sais qu'il a été un excellent joueur de tennis alors qu'il était au collège et à l'université. On m'en parle encore d'ailleurs lorsque je rencontre de ses collègues de l'époque. Mais par ailleurs, c'était du sport de détente ou d'adresse plutôt que des sports brutaux, si vous voulez.

M. Cardinal. **Est-ce qu'il aimait le théâtre?**

D. Johnson. Non, plutôt l'opéra, plutôt la musique que le théâtre. Depuis longtemps, depuis le collège il avait été impliqué dans des orchestres étudiants, dans des chorales qu'il a dirigées à un certain moment; il était vraiment un amateur de musique et de chant.

M. Cardinal. **Est-ce qu'il aimait la chasse?**

D. Johnson. La pêche, pas la chasse, pas du tout.

M. Cardinal. **C'était quoi pour Daniel Johnson une heure de détente? Comment ça pouvait se passer?**

D. Johnson. Ça peut sembler étrange, mais les westerns le détendaient beaucoup. C'était un peu de l'opéra bouffe sans doute pour lui, comme pour nous ça l'est encore. Mais ça, ça le détendait vraiment; on s'amusait à commenter les bons coups ou les mauvais coups des personnages qu'on regardait à la télévision...

M. Cardinal. **Il aurait aimé Sergio Leone?**

D. Johnson. Énormément, il n'y a aucun doute.

Daniel Johnson était un homme malade. Déjà en 1964, il avait fait à Paris une première crise cardiaque. Son chef de cabinet d'alors, Mario Beaulieu, l'accompagnait.

M. Beaulieu. Nous sommes allés à l'opéra. A la sortie, nous sommes allés manger; nous sommes revenus, passant devant les marches de l'Opéra, et c'est là qu'il s'est assis, dans les marches, en se prenant le thorax. A ce moment-là, je pensais qu'il ne reviendrait pas parce qu'il y a des choses qui ne mentent pas; c'était extrêmement pénible. Au bout d'une ou deux minutes (ç'a duré à peine ce temps), il s'est relevé de peine et de misères et il m'a dit: «Laisse-moi quinze, vingt minutes pour me reposer.» J'ai dit: «Je peux appeler une ambulance.» Il m'a dit: «Laisse faire, non, ça va.» Et en arrivant à l'hôtel, il m'a dit simplement: «Mes ulcères.» Je savais que M. Johnson aimait la discrétion.

Alors, il a ajouté: «Ça ne vaut pas la peine d'en parler.» Alors, je n'en ai pas parlé, sauf à son frère, Réginald Johnson, médecin cardiologue à Notre-Dame.

Il est entré à l'hôpital Notre-Dame, et plus tard Réginald Johnson a confirmé que c'était sa première crise et qu'il avait conseillé à son frère de quitter la politique à ce moment-là, et surtout de ne pas faire la campagne électorale de 1966, qui lui demanderait des forces. D'ailleurs Réginald Johnson a suivi son frère quasiment pendant toute la campagne électorale de 66, sachant pertinemment qu'il y avait danger. Mais plus tard, j'ai discuté avec M. Johnson, et il m'a dit: «J'étais conscient de tout ça et je craignais, — parce qu'on craint toujours un peu la mort — mais il y avait une équipe qui avait travaillé, qui s'était bâtie, et je pense que je ne pouvais pas lâcher.»

Quatre ans plus tard, en juin 68, M. Johnson, devenu premier ministre, subit une crise au Château Frontenac. M. Beaulieu était encore à ses côtés.

M. Beaulieu. A ma grande surprise — le matin d'habitude je réveillais M. Johnson pour le préparer tranquillement, je commandais le déjeuner — et ce matin-là, les lumières étaient allumées dans tout l'appartement. Il avait fait une crise cardiaque vers cinq heures, cinq heures et trente, le matin. Il avait appelé son ami Roland Giroux qui était arrivé sur les lieux. Et M. Johnson est parti pour l'hôpital, seul, comme un homme. Les médecins me diront plus tard que c'était extrêmement grave, d'ailleurs les événements l'ont prouvé par la suite que c'était une véritable crise, très grave, qu'il avait faite. Mais en politicien qui prenait son courage, il était descendu lui-même dans l'ascenseur, il avait pris la voiture de M. Giroux pour se rendre lui-même à l'hôpital où les médecins l'attendaient. Il a été ensuite à La Malbaie en convalescence, il a été ici au Seigniory Club pendant quelques semaines et il a fini sa convalescence jusqu'au début de septembre, je crois, aux Bermudes.

M. Cardinal. Pourquoi à ce moment-là, en juin 68, n'a-t-il pas choisi de prendre sa retraite?

M. Beaulieu. Il n'y a aucun doute qu'il a songé à la retraite à ce moment-là, parce que lui-même m'a posé des questions et il m'a même dit: «Si quelque chose m'arrive de grave, qui est-ce qui me remplace?» A ce moment-là, ma réaction a été très facile, j'ai dit: «Le seul gars qui peut vous remplacer, c'est M. Bertrand. C'est le seul gars complet qui peut vous remplacer à pied levé dans le gouvernement actuellement.» Et à la suite d'une visite que j'ai faite aux Bermudes, il m'avait dit en revenant à Montréal: «Si tu vois Jean-Jacques, dis-lui que je me fie à lui, dis-lui de ne pas s'inquiéter.» et puis on sentait, au travers des phrases qu'il me disait, qu'il y avait un message. Alors, j'ai fait le message à M. Bertrand qui, durant son absence, a tenu le gouvernement.

De l'avis du docteur Réginald Johnson, son frère était déjà irrémédiablement atteint.

R. Johnson. Une deuxième crise en 67 avait été à peu près du même genre que la première en 64, sauf qu'il y avait eu en plus une thrombophlébite. La crise elle-même n'avait pas été plus sévère que la première. Mais quand il s'agit d'une deuxième crise, on devient un peu plus prudent en tant que médecin; les conseils deviennent plus sévères et les restrictions aussi.

La crise de 68 a été réellement la crise cardiaque majeure, qui a réellement marqué que cet homme était très fortement touché par la maladie.

M. Cardinal. De juin 68, où il a fait cette crise, jusqu'à la fin de septembre, jusqu'au moment de son décès, est-ce qu'il a vraiment songé à prendre sa retraite politique?

R. Johnson. Je me rappelle une discussion très sérieuse que j'avais eue avec lui à Montebello avant qu'il parte pour les Bermudes, alors qu'il m'avait demandé de lui exposer de façon très très précise quel était son pronostic. Alors, après un exposé d'environ une heure, il m'a demandé: «Bon! pour résumer tout ceci, si je laisse la politique, ceci me donne combien de temps de plus de survie?» Tous les médecins le savent, c'est une question à laquelle on peut difficilement répondre, mais j'ai pensé qu'il fallait que je réponde parce que c'était important. Alors, j'ai dit: «Ça peut varier entre cinq et dix ans de survie.» Tout ce qu'il m'a répondu sur ceci, — et ç'a clos la discussion de façon complète, et définitive, et pour toujours — il m'a dit: «Tu n'es pas très généreux.» A partir de ce moment-là, sa décision était prise et il n'y avait absolument aucune possibilité d'aborder ce sujet-là par la suite.

Le 26 septembre 1968, Daniel Johnson meurt subitement, à la Manicouagan, quelques heures à peine avant les cérémonies qui devaient marquer l'inauguration du grand barrage de Manic 5.

Auteur d'un petit livre, **Le Panier de Crabes,** *sur l'Union nationale et sur son séjour en politique, l'ancien député de Saint-Jean, Jérôme Proulx, y consacre des paragraphes élogieux à la mémoire de M. Johnson.*

F. Sauvageau. Vous écrivez: «C'était un grand général sans armée.» Qu'est-ce que ça veut dire?

J. Proulx. Ça veut dire que, quand il est mort, l'Union nationale est tombée. C'est là qu'on s'est aperçu que c'était un grand homme. C'était un homme qui tenait son caucus avec une poigne extraordinaire. Il y avait un respect extraordinaire à son égard. C'était un très grand parlementaire. Vous vous en souvenez, c'étaient des débats extraordinaires; avec Pierre Laporte de l'autre côté et de ce côté-ci M. Johnson et M. Bellemare. Je me souviens que M. Johnson faisait des discours d'une heure. Qui l'applaudissait de l'autre côté? C'était René Lévesque; je ne sais pas si vous vous en souvenez, un soir c'était incroyable, René Lévesque applaudissait.

Et c'était un homme d'une grande astuce; c'était un homme d'une très grande prudence. On s'est aperçu à quel point il était grand, quand il est mort. C'est comme quand Lincoln est mort; c'est là qu'ils ont vu qu'il était grand. Alors, c'est dans ce sens-là que, quand M. Johnson est mort, l'Union nationale était perdue, il n'y avait plus d'âme, il n'y avait plus d'esprit, il n'y avait plus rien qui tenait le parti.

Jean-Jacques Bertrand remplace M. Johnson comme premier ministre et chef de l'Union nationale. Mais déjà dans le parti s'engage la lutte pour la succession. Au coeur de cette querelle, M. Bertrand d'abord, Jean-Guy Cardinal ensuite, et déjà, disent certains, Marcel Masse.

F. Sauvageau. Est-ce que M. Jean-Guy Cardinal, qui avait été invité à faire de la politique par M. Johnson, n'était pas en même temps le dauphin désigné de M. Johnson?

M. Masse. C'est ce qu'on a dit à l'époque; c'est évidemment ce que les principaux organisateurs de M. Cardinal ont lancé de façon populaire. Mais, non, je ne crois pas ça. M. Johnson n'avait pas de dauphin attitré, parce que comme tout le monde il ne savait pas à quelle heure et à quel jour il allait disparaître. Après coup, c'était facile de dire que c'était son dauphin parce qu'on peut toujours apporter des raisons...

F. Sauvageau. Est-ce qu'il ne savait pas qu'il était grièvement malade et qu'il allait rapidement disparaître?

M. Masse. Il le savait depuis longtemps, depuis 64, 65, il le savait qu'il était grièvement malade et qu'il pouvait partir rapidement.

F. Sauvageau. Donc, bonne raison pour choisir un dauphin...

M. Masse. Ça aurait pu être en 64 aussi, puisqu'il le savait à partir de 64. Mais, non, je ne crois pas que M. Johnson ait décidé comme ça, un matin, qu'il va avoir un dauphin parce qu'il sait que dans la semaine d'après il va disparaître.

La même question a été posée directement à M. Jean-Guy Cardinal.

M. Cardinal. **M. Cardinal, est-ce que M. Johnson lui-même vous aurait directement ou indirectement laissé entendre que vous pourriez éventuellement lui succéder à la direction du parti?**

J.-G. Cardinal. Oui, je dois l'avouer aujourd'hui. Je peux donner des faits. Lorsqu'il s'est agi de discuter de toute l'histoire de Brinco, c'est-à-dire de développement du Labrador, M. Johnson, devant l'un de ses conseillers, avait dit très clairement: «Je vous présente mon successeur.» Un soir dans un avion, alors que nous revenions de Sherbrooke et que nous devions rentrer à Québec, mais moi je devais rentrer à Montréal, l'avion avait été dirigé vers Montréal par un des secrétaires de M. Johnson. Et celui-ci lui avait dit: «Tiens, tu penses plus au successeur qu'à celui qui est déjà en poste.» Non, très clairement, je dois dire aujourd'hui, malgré que certains pourraient le contredire, — et à ce sujet-là d'ailleurs je pourrais aussi contredire certaines affirmations — M. Johnson très clairement désirait que je sois son dauphin.

M. Cardinal. **M. Bertrand était-il au courant qu'il vous considérait comme son successeur?**

J.-G. Cardinal. Il s'en doutait certainement.

M. Maurice Bellemare ne voit pas du tout les choses de la même façon.

F. Sauvageau. **Est-ce que M. Johnson n'avait pas informé plusieurs de ses amis que son dauphin désigné c'était Jean-Guy Cardinal?**

M. Bellemare. C'est faux, c'est faux. Non, non, lui l'a répété, lui s'est servi, après la mort de M. Johnson, de cet argument matraque, mais... non, non. Puis d'ailleurs au Conseil des ministres, moi j'ai été assez assidu, vous savez que je suis assez assidu, je n'ai jamais manqué une séance et je n'ai jamais entendu, ni en arrière, ni en avant, ni pendant les séances que... mais il n'a pas été traité même comme dauphin.

F. Sauvageau. **Toujours sur ce congrès de 69, M. Bellemare, d'autres disent — il y a beaucoup d'hypothèses au sujet de ce congrès — que certains partisans d'un troisième candidat possible voulaient en même temps éliminer M. Bertrand et M. Cardinal, et brûler M. Cardinal, et...**

M. Bellemare. ... Masse?

F. Sauvageau. **Je ne sais pas de qui. On dit...**

M. Bellemare. C'est ça, c'est ça, c'est lui, C'était lui qui était le sujet de l'intrigue. C'est lui qui essayait par tous les moyens au monde à mettre la chicane entre les deux par toutes sortes de choses, et puis qui voulait percer. Parce que Masse, c'est un autre... c'est encore un beau sujet à conférence, vous savez; parce que, entre le vernis qu'il présente et le fond que possède l'individu, il y a la différence d'un monde.

CHAPITRE 6

1968-1976 :
TROIS CHEFS

Si Paul Sauvé et Daniel Johnson avaient vécu cinq ou dix ans de plus le cours de l'histoire de l'Union nationale et du Québec en aurait sans doute été grandement modifié. Avec Paul Sauvé, l'Union nationale aurait probablement gagné les élections de 1960, comme Jean Lesage l'a d'ailleurs reconnu. Avec Daniel Johnson, les élections de 1970 auraient pu donner des résultats bien différents. Antonio Barrette et Jean-Jacques Bertrand étaient des hommes estimés, mais qui n'avaient pas le leadership et l'habileté de leurs prédécesseurs. Après la mort de Daniel Johnson, en 1968, l'Union nationale s'engage sur la pente descendante. Aucun chef, avant Rodrigue Biron, ne réussira à arrêter ce mouvement vers le bas.

Jean-Jacques Bertrand, premier ministre, octobre 1968 — avril 1970. (Archives de l'U.N.)

JEAN-JACQUES BERTRAND

Jean-Jacques Bertrand a été élu député de Missisquoi en 1948; il avait 32 ans. En 1958, il devenait ministre des Terres et Forêts, puis dans le gouvernement Barrette, ministre du Bien-être social et de la Jeunesse. Défait de justesse par Daniel Johnson au congrès de chefferie de 61, il devait devenir chef de son parti et premier ministre en octobre 1968. Il était confirmé dans ses fonctions de chef au congrès de 69. Mais son parti fut défait aux élections d'avril 70, et quelques mois plus tard, à l'automne, il annonçait son intention d'abandonner la direction de l'Union nationale.

Jean-Jacques Bertrand raconté par un témoin privilégié, son fils Jean-François.

J.-F. Bertrand. Je ne pense même pas qu'il ait ambitionné de devenir premier ministre. Cette fonction est apparue comme devant être la sienne après la mort de Daniel Johnson. Il s'y est plu pendant la première année à un point tel qu'il a accepté de se rendre à la course au leadership contre M. Cardinal, mais peut-être qu'effectivement il se serait senti beaucoup plus à l'aise — je le pense aujourd'hui — au sein d'un ministère comme celui de la Justice par exemple.

J'imagine fort qu'il aurait aimé que certains jouent le rôle d'avocats du diable et fassent une certaine critique et lui disent que dans le contexte actuel il était peut-être préférable qu'il continue à jouer le rôle d'un excellent second capitaine au sein de l'équipe. A mon avis, depuis 1968 et dans les deux ou trois dernières années de sa vie politique intense, il n'a pas été entouré comme il aurait dû l'être. Il n'avait pas les conseillers qu'il aurait mérité d'avoir.

Sa campagne à la chefferie et celle de 1970 ont été obstruées, à mon avis, mais je n'en ai pas de preuves tangibles. Il n'a pas été en mesure, à ce moment-là, de compter sur les appuis qui auraient dû être les siens pour mener à bien cette campagne électorale.

F. Sauvageau. Obstruées volontairement par des conseillers?

J.-F. Bertrand. Peut-être.

F. Sauvageau. Pourquoi avoir convoqué un congrès à la chefferie en 1969, alors qu'il était chef du parti désigné par ses collègues et qu'il était premier ministre?

J.-F. Bertrand. Je vais vous répondre immédiatement et très clairement là-dessus, parce qu'il m'en avait parlé. Il a toujours été, et je pense que c'est une de ses caractéristiques les plus importantes dans toute sa vie politique, un démocrate dans le sens le plus vrai et la plus profond du terme. Et il ne pouvait accepter d'être premier ministre ou d'être chef de l'Union nationale, sans avoir un mandat explicite, exprimé non seulement par la population mais exprimé par les militants de l'Union nationale.

F. Sauvageau. Quelles ont été les grandes déceptions de cette vie politique, et en même temps les grandes joies?

J.-F. Bertrand. A mon avis, à travers les hauts et les bas de cette longue carrière, il n'y a eu à peu près que des moments de joie. Le congrès de 61 l'a réjoui au maximum. Sa défaite l'a réjoui au maximum. Il ne devait pas être candidat contre Daniel Johnson, il ne s'attendait pas à gagner, et dans le contexte de cette lutte très serrée avec M. Johnson, il ressortait un peu comme un vainqueur moral de ce congrès. Il faut bien dire que Jean-Jacques Bertrand n'a jamais voulu, à mon avis, cette carrière politique, il nous l'a confié lui-même très souvent. Il ne désirait pas devenir député de Missisquoi; il ne désirait pas devenir ministre, il ne désirait pas devenir chef de l'Union nationale et non plus premier ministre.

F. Sauvageau. Alors pourquoi avoir accepté?

J.-F. Bertrand. Tout ça est arrivé parce qu'il s'y était préparé, parce qu'il avait travaillé de façon efficace, parce que les gens ont remarqué ce travail et parce qu'à tout moment, à toutes les étapes de cette vie politique, des gens lui ont dit: «M. Bertrand, c'est maintenant à votre tour de faire le saut dans un ministère, c'est à votre tour de faire le saut pour devenir premier ministre du Québec.»

F. Sauvageau. Et il acceptait par devoir?

J.-F. Bertrand. Il acceptait par devoir.

MM. Clément Vincent et Jean-Guy Cardinal comparent le style de
M. Bertrand à celui de son prédécesseur, M. Johnson.

C. Vincent. Il y avait une différence marquante entre les deux hommes; ils avaient tous deux une foule de qualités et également des défauts.

Je me souviens, par exemple, si le Conseil des ministres était à huit heures le soir, M. Johnson habituellement arrivait à huit heures et quart, huit heures vingt, des fois huit heures et demie. Même quelquefois, c'est arrivé jusqu'à neuf heures moins quart, parce que M. Johnson voulait amorcer un problème avec quelques personnalités avant, il voulait avoir le pouls de plusieurs personnes, en discuter, quitte à faire attendre tous les ministres pendant une demi-heure, trois quarts d'heure, et ça agaçait plusieurs ministres.

Tandis que M. Bertrand, lui, il avait l'admiration de ses collègues parce que c'était méthodique. Si le Conseil des ministres était prévu pour huit heures, il arrivait avec tous ses dossiers à huit heures moins cinq; il était prêt et nous commencions à huit heures. Et si nous devions terminer à minuit, c'était terminé à minuit, l'ordre du jour était rigoureusement suivi; si les discussions s'en allaient de côté un peu, il les ramenait, il avait une méthode de travail extraordinaire. Et de ce côté-là il faisait l'admiration de tous ses collègues du cabinet, c'était ponctuel, à l'heure, méthodique. Tandis que M. Johnson était... à un moment donné, il pouvait arriver aussi bien dans la discussion du Conseil des ministres une autre discussion qui n'était pas à l'ordre du jour, mais il la laissait aller, ça lui permettait justement d'aborder le problème d'une autre façon. M. Johnson pouvait faire beaucoup plus de stratégie de cette façon-là, tandis que M. Bertrand, question réglée, question réglée, on passe à une autre.

J.-G. Cardinal. Il travaillait beaucoup, il était très tôt au bureau, il fermait les dossiers les uns après les autres, il passait les projets de lois en grande quantité, mais derrière ça il n'y avait pas de stratégie politique. Si bien par exemple que, — je vais prendre le projet de loi 63 — ce n'est pas le gouvernement qui l'a passé, c'est l'Opposition. Si on songe que le gouvernement était très peu majoritaire et que trois membres du gouvernement étaient passés à ce que l'on a appelé alors «l'opposition circonstancielle», il était singulier qu'un projet de loi réussisse à passer quand même. C'est que monsieur Bertrand a eu cet art de se commettre avec l'Opposition qui lui a permis de passer tous ses projets de lois, sauf le projet de loi 62. Tandis que M. Johnson en a passé beaucoup moins. Mais M. Johnson était quelqu'un de très humain qui pensait beaucoup aux conséquences politiques de ses actes. Conséquences politiques dans les deux sens du terme: sur le plan des relations intergouvernementales et sur le plan électoral. M. Bertrand semblait y songer peu.

Deux autres témoignages: celui de Jean Bruneau, proche collaborateur de M. Bertrand, et celui d'un adversaire, René Lévesque.

J. Bruneau. M. Bertrand était un politique et non un politicien. Du côté politicien, je pense qu'il se trouvait dans un habit qu'il n'aimait pas. C'était un gars qui détestait, à l'occasion de périodes électorales, se promener dans la salle, puis écouter des demandes, des revendications, qui étaient réellement des cas trop flagrants de patronage; il détestait ça, cette partie de la politique. Il n'était pas à l'aise quand il se trouvait dans un milieu semblable. C'était un homme d'idées, pour mettre plusieurs devant un problème, trouver la solution du problème, l'analyser, c'était sa force. Véritablement, c'était un intellectuel...

M. Cardinal. Est-ce qu'à la toute fin, il a reconnu que la démagogie aurait pu être rentable?

J. Bruneau. Oui, il a employé pratiquement ces mots, mais il a aussi dit: «Je ne suis pas capable de vendre quelque chose à laquelle je ne crois pas; ce n'est pas mon genre, je n'étais pas capable de le faire.»

* * *

R. Lévesque. Il n'avait pas l'habilité consommée d'un gars comme Johnson, et il s'ouvrait souvent. Autrement dit, il se découvrait souvent, alors évidemment les gens ne se gênaient pas pour cogner dessus.

M. Cardinal. C'est ce que j'allais vous demander: est-ce qu'il n'était pas extrêmement vulnérable?

R. Lévesque. Oui, il était très vulnérable, par une sorte de manque d'astuce, si vous voulez, ce n'était vraiment pas un parlementaire astucieux, ce n'était pas non plus un politicien astucieux. Dans un sens, c'était comme le défaut de ses qualités, parce que c'était un brave homme, c'était un homme extrêmement franc et qui n'avait pas l'habitude de garder en réserve beaucoup de munitions. Alors à l'occasion il se trouvait désarmé, et les autres en profitaient.

M. Cardinal. Est-ce que vous seriez d'accord avec ceux qui disent que M. Bertrand n'a jamais voulu vraiment faire une carrière politique, mais qu'il a toujours été prisonnier d'une espèce d'esprit de devoir qui l'a amené d'abord à être député, ensuite à être ministre, ensuite à prendre la succession de M. Johnson?

R. Lévesque. Non, non, pas du tout. C'était un brave homme, c'était un homme foncièrement honnête, mais c'était également un politicien professionnel qui avait fait sa carrière là et qui ne manquait pas d'ambition. Il ne faut pas oublier qu'il l'avait voulue la chefferie de l'Union nationale contre Johnson, et qu'au moment où il a été choisi finalement par un congrès, il s'est débattu comme un diable dans l'eau bénite, pas du tout comme un gars à qui on impose la position, mais comme un gars qui l'a et qui veut la garder.

Je me souviens qu'au cours du fameux débat sur la Loi 63, à un moment donné, je l'ai vu presque décomposé, comme un gars qui n'est plus capable, qui a son voyage. Et j'ai l'impression que c'était ça plutôt... le drame de Bertrand. Ce n'est pas qu'il ne l'a pas voulu l'emploi, ce n'est pas qu'il n'a pas voulu s'y accrocher, parce que je pense bien qu'il y a très peu de gens qui ne s'y accrocheraient pas, mais que la charge l'écrasait littéralement. Même s'il ne s'en rendait pas compte, ça l'écrasait.

Ministre d'État à l'Éducation dès 1966, alors que M. Bertrand était ministre en titre, un ancien collègue d'une autre génération, Marcel Masse.

M. Masse. Il est toujours difficile de faire le portrait de gens qui sont disparus, que l'on a connus, et que l'on a su apprécier également. Je pense que l'image de M. Bertrand a été le fruit des média ou du besoin des media de créer un bon et un méchant, régulièrement, à toutes les phases de notre évolution. L'image de M. Bertrand a été lancée à l'occasion du congrès de 61 : il a été lancé comme l'homme honnête, alors que M. Johnson était plutôt le politicien traditionnel. Et cette image l'a suivi tout le long de sa carrière. Ainsi, on a fait de M. Bertrand le nationaliste de l'Union nationale, alors que, personnellement, j'ai constaté que c'était plutôt M. Johnson qui était le nationaliste. Et lorsqu'il a accédé au poste de premier ministre, puisqu'il n'a pas été conforme à l'image qu'on s'en faisait, évidemment on a été doublement déçu, tant à l'intérieur du parti que dans la population...

M. Bertrand était conscient de la différence qu'il y avait entre son potentiel personnel et l'image que la collectivité se donnait de lui. C'est pour cela que, tant à l'Éducation qu'à la Justice, il s'est accroché à un certain nombre de lieux communs, si on peut dire, de grands principes. Il savait fort bien comme premier ministre, par exemple, qu'il n'arrivait pas à occuper l'ensemble du fauteuil... il fallait par des contacts personnels, par des remarques de couloir, sentir cette chose-là, et ça se sentait fort bien. Pour lui, ça devenait important de signer des papiers, de tenir des réunions, de prendre des décisions petites ou grandes, mais de s'occuper l'esprit dans une activité quotidienne constamment, plutôt que, maître de son parti, maître de son image publique, de faire des stratégies à plus long terme. Il en était conscient.

F. Sauvageau. On a dit de M. Johnson qu'il avait tout de l'homme politique. Est-ce que M. Bertrand, lui, n'était pas au contraire beaucoup plus un administrateur qu'un politique?

M. Masse. Je pense que M. Bertrand n'avait rien d'un homme politique. Il n'en avait même pas les défauts nécessaires — parce qu'il est important d'avoir certains défauts dans toute profession — il n'avait même pas ces défauts nécessaires, d'aimer la politique, d'aimer dialoguer avec les gens au sens de M. Johnson.

M. Bellemare. M. Bertrand était un homme qui avait une méthode de travail assez catégorique. C'était un gars qui ne laissait jamais traîner un papier sur son bureau, c'était un homme qui finissait tous les jours son travail. Mais autant il était méthodique, autant il était sensible à la moindre critique qu'on pouvait formuler. C'était un gars qui ne voulait la guerre nulle part. Contrairement à moi, je la cherche, moi, la guerre, puis je la veux.

M. Cardinal. On a dit par ailleurs que sa famille avait une influence considérable sur lui, et que certaines décisions...

M. Bellemare. Oui, Mme Bertrand, c'est sûr, avait une grande influence sur M. Bertrand. Mais Mme Bertrand, c'est une femme qui était bien préparée par ses études, par son expérience politique, par sa famille, par son père, qui avait été conseiller législatif. Elle avait une certaine expérience politique qui guidait favorablement les décisions de M. Bertrand.

F. Sauvageau. On dit d'ailleurs aussi que c'est beaucoup cette influence familiale qui a fait de lui le premier ministre, parce que lui, il n'y tenait pas tellement.

M. Bellemare. Non, il était bien désintéressé, totalement désintéressé. Mais une fois qu'il a eu la charge, là, c'était un manteau de plomb qui l'a écrasé; il l'a écrasé, puis il l'a préparé lui aussi à mourir.

J.-G. Cardinal. Il était peut-être effrayé par l'avenir qui s'en venait, si on se rappelle ce qu'a été l'année 70. Je pense que M. Bertrand était rendu un peu au bout de sa carrière. Déjà, non pas au Conseil des ministres, mais à des lunchs, à des rencontres privées, devant certains ministres, devant certaines personnes, dès 69, il avait mentionné: «Il faudrait peut-être que je parte, que je me repose, si je veux vivre, que je quitte tout ceci.» Et les faits l'ont prouvé par la suite. Il est demeuré dans l'Opposition, il n'a pas démissionné, et comme plusieurs chefs ou anciens chefs de l'Union nationale, selon la phrase habituelle, il est mort au devoir.

Gabriel Loubier, chef de l'Union nationale, juin 1971 — mars 1974. (Archives de l'U.N.)

Un dernier témoignage, celui de M. Jean Lesage.

J. Lesage. Ce que je puis vous dire de Jean-Jacques Bertrand, c'est que c'était à mon sens un homme foncièrement honnête. On dit souvent: «Droit comme l'épée du roi» eh bien! ça, c'est Jean-Jacques Bertrand.

M. Jean-Jacques Bertrand devait mourir le 22 février 1973.

GABRIEL LOUBIER

La carrière politique de Gabriel Loubier aura été relativement brève: douze ans. Élu en 62 député de Bellechasse contre la vague libérale de M. Lesage, il devient ministre du Tourisme, de la Chasse et de la Pêche dans les cabinets de MM. Johnson et Bertrand. Il fut élu chef de l'Union nationale le 19 juin 1971. Défait à l'élection générale d'octobre 73, il abandonna la direction de son parti le 30 mars 1974.

Deux anciens députés de l'Union nationale, MM. Fernand Grenier et Paul Allard, parlent de M. Loubier.

F. Grenier. C'était un homme humain, un homme sociable, un homme de dialogue; ce n'était pas un chef pour tordre la vis. C'est un reproche qu'on lui faisait à l'occasion: d'avoir de la difficulté à prendre une décision, de laisser parler, de laisser dialoguer et de n'en pas venir à une décision.

F. Sauvageau. **Est-ce qu'il ne prenait pas aussi la politique un peu à la légère, M. Loubier?**

F. Grenier. Oui, vous avez peut-être raison. C'était sa façon de voir les choses dans tout. J'ai l'impression que même sa compagnie — il est quand même président d'une compagnie importante ici au Québec — il doit prendre les choses un peu à la légère aussi; c'est dans sa vie, il est comme ça. Et ce n'est pas dans sa conception que de mener durement des hommes; ce n'est pas vrai dans sa compagnie, ce n'était pas plus vrai dans la politique.

P. Allard. C'était le genre boute-en-train. Il était toujours de bonne humeur, rarement de mauvaise humeur; quand il l'était, ça paraissait. Parmi les députés et les ministres du temps il était excessivement jeune. Il ne se prenait pas au sérieux et beaucoup ne le prenaient pas au sérieux.

F. Sauvageau. **La rumeur courait aussi qu'il ne travaillait pas très fort.**

P. Allard. C'était un drôle de travailleur, par bourrées. Il pouvait donner des bourrées épouvantables, une semaine, huit, dix jours. Je me rappelle, en 1962, 63, il avait préparé une motion, je crois que c'était sur l'immigration, il avait travaillé jour et nuit pendant dix, quinze jours, et après ça il avait pris une semaine, dix jours de vacances.

F. Sauvageau. **Ça peut conduire parfois à un très grand défaut, c'est tout près de la paresse, ça, non?**

P. Allard. C'est une indiscipline, je dirais, une vie indisciplinée. Lorsqu'il travaillait, il donnait réellement un coup et il mettait tout de côté; là, il ne fallait pas le déranger, il n'y avait rien à faire, et puis il fouillait, il allait au fond des choses. Mais par contre lorsque ça ne lui disait pas de travailler, il n'y avait rien à faire.

F. Sauvageau. **Cette espèce d'indiscipline, est-ce que ça n'agaçait pas un peu le premier ministre Johnson?**

P. Allard. Oui, je pense bien que oui. M. Johnson savait qu'on était amis. Quand il ne voyait pas Loubier au Conseil ou à la Chambre, souvent il me demandait de le trouver. Si je disais que je ne savais où il était, il me disait: «Vous devez le savoir, trouvez-le.» Évidemment, Loubier, c'était comme une aiguille dans un tas de foin, parce qu'il se déplaçait avec la rapidité de l'éclair.

F. Sauvageau. **Est-ce que c'est vrai cette histoire qu'il était venu au Conseil des ministres en moto, et que M. Johnson n'avait pas tellement aimé ça?**

P. Allard. Oui. Pas tout à fait au Conseil des ministres. Mais effectivement, il avait deux motos, il avait une motocyclette Suzuki qui avait une certaine puissance, et il avait une mobilette. Comme je n'avais jamais fait de moto, un soir il me propose d'essayer ça. Il demeurait dans le temps au coin du boulevard Laurier, on était allés chercher les mobilettes, avec des casques, des lunettes, des gants, puis on était allés se promener une partie de la veillée en ville.

F. Sauvageau. **Vous étiez tous les deux ministres?**

P. Allard. On était tous les deux ministres! Et là, le lendemain, Gaby avait dit à M. Johnson: «Hier soir, on s'est promenés.» — «Êtes-vous fous?» Gaby dit: «Non, il n'y a pas de danger, personne ne nous reconnaît avec des grosses lunettes.» Puis il dit: «Demain, je viens au bureau comme ça.» M. Johnson dit: «Gaby, il y a toujours une sacrée limite!» Effectivement, je pense qu'il est venu au bureau une fois avec sa motocyclette.

F. Sauvageau. **Mais M. Johnson prenait quand même bien ça, il connaissait le personnage?**

P. Allard. Oui, oui, il connaissait son personnage. Il savait que Gaby était un petit peu léger par bouts, mais qu'il était un homme de confiance. Lorsqu'il lui demandait quelque chose, il était sûr que Gaby le ferait.

Le témoignage d'un grand ami depuis le collège, un conseiller diront d'autres, professeur de sociologie religieuse à l'université Laval, l'abbé François Routhier.

F. Sauvageau. Est-ce que déjà, dès ses années de collège, cette carrière politique pouvait se dessiner?

F. Routhier. Il a été intéressé à la politique dès ces années-là, peut-être à la fin de son cours classique lorsqu'il a participé à une campagne électorale dans Mégantic, où l'honorable Tancrède Labbé se présentait. Il avait été engagé pour annoncer les assemblées politiques dans une voiture munie d'un haut-parleur. Et à pied levé il a remplacé un étudiant d'université qui devait prononcer un discours pour les jeunes; il a improvisé, il a eu un très grand succès, et c'est lui qui a gardé ce discours jusqu'à la fin de la campagne. Et c'est là, je pense, qu'il a été piqué, si on peut dire, par le virus politique.

F. Sauvageau. Ce portrait ressemble beaucoup à celui de Daniel Johnson...

F. Routhier. Dont il était un grand ami, et d'ailleurs un grand admirateur. D'ailleurs, moi-même, j'ai eu l'occasion de connaître M. Johnson assez bien puisque j'étais étudiant à Saint-Pie-de-Bagot lorsqu'il a été élu député de Bagot. J'ai présenté M. Loubier à M. Johnson. Et en 62, 63, 64, dans les premières années où il a été député, il invitait périodiquement M. Johnson à venir manger des mets chinois qu'il faisait lui-même. Et là, je venais avec des confrères de l'université, nous discutions un peu à bâtons rompus de différents problèmes du Québec. Et si M. Loubier ne parlait pas beaucoup, il s'intéressait beaucoup à la façon dont M. Johnson envisageait les problèmes, les réponses qu'il faisait, etc.

Justement, dans ces rencontres il écoutait beaucoup ce qui se disait. Il sentait souvent le besoin aussi de faire appel à des compétences, pour dire: «Qu'est-ce qu'il faut penser de tel problème?» Et ce qui m'a toujours frappé, c'est la grande facilité de compréhension de M. Loubier dans des domaines assez techniques ou assez complexes qu'il n'avait pas particulièrement étudiés, par exemple lorsqu'il s'est mis à s'intéresser aux grandes questions économiques. Ce n'est pas un intellectuel au sens qu'on donne habituellement à ce mot, mais c'est un type qui aimait tout de même s'entourer de compétences pour prendre leur avis. Et ça ne me surprend pas qu'il se soit entouré de jeunes intellectuels, les «petits génies» comme il les appelait lui-même, pour bâtir un programme qu'il voulait cohérent, qu'il voulait aussi efficace pour l'avenir du Québec.

A nouveau, MM. Clément Vincent et Paul Allard.

C. Vincent. Moi, je retrouvais chez M. Loubier des qualités qu'avaient Bertrand et Johnson. Loubier va certainement passer à l'histoire de l'Union nationale comme étant un bonhomme qui est arrivé dans une période excessivement difficile. Loubier est arrivé à la suite de cinq successions: Duplessis, Sauvé, Barrette, Johnson, Bertrand. Cinq successions qui n'avaient pas été complètement réglées. Et la première tâche de M. Loubier a été d'essayer de régler ces successions; il devait régler également des problèmes qui existaient chez nous, tels le *Montréal-Matin*, les clubs Renaissance à Montréal et à Québec. M. Loubier a eu à traverser également des congrès tumultueux, des grosses chicanes; le congrès de 1971 a laissé des bouches amères. Il aurait fallu que M. Loubier règle tout ça... mais les élections de 73 nous ont pris par surprise.

F. Sauvageau. Est-ce que ça aurait étonné M. Johnson de voir M. Loubier devenir chef de l'Union nationale?

P. Allard. Moi, j'ai toujours l'impression que M. Johnson en avait fait son fils spirituel; il l'avait adopté, il aimait Gaby Loubier.

F. Sauvageau. Mais ça se manifestait comment, cet intérêt de M. Johnson pour Gabriel Loubier?

P. Allard. D'abord, parce qu'il demandait toujours l'opinion de Loubier. Sur n'importe quelle décision qu'il avait à prendre ou sur n'importe quelle question d'actualité, il cherchait à avoir l'opinion de Loubier.

F. Sauvageau. Mais il faisait ça avec beaucoup de monde, M. Johnson.

P. Allard. Oui, je sais. Mais il le faisait ostensiblement avec Loubier, parce qu'il disait que Loubier avait le pouls de la population. Puis Loubier était bête; dans ses réponses il ne mettait pas de gants blancs. S'il disait à Johnson: «Ça, ça n'avait pas d'allure, puis vous êtes mauditement fou de penser à ça!» il lui envoyait direct.

F. Sauvageau. C'était peut-être un autre défaut: une franchise un peu brutale de monsieur Loubier?

P. Allard. Oui, une franchise brutale, définitivement.

F. Sauvageau. Tout à l'heure on disait qu'il n'avait pas tellement en tout cas l'allure d'un intellectuel austère et bouquinant constamment. Est-ce que ça ne vous a pas un peu surpris qu'il s'entoure d'une équipe de jeunes intellectuels?

P. Allard. Beaucoup. A un moment donné j'ai même dit à Loubier: «Tu n'es pas fait pour devenir un intellectuel, tu n'es pas dans ton milieu avec tes petits génies.» Ça, je le lui ai dit et je le lui ai répété. J'ai dit: «Actuellement tu es en train de te prendre pour un homme d'État, alors que tu es un politicien, ce qui est différent. Et tu agiras comme premier ministre quand tu seras élu, puis ils sont en train de te montrer à parler, de te faire changer ta manière de t'habiller et de te comporter, et à ce moment là tu n'est plus Gabriel Loubier.»

F. Sauvageau. Comment a-t-on réussi à convaincre M. Loubier qu'il était l'homme pour devenir chef du parti?

P. Allard. J'ai peut-être été un des premiers à lui dire ça, que je le voyais comme chef du parti. Il a pris ça en farce et ç'a pris un certain temps avant qu'il y croit réellement qu'il était capable de devenir chef. Et c'est à la suite de pressions qui ont duré certainement six mois, un an, avant qu'il prenne la décision de se présenter à la chefferie. D'abord il avait un attrait politique, il avait les moyens de le faire, il avait cette facilité de s'exprimer et de se mêler à tout le monde — Loubier était aussi à l'aise avec un voyou dans une taverne qu'il pouvait l'être avec un premier ministre d'un autre pays.

Le 29 octobre 1973, l'Union nationale dirigée par Gabriel Loubier disparaît de la carte politique québécoise. Fernand Grenier nous dit comment M. Loubier a réagi à la défaite.

F. Grenier. Je pense que M. Loubier prend sur ses épaules la défaite de l'Union nationale. A mon sens, il n'est pas le seul responsable. J'ai tenté de le convaincre que ce n'était pas sa défaite à lui, que c'était la défaite d'une équipe, d'un programme peut-être pas préparé, qui ne répondait plus aux besoins. La défaite était commencée peut-être depuis le décès de Johnson avec les divisions de parti, les querelles, les gros congrès...

M. Loubier dit pourquoi il a, cinq mois après les élections, renoncé à la politique.

G. Loubier. Bien, moi je me suis vidé sur le plan physique, complètement durant ces deux ans-là, — j'y ai été deux ans et demi. Je me suis vidé carrément, à quinze, dix-huit, vingt heures par jour. Deuxièmement, sur un plan beaucoup plus pratique, c'est que j'ai des entreprises dont je ne m'était pas occupé depuis dix ans. Même si on a des gérants, des bons employés, il y a une question de survie un petit peu, là. Troisièmement, c'est que je me disais: il vaut mieux céder la place à des gens qui font visage neuf, qui font peau neuve dans le parti; il leur reste encore trois ans avant une élection... Le fait que ce soit monsieur un tel, monsieur un tel, ou que ça s'appelle tel nom, le parti, bien que ce ne soit pas un handicap. Moi, je considère en tout cas que j'ai manqué le bateau complètement. A tort ou à raison, je me suis donné tout le

Maurice Bellemare, chef intérimaire, mars 1974 — mai 1976.
(Archives de l'U.N.)

blâme; je ne voulais pas commencer à disséquer sur la place publique ou à faire l'autopsie de notre défaite; je ne voulais pas non plus dire: ça dépend d'un tel, d'un tel. Non. Alors, j'ai cru à ce moment-là qu'il valait mieux retourner à mes affaires, j'avais donné douze ans de ma vie là-dedans, je pense bien sincèrement, et je ne voyais pas ce que je pouvais réussir à rester là.

MAURICE BELLEMARE

Le 30 mars 1974, Maurice Bellemare est choisi chef par intérim de l'Union nationale. Élu pour la première fois en 1944, à 32 ans, M. Bellemare devient ministre d'État sous Paul Sauvé, ministre des Affaires municipales sous Barrette, puis ministre du Travail sous M. Johnson. Il quitte la politique avant les élections d'avril 70, est nommé président de la Commission des accidents de travail, et prend sa retraite en octobre 1972.

D'anciens collègues et adversaires politiques racontent Maurice Belle-mare. D'abord l'ancien ministre Paul Allard.

P. Allard. Bellemare au départ, c'est une bête politique, définitivement ça vit, ça mange uniquement de la politique. Par contre, Bellemare est un travailleur infatigable, c'est un bourreau de travail, il l'a toujours été. Excessivement ambitieux, ce que l'on peut pas lui reprocher. Et malgré qu'il n'avait pas les connaissances voulues, qu'il a toujours regretté de ne pas avoir une formation, c'est un gars qui a travaillé énormément, puis qui faisait un effort pour se renseigner sur toutes les questions.

Je me rappelle, dans les années d'opposition, de 62 à 66, Bellemare avait une série de filières, il avait des informations sur tous les sujets. Et lorsqu'il y avait un problème, — et ça pouvait être un problème de médecine ou de droit, etc. — qu'il ne comprenait pas, il appelait un de ses amis ou il trouvait quelqu'un pour le renseigner et avoir une série de découpures là-dessus. C'était un travailleur infatigable. Et il avait le don de conserver tout ce qui s'était écrit en politique, tout ce qui s'était dit; il connaissait l'histoire au complet.

F. Sauvageau. **Non seulement il accumulait les dossiers, mais il en connaissait le contenu...**

P. Allard. Il connaissait les dossiers. Et souvent il improvisait, souvent il blaguait. Je l'ai vu blaguer, je ne sais pas devant qui, mais à un moment donné alors qu'il était en train de parler en Chambre, le ministre du côté libéral s'objectait, Bellemare dit: «Minute! Je peux vous prouver ce que j'avance. Si je vous montrais le petit papier que j'ai ici.» Le papier était blanc, il n'y avait rien dessus.

Bellemare, c'est un gars que j'ai toujours admiré ou que j'ai toujours trouvé drôle. D'abord les expressions imagées, c'était son fort. Il utilisait consciemment des expressions baroques. A un moment donné M. Lesage avait dit: «Un acabit de cette nature-là.» Mon Bellemare avait sauté: «Monsieur l'Orateur, je demanderais au premier ministre de retirer ses paroles, avec un langage antiparlementaire; acabit, ça veut dire n'importe quoi.» Ça finissait toujours que Bellemare attirait la pitié de Lesage, et il le savait. A un moment donné, il disait: «C'est ça, le premier ministre, lui, a eu la chance de faire son cours de droit, il a été élu à Ottawa, il a été ministre. Moi j'aurais bien voulu, mais mes parents n'avaient pas les moyens.» Et là mon Bellemare y allait...

F. Sauvageau. **C'était de la blague?**

P. Allard. C'était de la blague. Jusqu'à ce que les larmes arrivent. Et à un moment donné, Lesage disait: «Bien voyons, Monsieur le député de Champlain sait que j'ai beaucoup d'estime pour lui, que je respecte sa formation, que c'est un gros travailleur.» puis il en mettait.

Et là mon Bellemare était heureux, et à l'élection suivante il publiait ça dans un petit volume et dans un pamphlet, et il disait: «Les libéraux pensent que je ne suis pas un bon homme? Regardez ce que M. Lesage disait de moi!» C'était un gars unique, Bellemare, dans son genre. Il avait un côté — définitivement il l'a encore — *showman*; il l'a toujours été; ça faisait partie de sa nature. Mais c'est un gars bien sincère, bien honnête, gros travailleur. Évidemment, c'est un politicien de Duplessis. Moi, je dis que Bellemare en dehors de la politique, c'est comme un poisson en dehors de l'eau.

Les témoignages de deux adversaires politiques, Émilien Lafrance et René Lévesque.

É. Lafrance. Eh oui! J'ai très bien connu M. Bellemare qui, à ce moment-là, était assistant-whip (c'est monsieur Hormisdas Langlais qui était whip en chef). M. Bellemare, c'était pour ainsi dire le chien de garde de M. Duplessis. M. Duplessis s'en servait pour faire exécuter ses oeuvres, ses mots d'ordre, et on voyait M. Bellemare se promener d'un pupitre à l'autre pour transmettre ça. Et c'était celui surtout qui interrompait le plus souvent les députés de l'opposition. On le considérait comme le petit commissionnaire de M. Duplessis, comme un député qui se servait d'un langage parfois assez grossier pour interrompre les députés de l'opposition.

M. Cardinal. **Il n'était pas ce qu'on pourrait appeler un bon parlementaire à ce moment-là?**

É. Lafrance. Du tout. Moi, durant les huit années que j'ai été dans l'opposition, je n'ai jamais vu M. Bellemare se lever.

M. Cardinal. Et à compter des années 60 il s'est affirmé. Comment expliquez-vous cela?

É. Lafrance. A partir des années 60, ç'a été un véritable phénomène pour nous et une révélation. On ne croyait pas qu'il pouvait se lever, et tout à coup il est devenu volubile. C'est assez difficile à expliquer; pour nous, ç'a été vraiment une révélation.

R. Lévesque. Il m'est même arrivé de féliciter Maurice Bellemare, qui était dans l'opposition à ce moment-là, parce qu'il avait fait un travail de bénédictin sur toute une série de séances qui avaient été consacrées à une révision de la Loi des mines; ça, c'est extraordinairement technique, c'est très compliqué. Et Bellemare, qui avait été chargé de suivre ce dossier-là par son parti, avait fait un travail littéralement surhumain, et presque à lui tout seul, pour accompagner cette loi-là d'article en article. Alors, je ne voyais pas pourquoi je me gênais pour dire qu'il avait fait un bon travail.

M. Cardinal. Il semble avoir été toujours extrêmement efficace, au pouvoir, comme dans l'opposition...

R. Lévesque. Au pouvoir, je ne peux pas juger. Moi, ce que j'en ai su, c'est que c'était mitigé. Mais dans l'opposition, il faut admettre que c'était un vieux routier rompu à toutes les astuces parlementaires, puis qui avait une assiduité extraordinaire et une capacité de travail devant laquelle il faut lever son chapeau. Alors ça rend quand même un gars efficace.

M. Cardinal. On a dit que, sous M. Duplessis, M. Bellemare était une personne extrêmement soumise, qui était en quelque sorte, pour employer l'expression, le valet de M. Duplessis. Et après 1960, il se serait affirmé.

R. Lévesque. Oui... C'est évident... sur les années de gouvernement, moi, j'ai certains doutes — surtout du temps de Duplessis — parce que M. Bellemare se considérait quasiment comme une sorte, non seulement de fils spirituel, mais de messager ou de commis du patron. Mais pendant les années de Johnson et Bertrand, c'est sûr qu'il existait par lui-même et que tout ça lui permettait de donner un peu plus sa mesure. Pour un gars qui n'avait quand même pas eu une instruction extrêmement poussée — il s'en vante un peu trop, par exemple, parce qu'il en avait eu plus qu'il dit — il avait réussi à suppléer par l'expérience et par l'assiduité comme peu de gens sont capables de le faire. Il faut lui donner ça.

M. Fernand Grenier complète ce portrait.

F. Grenier. Moi, je peux vous dire que j'ai eu la leçon de ma vie avec
M. Bellemare. J'ai appris avec Bellemare à être un homme d'ordre et
j'ai appris comment travailler dans la vie pour réussir; qu'il y avait des
problèmes qui devaient se régler d'une façon et d'autres d'une autre
façon. Bellemare, c'est un gars très sympathique et un organisateur hors
pair. C'est un homme très ferme dans ses décisions. Vous allez l'influencer au moment où il est en train de prendre sa décision, mais ne
pensez plus le lendemain à l'influencer. Sa décision est prise, et c'est en
avant qu'il s'en va. En plus, c'est un administrateur: il sait où va se
chercher une piastre et où on peut dépenser une piastre. Et il jouit d'une
réputation d'un honnête homme, je pense bien. Ça fait au-delà de
trente-deux ans qu'il est en vie politique active et on ne lui a jamais rien
reproché. C'est extrêmement important de nos jours pour un homme
politique que d'être comme cela.

F. Sauvageau. **Mais il doit quand même avoir des défauts, cet
homme-là?**

F. Grenier. Oui. C'est un homme très bouillant; dans certaines situations il va dépasser sa pensée et le lendemain il le regrettera. Il ne
l'admettra peut-être pas, mais il va le regretter. C'est un homme très
bouillant, très impulsif et autoritaire. C'est compliqué pour une équipe
autour de lui de travailler: il est très autoritaire. Mais en politique, il me
disait souvent cette sentence qu'il me disait tenir de son père: «La
crainte, c'est le commencement de la sagesse.» Je pense qu'à partir de
là, on se rendait compte que parfois il s'arrangeait pour se faire craindre, que ça donnait pas mal d'autorité dans différents secteurs.

Et enfin, M. Bellemare, qui se raconte lui-même.

F. Sauvageau. **M. Bellemare, pourquoi avoir choisi le Parti conservateur? Déjà, en 33, vous étiez au congrès de Sherbrooke. Dans votre
famille, votre mère était libérale, votre grand-père conservateur, vous
auriez pu tout autant être un libéral, non?**

M. Bellemare. Il n'y avait pas grand-place pour les jeunes parmi les
rouges dans ce temps-là. Moi, c'est drôle, je me suis fait une conception
que le Parti libéral, c'était un parti de bourgeois, puis dans le temps, M.
Taschereau commençait à être détesté et tous les moyens possibles
avaient été pris pour le battre.

F. Sauvageau. **Je voudrais parler un peu plus de vous. Vous insistez
souvent sur votre diplôme de septième année, mais finalement, un diplôme de mesureur, un diplôme de septième année, ce n'était pas si mal
pour l'époque...**

M. Bellemare. A ce moment-là, celui qui avait son cours supérieur, c'est-à-dire son cours de dixième année, c'était un grand homme. Moi, je me suis rendu à la septième; il restait la huitième, la neuvième et la dixième que j'ai complétées d'ailleurs par les cours I.C.S. (International Correspondence School). Et au début de ma carrière comme député j'ai été chercher mes grades de huitième, neuvième et dixième années.

F. Sauvageau. C'est un peu ce que je veux dire d'ailleurs: la septième année, est-ce que vous ne l'avez pas utilisée parfois comme stratégie?

M. Bellemare. Je pense que c'est populaire de dire qu'on n'est pas trop fin et qu'on a travaillé énormément; c'est sûr que c'est reconnaître ça. D'ailleurs, combien de fois j'ai cité avec orgueil ma profession comme «brakeman», comme serre-frein, et en traînant continuellement ma carte de l'union dans mes poches? Si quelqu'un me disait «Ah! ça fait longtemps que tu as laissé ça,» je pouvais répondre: «Ah! non, je paie encore mon union.» Et ça avait chez nous une certaine influence.

F. Sauvageau. Quelles sont les qualités qui vous ont permis de faire la carrière que vous avez faite?

M. Bellemare. C'est le travail. Moi, je suis un employé de chemins de fer, puis c'est deux «tracks» qui ont mené toute ma vie. L'esprit de travail, et surtout et avant tout de l'honnêteté en politique. Tu n'as pas le droit de tricher personne, c'est un «must». Ces qualités-là, je les ai développées énormément: l'esprit de travail et cette honnêteté proverbiale chez nous. Voyez les témoignages que m'a rendus M. Lesage dans la période difficile où l'Union nationale a été attaquée, Lesage disait: «Le député de Champlain sur ça, par exemple, il est bien fatigant, bien tannant, et il est bien achalant, mais sur ça, il n'y a absolument pas un cheveu à lui arracher.»

F. Sauvageau. On dit que, pour réussir en politique, ça prend aussi des défauts. Avez-vous ces défauts-là, vous?

M. Bellemare. J'en ai un particulièrement: je suis un gars brutal. Je ne peux pas endurer un mensonge ou un gars qui n'est pas vrai. Et quand je le découvre, je deviens brutal. Je n'ai pas la patience souvent d'endurer une longue conversation qui est insipide et qui ne donne rien. Alors, je deviens assez rude, assez catégorique; ça c'est un défaut. Daniel, lui, avait cette qualité extraordinaire d'user son gars. Il le berçait et longtemps; il avait une patience extraordinaire. Moi, je ne suis pas capable de faire ça. Moi, c'est *«take it or leave it»*, et puis ça vient de finir.

F. Sauvageau. L'honnêteté, la volonté de travail, la brutalité. Est-ce que ce sont les trois qualités que le prochain chef de l'Union nationale devra posséder?

M. Bellemare. Je pense qu'on peut dire «*other days, other ways*», d'autres temps, d'autres moeurs, d'autres manières de procéder. C'a peut-être été très utile dans mon cas, puis ça sera peut-être très nuisible dans d'autres. Il faut posséder cet agencement de qualités et de défauts qui fassent que les gens ne s'éloignent pas de toi. Il faut savoir se faire même craindre en politique. M. Duplessis m'avait dit un jour: «Maurice, en politique, ne te fais pas aimer, mais fais-toi craindre.» Je pense qu'il avait raison. Se faire aduler, encenser, c'est bien bon mais il ne fut pas s'y laisser prendre. Parce qu'il y a des dures réalités, mon cher Monsieur; derrière un nuage d'encens, tu peux recevoir un méchant coup d'encensoir sur la tête.

F. Sauvageau. **Au cours du congrès qui a choisi Rodrigue Biron comme chef, quand on demandait aux militants de nous faire un portrait du chef idéal, ce qui revenait très souvent, c'était l'autorité. On demandait un chef autoritaire...**

M. Bellemare. Ah oui, d'accord. Dans les temps qu'on traverse, il va falloir que le nouveau chef fasse preuve d'autorité et je dirais même d'une certaine dictature, non seulement dans ses agissements quotidiens, mais aussi dans la prévision, dans la législation et dans le contrôle qu'il devra conserver sur ses troupes. Il devra essayer de rétablir chez nous l'ordre et le respect des lois. On est foutus, si le nouveau chef ne fait pas ça: on s'en va en ligne directe au socialisme d'État.

TROISIÈME PARTIE:
L'ORGANISATION

Maurice Duplessis entouré de Gérald Martineau, Olier Renaud, Alphonse Raymond et Jean-Louis Baribeau. Trois-Rivières, juillet 1948. (Société des Amis de M. Duplessis)

CHAPITRE 7

LE PERSONNEL
POLITIQUE

Avec Maurice Bellemare, puis Rodrigue Biron, l'Union nationale est redevenue une force politique importante au Québec. Même si l'histoire de ce parti est intimememt liée à celle de ses chefs, elle ne se confond pas tout à fait avec elle. L'Union nationale, ce fut et c'est encore un personnel politique fait de ministres, de députés, de candidats, d'organisateurs, etc. C'est aussi une organisation qui eut pendant longtemps une caisse électorale bien garnie et qui a pratiqué un patronage d'un style bien particulier. Dans les trois prochains chapitres nous allons nous pencher sur ces caractéristiques de l'Union nationale qui sont tout aussi importantes, pour la bien comprendre, que la personnalité de ses chefs.

Qui étaient les députés de l'Union nationale? En quoi se distinguaient-
ils des candidats et députés des autres partis et en particulier du Parti
libéral? Quelles étaient leurs activités auprès de leurs électeurs, au Par-
lement, auprès des ministres, des fonctionnaires? Pour répondre à ces
questions, nous avons fait appel à six anciens députés de l'Union
nationale. (MM. Jean-Paul Cloutier, député de 62 à 73; Jean-Noël
Tremblay et Philippe Demers, députés de 66 à 73; Hormidas Langlais,
député des Iles-de-la-Madeleine de 36 à 62; le docteur Arthur Leclerc,
qui fut ensuite ministre de la Santé de 58 à 60, et enfin le juge Joseph
Bilodeau, retraité, député de L'Islet et ministre de 36 à 39.)

F. *Sauvageau.* **Que demandaient les électeurs à un député, en 1936?**

H. Langlais. La lune!

F. *Sauvageau.* **Qu'est-ce qu'on vous a demandé quand vous êtes arrivé aux Iles-de-la-Madeleine après votre élection en 36, en plus de vous demander la lune?**

H. Langlais. Ils étaient trop gênés, ils ne me demandaient rien dans ce temps-là.

F. *Sauvageau.* **Quels étaient les besoins des Iles-de-la-Madeleine en 36?**

H. Langlais. Il n'y avait rien, rien. Ils les avaient oubliés; c'est comme s'ils n'avaient pas existé. C'était un crime. Je suis peut-être dur, mais c'était un crime de laisser une population dans l'état qu'elle était en plein XXe siècle. Si vous voulez avoir mon opinion, la voilà.

F. *Sauvageau.* **Et vous avez décidé de leur donner quoi? Qu'est-ce qui était le plus urgent à ce moment-là?**

H. Langlais. Qu'ils aient de quoi vivre, de quoi manger.

F. Sauvageau. **Est-ce que c'était aussi pénible dans Charlevoix, Docteur?**

A. Leclerc. Non. Dans Charlevoix, non; les problèmes n'étaient pas les mêmes parce qu'on était plus près des centres. Les problèmes du temps ne sont pas les problèmes d'aujourd'hui, c'est changé; comme dans vingt-cinq ans les problèmes d'aujourd'hui, on en rira, on rira des solutions. Dans Charlevoix dans le temps, c'était d'avoir des routes. Quand je partais pour aller voir les malades, je laissais l'automobile à quatre, cinq milles de La Malbaie ou de la Baie-Saint-Paul et on venait nous chercher avec un cheval et une voiture. En été, il y avait des endroits où l'essieu de la voiture traînait dans la vase; on enveloppait le docteur avec des sacs de toile cirée afin qu'il n'arrive pas trop vasé, pour ne pas dire emmerdé, à la maison. Ça, c'était la première chose.

Et on faisait nos examens, nos accouchements à la chandelle et à la lampe à l'huile. Souvent on accouchait les femmes par terre, sur le plancher, ce qu'on appelait un petit lit de misère, avec des hémorragies sur le plancher et ces choses-là, parce qu'on arrivait assez souvent en retard et des fois trop tard. Alors les problèmes dans le temps, ce n'était pas les Cégeps et ce n'était pas le «Bill 22», ni les autres. C'était de donner des communications aux gens, de leur donner de l'électricité, de leur donner des écoles et des petits hôpitaux; la plupart des gens étaient obligés de faire 150, 200 et 250 milles pour aller dans les hôpitaux.

Les premiers temps que j'ai été élu, j'avais le comté jusqu'à Blanc-Sablon; j'avais 800 milles de comté, et les 4 / 5 du comté, pour faire l'élection, se faisaient en barques de pêcheurs. Tu as connu ça, Midas?

H. Langlais. Oui, j'ai connu ça.

A. Leclerc. Alors on faisait 50, 60 milles avec des petites barges de pêcheurs de 33 pieds, pas de toilettes, rien du tout là-dedans. Alors, c'est dire que la nature avait besoin d'être favorable de temps à autre.

H. Langlais. Voici des gens qui étaient à 150 milles de mer du premier hôpital. Alors pendant que j'ai été là en 1936, il y a un type qui s'est fait prendre la cuisse dans un câble, en déchargeant du charbon. Le câble devait être infecté de charbon, de graines de charbon, des affaires de même; en tout cas, le pauvre diable est mort. J'ai dit: «Ça, il ne faut pas que ça se reproduise, il faut voir à avoir un système d'hôpital et une améliorations ici pour empêcher les gens de mourir pour des questions de détails comme celles-là.»

J. Bilodeau. J'ai eu une situation plus difficile que mes collègues. Je venais de battre un premier ministre dans un comté où il y avait toujours eu des ministres, mais qui avaient toujours été battus à tour de rôle. C'est pour cela qu'on avait baptisé ce comté-là «tombeau des ministres».

A. Leclerc. C'est toi qui avais battu M. Godbout.

J. Bilodeau. Godbout, oui. Alors évidemment ç'a des exigences de patronage. Moi, j'ai passé mes trois ans à faire du patronage, remplacer les cantonniers, placer celui-ci, placer celui-là dans mon comté, à part de répondre aux députés quand je pouvais le faire. Moi, je n'ai pas eu une expérience facile, je n'ai pas eu une expérience agréable, parce que ç'a été une expérience de patronage.

F. Sauvageau. **Quand vous parlez de patronage, pour vous, est-ce que c'est négatif? Est-ce que vous aviez l'impression de rendre service? Aviez-vous l'impression que c'était votre devoir?**

J. Bilodeau. Non, non, au contraire. On faisait un peu de tort, parce qu'on déplaçait les gens, on déplaçait tous les cantonniers qu'il y avait dans le comté, on déplaçait tout ce qu'il y avait moyen de déplacer, puis on replaçait nos amis qui avaient été 40 ans dans l'opposition. Ça se comprend, hein? Le député qui règne là pendant, comme eux autres, 26 ans, une fois que son patronage est organisé, les élections suivantes, il ne se «badre» pas de ça, hein? on remplace tranquillement ceux qui meurent...

A. Leclerc. Est-ce qu'on peut corriger?

F. Sauvageau. **Si vous le voulez.**

A. Leclerc. Alors voici ce qui arrive. On avait le même problème que toi, Jos, mais on a eu plus d'années pour s'expérimenter, et je me suis fait bien des ennemis parmi mes partisans justement parce que je n'ai pas déplacé tous les gens; j'en ai gardé plusieurs qui en avaient besoin. Mais les premières années, dans ton temps, Jos, c'était un crime. Alors le gars qui n'aurait pas fait ça, il était aussi bien de démissionner tout de suite; au bout de trois ans il se faisait battre. Alors on était obligé. Seulement, moi, j'avais fait de la médecine et je connaissais tous les gens et je connaissais tous les problèmes de famille du comté, maison par maison. Alors je me suis engueulé — excusez l'expression — avec mes organisateurs; j'ai laissé des cantonniers et des officiers de circulation, et à la fin de la course je suis passé à travers quand même. Et ceux que j'ai gardés, ils ont toujours travaillé contre moi, ils ont voté contre moi quand même.

J. Bilodeau. Si je vous disais que, quand j'ai administré la Commission des liqueurs en 44, ici à Québec, j'ai congédié 300 et quelques personnes pour remettre à leurs places les amis qui avaient été congédiés à leur tour en 39. C'était une autre besogne.

F. Sauvageau. **En fait c'était la règle: changement de gouvernement, changement de personnel au sein de l'administration.**

J. Bilodeau. C'est ça, exactement.

F. Sauvageau. **Aux Iles, M. Langlais, est-ce que vous avez dû procéder de la même façon en 1936? A quoi vos électeurs s'attendaient-ils de votre part?**

H. Langlais. Ils n'attendaient rien. Le député était un gars qui était assis sur un piédestal et ils n'osaient pas le regarder.

F. Sauvageau. **Est-ce que c'était un peu la même perception chez vous, Docteur?**

A. Leclerc. Non, non, ce n'était pas la même chose. Hormisdas, je suis allé aux Iles-de-la-Madeleine deux ou trois fois quand j'ai été ministre, j'ai jasé avec ces gens-là; il était même question qu'ils me fassent un bateau. Et tu as raison: ils n'étaient pas capables de concevoir qu'ils pouvaient parler à un député. Le député, c'était trop haut pour eux autres. C'est comme nous autres, quand on était jeunes, Rome, c'était inaccessible. Tandis que pour eux autres, un député c'était inaccessible. On ne parlait pas à ça, c'était trop grand, c'était trop gros. Alors c'est Midas qui a été obligé d'y aller et puis de marcher à pied — et puis tu m'excuseras si je prends la parole pour toi — et puis d'aller au Cap-aux-Meules et puis de tâcher de relier les îles et de s'occuper d'organiser les pêcheries, puis de leur organiser un hôpital, et le reste et le reste. Excuse-moi, j'ai l'air d'un gars qui veut prendre le haut du pavé. Seulement comme ministre de la Santé, j'ai été dans tous ces coins-là et les problèmes des autres je les ai connus aussi, en plus des miens.

H. Langlais. C'est ça, je n'ai aucune objection, au contraire. Ça, c'est le ministre de la Santé qui dit ce qui a été fait là-bas. Je ne peux pas demander mieux.

F. Sauvageau. **On ne prenait quand même pas le député pour un Dieu?**

A. Leclerc. Non. Maintenant, il y avait Edgar Rochette qui m'avait précédé, et quand je suis allé sur la Côte Nord et que je me suis présenté, ils n'avaient jamais vu de députés. Ils ne savaient pas ce que c'était qu'un député. M. Rochette passait à bord du bateau des Clarke, puis il envoyait un télégramme dans une petite paroisse: Mingan, Magpie, Sheldrake, Shelter Bay et le reste et il leur disait: «Le député passe.» Alors là il y avait deux organisateurs qui partaient avec une petite chaloupe, parce qu'il n'y avait pas de quai, et là ils allaient à bord du bateau. Le député leur donnait quelques piastres et une couple de bouteilles de whisky, et il disait: «Organisez la paroisse.»

Un député élu en 1966, ministre des Affaires culturelles dans le cabinet Johnson, M. Jean-Noël Tremblay.

J.-N. Tremblay. Avant l'avènement de l'Union nationale avec Maurice Duplessis, le Parlement était l'apanage d'un groupe privilégié qu'on appelait à l'époque l'establishment de la Grande-Allée. Et il était composé surtout de gens appartenant à ce qui s'appelait alors les professions libérales: médecins, avocats, notaires, quelques comptables peut-être par exception, dentistes, etc. En 1936, Duplessis a fait élire un grand nombre de gens recrutés dans tous les milieux du Québec. L'équipe qui entourait Duplessis était surtout composée de cultivateurs, d'ouvriers, de médecins pratiquant dans les campagnes, etc. Tout cela a amorcé un changement de la représentation parlementaire. Ceci dit sans connotation partisane, je crois que Duplessis avait axé cette fois-là sa campagne sur le recrutement de gens qui fussent vraiment des milieux où ils allaient se faire élire, alors qu'on avait traditionnellement l'habitude de choisir plutôt des gens des villes qu'on parachutait — le mot n'était pas encore à la mode à l'époque — dans les diverses campagnes du Québec. Qu'on fût avocat, médecin, cultivateur, ouvrier, le problème c'était de choisir quelqu'un qui était né dans la circonscription qu'il représentait, qui avait connu les problèmes de la circonscription, qui avait fait partie de cette communauté humaine.

F. Sauvageau. **Des professionnels de la région, d'accord, mais des professionnels quand même. Vous avez parlé d'agriculteurs et d'ouvriers, il n'y en avait pas des masses dans l'Union nationale...**

J.-N. Tremblay. Il y en avait un bon nombre, et les professionnels étaient issus du milieu. Il ne faut pas s'abuser là-dessus, il ne faut pas penser que les gens veulent avoir nécessairement un cultivateur, un ouvrier, un mécanicien, un chauffeur d'autobus, etc. Ils veulent quelqu'un qui les connaît suffisamment, qui connaît suffisamment la région et leurs besoins, pour être capable de parler en leur nom. Et justement, ils exigent de plus en plus — et nous l'avons senti bien des fois — que ces gens-là aient une instruction, une connaissance suffisante de la politique et de tous les grands problèmes de la politique, que ce soit la politique municipale, provinciale, fédérale et même internationale, pour être des voix autorisées.

J'ai vécu des expériences, moi, absolument douloureuses à l'Assemblée nationale pendant la période d'opposition de 70 à 73, alors que des gens, de braves gens, nous arrivaient à la Chambre sans savoir exactement quels étaient les mécanismes administratifs. Nous avons eu, entre autres, un député qui pendant deux ans a cherché le bilan de la province de Québec sans savoir que c'était le livre des comptes publics. Cela indique suffisamment que ces gens-là n'étaient pas préparés.

* * *

M. Cardinal. **Professeur Lemieux, est-ce qu'on peut dire qu'avec M. Duplessis le pouvoir politique est passé de la haute bourgeoisie à une classe sociale qui pourrait être la classe moyenne?**

V. Lemieux. Je pense qu'on peut dire ça en gros, en effet. Sous M. Taschereau, il est exact de dire, je crois bien, que les professionnels, en particulier les avocats, les notaires, étaient vraiment dominants en politique provinciale. Avec M. Duplessis, il y a toujours des avocats, il y en a même beaucoup, mais ce sont moins que sous M. Taschereau des avocats des grandes villes ou de grands bureaux. Souvent les avocats et les professionnels de l'Union nationale sont des gens qui sont nés, qui vivent dans des milieux ruraux ou encore dans des petites villes. Et surtout la proportion de petits et moyens industriels, commerçants ou entrepreneurs, s'accroît considérablement dans la députation de l'Union nationale.

Il y a toujours eu aussi des médecins députés; leur proportion a varié peut-être de 5 à 10%. Il faut dire à propos des médecins — et l'exemple du docteur Leclerc le montre bien — que ce sont des gens qui font souvent de très bons députés, du moins ce sont des gens qui connaissent à peu près tous leurs électeurs, surtout s'ils ont été des médecins de médecine générale. Et on a remarqué au Québec comme ailleurs que c'était des députés difficiles à battre ou du moins que c'était des candidats qui avaient beaucoup plus de chances d'être élus que les autres. Leur moyenne au bâton, si on peut dire, leur performance, est souvent assez extraordinaire. D'ailleurs ça continue.

M. Cardinal. **Est-ce que M. Duplessis ne cherchait pas aussi sur le plan local des candidats qui avaient beaucoup d'influence, par exemple les maires?**

V. Lemieux. Oui. Ça justement, c'est très intéressant. Je pense qu'il y a toujours eu dans nos partis, surtout dans le parti gouvernemental, un bon nombre de députés, en fait, qui avaient d'abord été maires et qui étaient même maires au moment où ils étaient députés. Mais c'est peut-être plus net dans l'Union nationale que dans le Parti libéral. Et même si on dépasse un peu la période dont on parle actuellement, en 66 par exemple, même si l'Union nationale était dans l'opposition, on remarque que parmi les candidats qu'elle a présentés, il y avait beaucoup plus d'anciens maires que dans le Parti libéral. Ce qui est un peu étonnant parce que les libéraux étaient au pouvoir depuis six ans. Mais même avant 60, il y a eu dans l'Union nationale un très grand nombre de députés qui avaient d'abord été maires ou encore échevins ou commissaires. C'est très important, je pense, pour ce qui est de l'enracinement du député dans le milieu qu'il représente.

M. Cardinal. **Est-ce qu'il y avait beaucoup de cultivateurs?**

V. Lemieux. Non, là-dessus je reprendrais peut-être un peu M. Tremblay. M. Tremblay a dit tout à l'heure qu'avec Duplessis il y a eu un plus grand nombre de cultivateurs et d'ouvriers. En fait, le nombre de députés cultivateurs a toujours été très très limité...

M. Cardinal. Comme d'ailleurs le nombre de salariés...

V. Lemieux. Oui, moins de 5% ou de 10% au Québec. Il y en a eu un peu plus évidemment sous Duplessis que sous Taschereau, mais on ne peut vraiment pas dire qu'avec M. Duplessis ç'a été l'accession au pouvoir de cette classe-là. Ces gens-là ont toujours été très minoritaires.

M. Cardinal. Avec Daniel Johnson en 66, est-ce qu'on a retrouvé les mêmes caractéristiques chez les candidats?

V. Lemieux. Oui, on peut dire que, en gros, M. Johnson qui connaissait bien le passé de l'Union nationale, qui y avait participé lui-même, a tenté en 66 de recruter justement des candidats qui avaient un peu les mêmes caractéristiques que ceux d'avant 60. En particulier, on a beaucoup fait pour recruter des candidats qui participaient à la vie locale dans les associations ou comme maires.

M. Cardinal. Est-ce qu'on n'a pas assisté aussi sous M. Johnson à l'émergence d'un nouveau type de candidats, les semi-professionnels, si on peut dire, comme les technocrates ou les journalistes?

V. Lemieux. Je pense qu'on peut dire que ç'a commencé avant M. Johnson. Déjà en 1962, par exemple, il y a un plus grand nombre de ces gens-là. Et ça dépend en bonne partie du fait que le secteur public et parapublic au Québec a pris de plus en plus d'importance à partir des années 60. Je pense aux fonctionnaires et aux enseignants; il y a eu de plus en plus de députés, ou de candidats du moins, qui avaient une expérience de ce côté-là.

M. Cardinal. L'Union nationale était un parti rural. Mais on a dit aussi que c'était un parti populaire...

V. Lemieux. C'est exact. Je pense qu'on insiste beaucoup trop sur le caractère rural de l'Union nationale. Les libéraux de Taschereau aussi avaient un caractère rural dans une certaine mesure, parce que la plupart des comtés étaient ruraux à ce moment-là. Mais l'Union nationale en effet a été un parti populaire; on pense à certains comtés de Québec et de Montréal aussi ou même de villes de province, Sherbrooke par exemple, où l'Union nationale a toujours eu, ou à peu près toujours, des députés.

* * *

F. Sauvageau. **Iriez-vous jusqu'à dire, M. Tremblay, que l'Union nationale ne s'est vraiment implantée que dans le milieu rural ou dans les petites villes, où elle savait comment s'enraciner et comment recruter les leaders?**

J.-N. Tremblay. C'est un mythe, ça, que de penser toujours Union nationale en termes de représentation rurale. Il faut penser Union nationale en termes de représentation populaire. On peut venir d'une ville et être un député vraiment populaire, c'est-à-dire quelqu'un qui est issu du milieu, qui connaît ce milieu et qui parle au nom de ces gens-là. Mais vous avez raison, si on pense par exemple aux comtés de la ville de Montréal...

P. Demers. On pourrait vous souffler un exemple: M. Boudreau en pleine ville de Québec...

J.-N. Tremblay. Il travaillait constamment avec ses gens. Et il y en avait bien d'autres. Prenez M. Maltais, c'était la même chose dans Limoilou. Mais pour ce qui est de la ville de Montréal, on se rendait très bien compte que les citoyens allaient davantage du côté de l'autorité municipale que du côté de l'autorité provinciale ou fédérale, parce que la ville de Montréal c'est une grande ville et qu'ils se sentaient plus près du maire que du député. Et comme, d'autre part, les députés n'avaient pas besoin à Montréal de réclamer pour leur ville ce dont elle avait besoin, c'était le gouvernement en somme qui réglait tous les problèmes de Montréal. Prenez, par exemple, le problème des Jeux olympiques, c'est le gouvernement du Québec qui va le régler, ce ne sont pas les députés qui vont régler ce problème-là.

F. Sauvageau. **D'où beaucoup plus de difficultés pour les députés des villes de s'identifier à la population.**

J.-N. Tremblay. Oui.

Ph. Demers. Montréal était identifié à deux ou trois personnes. Vous avez eu Médéric Martin pendant trois ou quatre décennies, puis Camillien Houde qui était le premier ministre de la ville de Montréal.

J.-P. Cloutier. C'est moins vrai pour Québec, où le député est identifié, les électeurs ont un contact plus facile. On a donné l'exemple tantôt de plusieurs députés, on pourrait nommer je pense bien le député type: Francis Boudreau dans St-Sauveur; tous ses électeurs le connaissaient.

F. Sauvageau. **L'Union nationale avait plus de succès à Québec qu'à Montréal...**

J.-P. Cloutier. Oui. Mais à Montréal, vous allez poser la question dans la rue, vous allez demander: «Qui est votre député? Dans quel comté

vous situez-vous? Dans quel comté vous votez?» Et les gens ne pourront pas répondre, une grande proportion des gens ne pourront pas
donner la réponse exacte.

F. Sauvageau. **Est-ce que, en 1966, Daniel Johnson n'a pas apporté un
soin particulier à choisir un candidat sur mesure pour chacun des
comtés?**

J.-N. Tremblay. Oui, c'est évident, la stratégie était très claire. On
voulait choisir des candidats qui fussent vraiment désirés par les citoyens. Il fallait aussi voir au problème de l'éventail de la représentati-
vité. Donc il y avait des enseignants, il y avait des ouvriers, il y avait des
gens des professions libérales, il y avait des travailleurs de toutes catégories. On s'était appliqué partout où cela avait été possible à choisir
des gens vraiment représentatifs, des gens désirés.

J.-P. Cloutier. L'occasion qui a permis cette évolution dans la façon de
recruter les candidats, dans les qualifications qu'on exigeait d'eux ç'a
été les assises de 1965. Une foule de gens de toutes conditions sociales,
de tous les milieux, de tous les âges, et surtout des jeunes, ont participé
à l'organisation, aux discussions en ateliers, à la préparation des travaux préliminaires, des travaux qui ont suivi. Alors ç'a créé une espèce
de courant nouveau dans le parti. Monsieur Johnson était bien
conscient qu'avec les assises, il avait une arme. Et tous ceux qui ont
participé à l'organisation avaient en main une arme puissante qui a agi
auprès de l'électeur. Dans ce sens que l'image de l'Union nationale s'en
est trouvée grandement rajeunie.

F. Sauvageau. **Des gens ont accepté d'être candidats, qui n'avaient pas
accepté auparavant...**

Ph. Demers. Mais M. Johnson n'a pas tiré sur des candidats. Il a laissé
la liberté à chaque association de comté de s'organiser dans le sens de
ses besoins et de son désir. Il a accepté les gens. Moi j'ai eu connaissance qu'il y avait un bonhomme dans un comté que M. Johnson aurait
mieux aimé ne pas voir. Et il a été élu, et il a battu un homme de
renom; il a été accepté avec facilité, et il n'a pas été rabroué, rien de ça.
Chez nous, dans mon cas, c'est parce que j'ai gagné à une convention
que j'ai été choisi, et vous autres, c'est la même chose.

J.-N. Tremblay. Avant les élections de 66, surtout avant les assises de
mars 65, nous nous étions interrogés sur la stratégie qu'il faudrait adopter. Or, l'accent a été mis sur cet inventaire qu'il fallait faire des besoins
de la population, et des gens qui seraient capables de les exprimer. Au
cours des réunions qui ont précédé les grandes assises de mars 65,
beaucoup de travailleurs, organisateurs, enquêteurs, réunissaient des
groupes. Et forcément au cours de ces rencontres se révélaient des

leaders. Ces gens-là ont percé petit à petit ; M. Johnson évidemment les avait à l'oeil, et, comme le disait le docteur Demers, certains d'entre eux ont été élus même si le chef avait des réticences à leur endroit. Mais ils s'étaient révélés des meneurs et des gens au courant de ce qui se passait dans leur milieu, et capables d'apporter une contribution à la préparation du programme.

Aux assises de 65, on avait requis l'avis de grands spécialistes des universités, des groupements syndicaux, de toutes sortes d'associations. Mais après ça, on rebrassait tout cela, et il se trouvait toujours un porte-parole autorisé qui exprimait mieux que les autres ce que tout le monde pensait. Alors le programme s'est fait comme ça et ç'a orienté le choix des candidats.

F. Sauvageau. Donc en 66, les candidats élus sont quand même dans une certaine mesure différents des anciens députés de l'Union nationale...

J.-N. Tremblay. Si vous permettez, je n'aime pas ce mot-là : différents des anciens députés de l'Union nationale. Voici ce qu'il faut dire, comme dirait un de nos collègues qui utiliserait une expression latine : *mutatis mutandis.* C'est que les candidats de l'Union nationale en 1966 étaient, *mutatis mutandis*, les candidats de l'Union nationale en 36, en 39, en 44. Chaque époque fournit ses candidats.

Trois députés élus en 1936 : MM. Joseph Bilodeau, Hormisdas Langlais et Arthur Leclerc.

F. Sauvageau. Est-ce que vous faisiez du bureau dans votre comté ? Est-ce que vous receviez toutes les semaines, M. Bilodeau ?

J. Bilodeau. J'en ai fait huit jours. Je suis revenu de là malade ; je n'en ai plus refait.

F. Sauvageau. Comment faisiez-vous pour rencontrer vos électeurs à ce moment-là ?

J. Bilodeau. Ils venaient à Québec ; ils étaient à 60 milles de Québec, alors ils venaient à Québec. Tous les matins, j'avais dans ma salle d'attente au moins une vingtaine d'électeurs.

F. Sauvageau. Et là, qu'est-ce qu'on vous demandait ?

J. Bilodeau. Des positions, des octrois, des bouts de chemins, ce que tu voudras.

F. Sauvageau. Il y avait des gens de tous les partis là-dedans, du Parti libéral comme de l'Union nationale ?

J. Bilodeau. A un moment donné, il y a un nommé Bernier qui est arrivé; il était menuisier, il voulait avoir une position; je lui dis: «Il n'y en a pas de positions aux Travaux publics; il n'y en a pas. Il y a une position vacante de conseiller législatif.» Il dit: «Je suis prêt à prendre ça moi!» (Rires)

F. *Sauvageau.* Aux Iles, M. Langlais, les gens voyaient leur député quelques fois par année; comment vous procédiez quand vous y alliez?

H. Langlais. J'y allais toujours quinze jours, trois semaines, tous les printemps, et j'y allais dix jours tous les automnes.

F. *Sauvageau.* Comment un député procédait-il pour solutionner les problèmes à Québec? Quand vous reveniez avec vos problèmes...

H. Langlais. On allait voir le ministre et là on se prenait avec. Quand ça ne faisait pas, on s'engueulait.

J. Bilodeau. Parce qu'il ne faut pas oublier qu'en 36 le budget de la province était seulement de 33 millions; il ne faut pas oublier ça.

A. Leclerc. Et quand il a monté à 80 millions, Ernest Lapointe est venu faire une assemblée à Québec, et il disait qu'on était prêts à ruiner la province et que Duplessis était comme un matelot en goguette dans tous les ports. On avait 80 millions dans ce temps-là.

J. Bilodeau. C'était la misère quand on a pris le pouvoir en 36. On sortait d'une crise, il ne faut pas oublier ça. Les gens ne travaillaient pas. Moi, j'ai signé au nom du gouvernement la première entente fédérale-provinciale, baptisée l'entente Bilodeau-Rogers, pour donner des cours aux gens qui sortaient des écoles et qui ne savaient pas faire grand-chose; on a organisé Duchesnay, tiens, — ça existe encore Duchesnay, pour les forêts, ainsi de suite; les centres d'artisanats à Upton, ça existe encore ça. C'est moi qui ai organisé ça et c'est devenu l'Aide à la jeunesse, puis tout ça. Il n'y avait rien, les gens n'avaient pas d'argent.

F. *Sauvageau.* M. Bilodeau, à partir du moment où on devenait ministre, est-ce que vous aviez encore le temps de vous occuper de vos électeurs dans votre comté?

J. Bilodeau. Malheureusement non, parce que ça prend son homme tout le temps. J'avais un secrétaire, un bon secrétaire, Wheeler Dupont, qui avait fait les élections avec moi, alors il connaissait tous mes électeurs. Mais moi, ça prenait tout mon temps. Le Conseil des ministres, dans notre temps, ce n'était pas des journées fixes comme aujourd'hui. Le premier ministre appelait pour le Conseil des ministres. On s'en allait là puis on passait la journée là des fois.

F. Sauvageau. **A ce moment-là quand vous n'êtes pas dans le comté, ce que vous appeliez tout à l'heure le patronage, c'est le secrétaire qui s'en occupe?**

J. Bilodeau. Oui, on accuse réception de la lettre, puis on soumet ça à M. le ministre.

F. Sauvageau. **Tout à l'heure vous ne sembliez pas d'accord avec M. Bilodeau, Docteur Leclerc. Est-ce que vous considérez, vous, que donner un emploi à un citoyen du comté, c'est du patronage, ça, ou si vous pensez que c'est normal dans la tâche d'un député que de faire cela?**

A. Leclerc. Ça dépend du personnage qu'on remplace. Si vous avez un gars qui a fait son travail honnêtement, puis qui n'a pas travaillé ouvertement, qui ne nous a pas engueulés ouvertement, eh bien! moi, avant de le changer j'y pensais sérieusement. A part ça, je me demandais: est-ce qu'il est capable de faire autre chose? Mais il y a la question qu'un député comme Hormisdas, comme Jos, qui veulent faire quelque chose dans leur comté, il faut qu'il y ait de la continuité. Alors si on veut faire de la continuité, il faut être là; puis pour être là, il faut manoeuvrer de manière à ce que les gens nous réélisent. Il y a des moyens à employer en changeant des gens, en en gardant, non pas seulement pour dire qu'on fait de la politique puis qu'on les massacre, mais on s'est fait un programme d'améliorations dans notre comté, et s'il n'y a pas de continuité et que ça change d'hommes tous les quatre ans, ça ne se réalise pas. Alors le but, c'est d'améliorer notre comté en prenant des moyens honnêtes de se faire réélire.

J. Bilodeau. Quand on pense qu'en 36 Duplessis a donné le Crédit agricole, les pensions de vieillesse, les pensions aux mères nécessiteuses, hein? tout ça! Il n'y avait pas de ça avant, les gens crevaient; malgré tout cela, il a été battu en 39.

F. Sauvageau. **Est-ce que les députés à ce moment-là avaient quelque chose à dire au Parlement dans l'élaboration des lois? est-ce que vous étiez consultés sur la législation?**

H. Langlais. Ah oui, il y avait des caucus.

F. Sauvageau. **Comment ça se passait, un caucus?**

H. Langlais. Il nous disait: «On va avoir telle chose, telle chose, telle chose.» Et là, il demandait l'opinion des gens; les membres du caucus donnaient leur opinion.

F. Sauvageau. **Est-ce qu'il arrivait que les textes de lois changent à la suite de vos remarques?**

A. Leclerc. Oui. Je puis dire qu'il y a eu des améliorations, pas de base, seulement il y a certains détails, qui sont entrés en ligne de compte après des discussions au Conseil des ministres, par des ministres, par des députés qui ont donné leur opinion. Ça arrivait de temps en temps qu'il y avait deux ou trois députés qui ne savaient pas dans le temps, qui se réunissaient, puis disaient : «On va aller au caucus, puis, nous autres, il nous faut telle chose, il faut cette affaire-là. Duplessis disait : «Non, vous ne connaissez pas ça, ça n'a pas de bon sens.» Mais deux ou trois jours après, il disait aux gars : «Il y a du bon là-dedans.» Il fallait que ça vienne de lui. Et puis ceux qui le connaissaient bien, on faisait venir ça de lui, puis on l'avait.

F. Sauvageau. Et on dit, par exemple, qu'au Parlement le seul qui parlait au nom de l'Union nationale sur tout et pour tous, c'était M. Duplessis. Est-ce qu'il arrivait que les députés ou les ministres aient quelque chose à dire au Parlement.

H. Langlais. Bien oui, si on avait voulu parler, on aurait parlé. Mais on ne parlait pas, parce que ça ne servait à rien, on faisait perdre le temps de la Chambre à parler.

F. Sauvageau. Vous auriez pu présenter les problèmes de votre comté ?

H. Langlais. Ah! bien, les problèmes du comté, on les présentait en particulier. On allait voir le ministre ou le sous-ministre et on les présentait là, nos problèmes ; on les réglait bien plus vite que de faire un maudit discours en Chambre.

J. Bilodeau. Voyez-vous, il faut être juste. Moi, j'étais ministre et en trois ans, j'ai présenté en Chambre 53 projets de loi. Il n'y en a pas, à part M. Duplessis qui en ont présenté plus que moi. J'arrivais à la Chambre, je voyais tel «bill» à mon nom. Je partais, j'allais voir tout de suite le sous-ministre Désilets : «Qu'est-ce que c'est ça ?» Il m'expliquait ce que c'était ; 53 «bills»! ils sont là, ils sont dans les statuts, vous allez les voir.

F. Sauvageau. Ça veut dire qu'un projet de loi était présenté, inscrit à votre nom parce que vous étiez ministre, mais vous n'étiez même pas au courant ? C'est M. Duplessis qui avait décidé ça ?

J. Bilodeau. Je vous parle des petits projets de lois : amender un statut, le Code municipal, ça relevait de mon ministère, la Loi des cités et villes, amender ça pour permettre des élections à telle date et ainsi de suite ; ça, ce n'est pas compliqué. J'allais voir ce que c'était et ça ne soulevait même pas de discussions. Mais des grands projets comme la municipalisation de l'électricité, la consolidation des dettes municipales, les taxes aussi, pouvaient durer toute une journée.

F. Sauvageau. Et les interventions là-dessus au Parlement, c'était vous qui les faisiez ou M. Duplessis ?

J. Bilodeau. C'était moi. Ah! là par exemple, Duplessis, si vous étiez mal pris, il se levait comme un chat guette une souris, puis là, il intervenait, ça faisait dur.

H. Langlais. Ah! oui. Il était vite debout. Il sauvait son gars...

A. Leclerc. Moi, j'ai considéré que le gars qui fait un discours en Chambre sur un sujet qui a été abordé à peu près par sept, huit députés déjà, qui se répètent, ça c'est rien que pour que son nom paraisse sur le journal et faire plaisir à ses électeurs. Ça ne change rien du tout. Le problème, il se règle chez le premier ministre, ou chez le ministre.

Moi, je ne parlais pas souvent en Chambre, je parlais à peu près sept, huit minutes, six ou sept fois par session, et puis assez souvent j'étais obligé d'aller donner dix piastres aux journalistes pour que mon nom soit sur le journal et puis... oui! oui! oui! je pourrais donner des noms, si vous voulez...

F. Sauvageau. **Ce n'est plus comme cela.**

A. Leclerc. Ce n'est plus comme cela, non! C'est-à-dire que ce n'est plus dix piastres. (Rires)

H. Langlais. C'est vingt-cinq, à c't' heure?

A. Leclerc. Non, c'est plus que ça. Alors un discours en Chambre, ça faisait plaisir à nos électeurs, mais ça ne changeait pas grand-chose.

H. Langlais. Moi, je ne parlais pas souvent en Chambre, ça ne donnait absolument rien, c'était zéro parler en Chambre...

A. Leclerc. Non, tu as donné des choses, des statistiques assez souvent sur le marsouin et la morue et toutes ces choses-là. C'était des choses typiques de tes Iles qui nous intéressaient beaucoup, nous autres, et qu'on ne connaissait pas.

F. Sauvageau. **Une dernière question, si vous voulez? Est-ce que vous avez l'impression que les jeunes qui ont été élus comme députés de l'Union nationale en 1966 avec M. Johnson, s'ils ont perdu si vite le pouvoir en 70, est-ce que c'est parce qu'ils n'avaient pas la même conception que vous aviez de leur rôle?**

A. Leclerc. C'est qu'un parti vieillit et il s'use. Quand ça fait vingt ans, vingt-cinq ans qu'on est au pouvoir, quel que soit le comté, on devient usé, et la moindre critique prend une ampleur grosse comme ça! On suit le courant, puis on se fait descendre.

H. Langlais. Ça ne peut pas se faire autrement, on s'use.

J. Bilodeau. Est-ce que ça vivra l'Union nationale? Je ne le sais pas. Il y a une chose qui va vivre dans le coeur de la population et dans l'esprit du peuple, c'est le nom de Duplessis. Toujours. C'est lui qui a fait la province, toute la Côte Nord, c'est Duplessis: Shelter Bay, Forestville, Baie-Comeau... Sept-Iles. J'ai été à Sept-Iles, moi, en 45 avec l'inauguration d'une corvette des Clarke. On est débarqués à Sept-Iles, puis j'ai demandé aux gens: «Qu'est-ce que vous faites pour vivre ici?» Ils ont dit: «On est pêcheurs et agriculteurs.» Bien, j'ai vu une vache dans un champ!

Où en était l'Union nationale en 1966? Est-ce que ses troupes évoluaient? Est-ce que ses candidats, ses députés se sont comportés vis-à-vis de l'électorat comme les députés à l'époque de Duplessis? Jean-Paul Cloutier et Jean-Noël Tremblay répondent à ces questions.

J.-P. Cloutier. Il y a des choses fondamentales qui sont demeurées. On a parlé tantôt de l'accessibilité du député, de sa disponibilité auprès des gens, ça c'est une qualité fondamentale et ça c'est demeuré. Le comportement des députés en Chambre évidemment a été modifié parce que nous avions en 1966 ce qui n'existait pas en 1962, c'est l'enregistrement des débats. Les débats étant enregistrés, les interventions étaient davantage préparées, elles étaient davantage fouillées. Il est évident que chaque Parlement a connu en Chambre ses leaders qui avaient, eux, une préparation toute spéciale ou des qualités spéciales de parlementaires, d'intervenants. Le député de 1966 est fondamentalement un député qui a évolué, mais qui a gardé le meilleur des traditions et des qualités du député que l'on a connu avant ça.

J.-N. Tremblay. Il y a une chose aussi qui se situe dans la continuité de ce que vient de dire M. Cloutier. Les députés ont gardé ces traits fondamentaux de gens près du peuple, mais le comportement à la Chambre, comme on vient de le dire, et le comportement avec les citoyens dans les comtés ont été forcément modifiés, parce qu'on venait de mettre sur pied une fonction publique très organisée, très systématisée. Par conséquent il a fallu habituer les gens à tenir compte de l'existence d'une fonction publique organisée et à ne plus s'en remettre uniquement aux députés pour régler tous les petits problèmes. C'est un changement de structures, et les députés, les partis, qui l'ont compris se sont adaptés à cela.

J.-P. Cloutier. Il est évident que le député tel qu'on le connaît dans l'Union nationale, on l'a défini comme un député accessible, bien identifié à son milieu et qui rencontre beaucoup d'électeurs. Alors il est normal qu'il lui soit soumis une foule de problèmes. Quelqu'un perd son emploi, il demande à son député de lui trouver une job, comme on dit. Il y en a un autre qui a un problème avec le ministère des Affaires sociales, un assisté social, sa prestation n'est pas assez haute, alors il demande à son député de voir s'il n'y a pas moyen, s'il n'y a pas possibilité d'en avoir plus. C'est ce genre de problèmes qui est soumis au député.

Alors, tel que M. Tremblay l'a décrit tantôt, la Loi de la Fonction publique ayant institué des mécanismes dont il faut tenir compte pour les nominations, le député doit modifier son genre d'interventions. Ça ne veut pas dire qu'il ne fait pas d'interventions, mais il ne fait pas d'interventions comme ça s'est déjà fait autrefois. Je ne veux pas qualifier de péjoratif ce genre d'interventions, mais c'était une intervention qui avait l'air plutôt d'un commandement ou...

F. Sauvageau. **Mais ça va moins vite et les électeurs sont mécontents et se désintéressent...**

J.-N. Tremblay. Ça, c'est le grand problème, M. Sauvageau. Il a fallu s'habituer avec cette nouvelle structure de la fonction publique, habituer des gens qui voulaient toujours passer directement par le député, leur faire comprendre qu'ils pouvaient continuer de passer par le député, mais qu'ils avaient aussi à tenir compte de la fonction publique; l'existence de la fonction publique n'empêchait pas le député d'intervenir constamment pour ses concitoyens. Parce qu'il y a cet énorme problème de la centralisation administrative, la difficulté qu'ont les gens à rejoindre les fonctionnaire, non pas parce que les fonctionnaires sont de mauvaise foi, de mauvaise volonté, mais parce qu'ils sont surchargés de demandes. Et il y a aussi l'interprétation, auprès des gens de la fonction publique, des demandes des citoyens.

*   *   *

M. Cardinal. **Professeur Lemieux, suite à ce qu'on vient d'entendre, est-ce que le député de l'Union nationale n'a pas toujours été autre chose qu'un législateur, étant donné que les lois étaient préparées par les Conseils des ministres, et la plupart du temps par le premier ministre, sous M. Duplessis?**

V. Lemieux. Bien sûr, c'est-à-dire qu'il pouvait difficilement être législateur pour les raisons que vous venez de signaler. Il faut aussi se rappeler que les sessions à ce moment-là étaient très courtes. Alors le député était autre chose, c'était un intermédiaire, un «patroneux» comme on dit parfois, c'est-à-dire quelqu'un qui acheminait vers l'administration les demandes des gens, qui avait souvent un pouvoir de pression assez considérable sur les ministres et les fonctionnaires, de façon à obtenir des emplois, des positions, des subventions discrétionnaires ou des bouts de chemins. Alors, ce rôle-là, il le jouait; il avait une marge de manoeuvre en fait beaucoup plus grande qu'il ne peut en avoir actuellement. Et c'est évidemment grâce à cela qu'il réussissait bien souvent à se faire réélire.

M. Cardinal. **Est-ce qu'ils n'étaient pas plus des représentants du gouvernement dans les comtés que des représentants du comté à l'Assemblée nationale?**

V. Lemieux. Ils étaient les deux. Ils étaient les représentants du gouvernement dans un comté et ils étaient les représentants du comté, peut-être pas à l'Assemblée nationale, mais dans l'appareil gouvernemental, pour faire en sorte que cet appareil dirige vers le comté ce dont le comté avait besoin. Ils étaient des intermédiaires et remplissaient les deux rôles en fait, de haut en bas et de bas en haut.

M. Cardinal. **Ce fonctionnement, qui était celui du député à l'époque de M. Duplessis, est-ce qu'il n'est pas à l'origine de ce tiraillement qu'a connu le député de l'Union nationale de 66 à 70, alors qu'il ne retrouvait plus les mêmes conditions?**

V. Lemieux. Oui certainement. Il n'avait plus les mêmes marges de manoeuvre; il n'avait plus le même prestige auprès de ses électeurs parce qu'il ne pouvait plus obtenir autant de choses qu'il avait obtenues autrefois. Et je pense en effet que ç'a été le drame de l'Union nationale de ne pas avoir réussi, de 66 à 70, à adapter son style politique aux conditions nouvelles et en particulier à la très grande force, l'omniprésence de l'administration.

M. Cardinal. **Est-ce que l'Union nationale ne devrait pas redéfinir le rôle du député?**

V. Lemieux. Oui, elle doit le redéfinir. Elle doit tenir compte, je pense, de deux choses en particulier. L'activité législative du député est appelée à devenir de plus en plus grande, et le député doit être en mesure d'y contribuer de mieux en mieux. Elle doit tenir compte aussi du fait que l'appareil administratif est de plus en plus lourd, que les gens ont des problèmes avec cet appareil, et que le député doit informer de mieux en mieux les gens de ce qui se passe et agir comme une espèce d'ombudsman à cet égard.

Trois jeunes députés en retraite forcée s'interrogent à leur tour, et de façon générale, sur le rôle futur du législateur. MM. Tremblay et Cloutier et l'ancien député de Saint-Maurice, le docteur Philippe Demers.

J.-N. Tremblay. Le peuple aujourd'hui — et ça c'est un autre élément qui modifie l'attitude des députés — le peuple est très très près au Québec des hommes politiques. Le nombre extraordinaire d'organismes, de groupes représentatifs, fait que les députés sont fatalement obligés d'aller voir ce qui se passe dans chacun des coins de leurs comtés. Ça c'est une exigence de la démocratie actuelle. Aujourd'hui tout le monde a voix au chapitre; on a institutionnalisé la consultation, le dialogue, etc., à telle enseigne qu'à certains moments ça ressemble à une tour de Babel et qu'on ne sait plus qui est maître de quoi. Mais il reste que cette démocratie vécue sur la place publique, aux yeux de tout le monde, fait qu'un député qui est le moindrement sensible et qui a le moindre instinct de conservation doit se rapprocher du peuple. Et le danger qui guette certaines formations politiques qui essaient de jouer les démocrates, c'est d'être encore à l'heure actuelle dirigées par des intellectuels, ce que j'appelle, moi, les dalaï-lamas du Tibet universitaire, qui font des grandes constructions, qui font de beaux grands discours en Chambre et qui cherchent la formule pour se rapprocher du peuple. Les libéraux, je pense, l'ont trouvée pas mal la formule pour se rapprocher du peuple...

F. Sauvageau. **Justement, l'hypothèse que je formule, c'est que le Parti québécois c'est maintenant le Parti libéral des années 60, et le Parti libéral de maintenant c'est l'Union nationale des années 60.**

J.-N. Tremblay. Bien, le Parti québécois, si vous dites que c'est le Parti libéral des années 60, c'est un postulat qu'il vous faudrait démontrer, parce qu'il y a encore énormément de Tibétains dans ce parti-là et qu'ils ne savent pas trop exactement où se situe le peuple, puisqu'ils cherchent encore le peuple, et qu'ils sont obligés de prendre les formules des programmes politiques du Parti libéral et de l'Union nationale pour se donner une certaine image populaire.

F. Sauvageau. **Mais il y avait peut-être des Tibétains dans le Parti libéral des années 60?**

J.-N. Tremblay. Bien, ils changent de moines, c'est tout. (Rires)

J.-P. Cloutier. Le député devra revenir vers ses électeurs s'il s'en est éloigné ou si, dans son comportement ou dans sa façon d'envisager les problèmes ou les solutions, il s'est éloigné de l'homme moyen. Mais il faut dire aussi que la jeunesse est terriblement exigeante pour les hommes publics aujourd'hui, parce qu'on a des moyens de juger les hommes publics qu'on n'avait pas autrefois, des moyens qui sont très durs, comme la télévision qui entre partout, qui va fouiller dans tous les recoins. Ça va être de plus en plus exigeant pour l'homme politique, pour l'homme public, à quelque niveau que ce soit; il faudra qu'il soit franc, il faudra qu'il soit limpide et il faudra qu'il soit intègre.

Ph. Demers. Mais il reste ceci, que, à mon avis, la vie de député c'est la vie la plus artificielle qu'il y a. C'est une vie qui est en marge de la société, la preuve c'est qu'il y en a 110 sur... on est six millions, — il faut se parler. Puis c'est la profession où il y a le plus gros «*turn-over*», comme on peut dire. De tous ceux qui étaient là à l'époque où nous y entrâmes, il faudrait faire le déballage de ceux qui sont passés et qui n'y sont plus. Et la prochaine édition de ceux qui succéderont à ceux qui sont là, il y aura encore un 65% de «*turn-over*», de changement. Moi, les députés, pour y avoir vécu, je ne les envie pas, je ne les plains pas, mais je sympathise énormément avec eux, parce que c'est une job, un boulot de tous les instants et de tous les matins. Quand un gars rentre, c'est un grand événement; quand il en sort, il est un peu attristé; mais quand il peut s'en passer, il vit très bien.

CHAPITRE 8

LA CAISSE
ÉLECTORALE

Les députés de l'Union nationale, au cours des années trente et quarante, avaient des préoccupations et des activités assez différentes de celles qu'ont eues les députés des années soixante. Mais d'une époque à l'autre un trait demeure caractéristique de la plupart des députés unionistes: leur souci de garder le contact avec la population. De façon générale, ces députés sont davantage «près du peuple» que leurs adversaires libéraux. On retrouve d'ailleurs ce trait caractéristique dans l'organisation du parti. Mais pour faire fonctionner une organisation, surtout en période électorale, les prières et le bénévolat ne suffisent pas. L'organisation très humaine de l'Union nationale était alimentée par une caisse électorale bien garnie, à laquelle souscrivaient en particulier ceux qui profitaient à un titre ou à un autre des faveurs du gouvernement.

Maurice Duplessis à son bureau au Parlement, 1948. (Société des Amis de M. Duplessis)

La machine mise en place par l'Union nationale après les élections de 1944, plus encore après celles de 1948, devait ensuite acquérir ses lettres de noblesse, celles de l'invincibilité. Hors des périodes électorales, Duplessis et son équipe étaient présents partout, contrôlaient tout. Et de quatre ans en quatre ans, d'élections en élections, l'appareil, — «la machine infernale», disait ensuite Jean Lesage — reprenait la tâche comté par comté, paroisse par paroisse, bureau de scrutin par bureau de scrutin.

Voici d'abord M. Jean Mercier, organisateur du parti de 1936 à 1939.

J. Mercier. Je ne pouvais rien faire, Duplessis ne voulait pas d'organisation. Alors je me suis trouvé un bon homme pour m'occuper de préparer la littérature; j'ai demandé à M. Bonenfant s'il voulait venir nous faire une espèce de journal qu'on enverrait à tous les hebdomadaires de la province. Duplessis était d'accord; il trouvait ça très très bien. Mais il fallait que ça soit tout arrangé, presque dissimulé, caché.

F. Sauvageau. Mais, pourquoi ne voulait-il pas d'organisation?

J. Mercier. Il ne voulait pas d'organisation, point. Il avait toujours peur qu'il se fasse un mouvement trop fort auquel il aurait été indirectement soumis comme chef. Vous savez, un organisateur qui a une très belle machine électorale, il est le maître.

La défaite de 1939 fait entendre raison à M. Duplessis. Dès lors s'échafaude une organisation que devait diriger pendant vingt ans l'ancien ministre de la Colonisation et député de Dorchester, M. Joseph D. Bégin.

J.D. Bégin. J'ai pris l'organisation en 1940 à la demande de M. Duplessis. Ça me faisait peur, il n'y a pas de doute. Mais j'ai convoqué d'excellents amis, j'ai formé un comité de sept ou huit personnes et nous avons travaillé ensemble à mettre sur pied un programme d'organisation que nous avons commencé à appliquer presque tout de suite. Et ce programme d'organisation consistait à choisir d'abord nos candidats — nous étions dans l'Opposition — parce que nous étions convaincus qu'en choisissant le candidat immédiatement, ce candidat ferait lui-même avec notre aide son organisation dans son comté. Il est intéressé puisqu'il est choisi; il connaît d'abord déjà un grand nombre d'organisateurs de paroisses; il n'a pas de patronage à distribuer à qui que ce soit, par conséquent il ne peut pas se faire d'ennemis, donc il n'y a pas de raison pour ne pas le choisir quelques années avant la prochaine élection. Ça lui permet d'aller dans des réunions, dans des mariages, parce que c'est de même qu'on se fait des amis; aller à des sépultures; aller dans différentes organisations sociales où il se fait connaître, où il se fait des amis.

F. Sauvageau. **Est-ce que le choix du candidat n'est pas beaucoup plus difficile à faire en ville où les leaders du milieu sont moins connus?**

J.D. Bégin. Le choix du candidat en ville est pratiquement impossible à faire par la voie d'une convention, d'une convention démocratique.

F. Sauvageau. **Au niveau de chacun des bureaux de scrutin, qu'est-ce que vous conseilliez comme technique au moment des élections?**

J.D. Bégin. On leur conseillait, aussitôt que les listes électorales étaient faites, de faire des révisions de ces listes, ce qui était très important. Pas seulement une révision: une première révision va vous donner un lot de noms que vous ne savez pas où placer; pour ou contre, vous les mettez de côté, douteux. Une autre révision sept ou huit jours plus tard; là votre organisation a repéré ces gens-là, puis ils ont trouvé qu'un tel ou un tel s'était prononcé, était favorable, était sympathique, vous le placez à la bonne place, vous révisez vos listes. Vous les révisez trois, quatre, cinq fois si c'est possible. La veille du scrutin, une révision encore plus serrée, et là vous divisez vos électeurs pour les faire voir par vos voitures et vos chargés d'élection. Dans l'organisation politique, ça prend quelqu'un qui a fait de la politique.

Un bref retour aux années 30 en compagnie de l'organisateur en chef du temps, M. Jean Mercier.

J. Mercier. Il y avait une autre branche à mon organisation qui a été absolument nécessaire. A ce moment-là les adversaires n'enduraient pas qu'un des orateurs parle sans lui envoyer quelques personnes pour l'obstiner, pour lui faire du chahut. Alors, j'ai trouvé des jeunes gens qui auraient aimé être dans la police, mais il n'y avait pas de place pour eux, alors ils ont fait la police.

Je me rappelle que dans le comté de Gaspé-Nord nos orateurs ne pouvaient pas parler; ils s'en revenaient penauds et on disait: «Ça va bien mal là!» — «Ça n'a pas de bon sens! On a un très bon candidat, les gens nous recevaient à bras ouverts quand on est allés encore il y a quelques mois! — Ah! mais ça ne marche pas.»

F. Sauvageau. **Mais quelle était la tâche exacte de ces futurs policiers?**

J. Mercier. C'était tout simplement d'être dans l'assemblée et générale-ment leur seule présence suffisait. Mais s'ils voyaient un chahuteur, après une apostrophe, deux apostrophes, ils disaient: «Ben! écoute donc, on veut écouter nous autres!» Si le gars continuait, ils s'en allaient à côté, et à deux ils le tassaient; alors le type s'effaçait, il s'en allait.

F. Sauvageau. **Ils lui faisaient comprendre qu'ils voulaient vraiment écouter.**

J. Mercier. Ce n'était pas l'endroit pour empêcher les gens de parler.

L'ancien député de L'Islet et ministre des Transports, Fernand Lizotte, parle de l'organisation des comtés.

F. Lizotte. Voici. Vous avez dans un poll par exemple trois cents élec-teurs maximum; alors on choisit six personnes qui font partie de ce poll-là pour organiser. Six personnes, ça leur fait chacune cinquante électeurs à voir. Alors, les six personnes peuvent se prendre des amis et ils peuvent... j'en ai un qui en prend quatre ou cinq, alors ça fait dix électeurs à voir par chaque personne; c'est comme ça que je suis orga-nisé dans mon comté.

F. Sauvageau. **La tâche, c'est de voir tout le monde...**

F. Lizotte. C'est de voir tout le monde et de leur dire: «Lizotte, c'est un bon député... Cette année il faut donner un coup! Parce qu'on n'a pas envie de le perdre, parce qu'il a encore des affaires à réaliser.» Alors, on leur donne une liste des réalisations et ils partent avec ça.

Je faisais aussi une assemblée par rang pendant la campagne électo-rale; pour les rangs qui étaient assez longs, j'en faisais une à chaque bout du rang, ou une au milieu, on s'organisait de cette façon-là. C'était des assemblées qui duraient à peu près une demie heure, trois quarts d'heure, des assemblées de comités. Et là les gens du rang ve-naient nous voir. Ils venaient me donner la main, ils chantaient des chansons, ils mangeaient du bonbon, ils buvaient de la liqueur. S'ils voulaient prendre un coup après ça, c'était leurs affaires, ça ne me regardait pas.

F. Sauvageau. C'est assez folklorique finalement...

F. Lizotte. Alors, c'était ça... voir le candidat, lui donner la main et crier hourra! et se faire donner des petits paquets d'allumettes avec notre photographie dessus, tout ça, ça faisait partie de la bébelle.

F. Sauvageau. L'organisation dans un comté, ça fonctionne comment? Vous, au niveau du comité central à Saint-Jean-Port-Joli, aviez-vous une grosse équipe?

F. Lizotte. Bien voici, on n'avait pas de comité central, on avait un comité par paroisse. J'ai quatre polls dans une paroisse, alors j'ai un comité de paroisse qui est composé de vingt-quatre personnes que je réunis, qui font partie des polls, et eux autres se nomment un organisateur ou un président, un organisateur en chef. Mes communications se font avec l'organisateur en chef; tous les chefs de polls s'en vont vers ce gars-là, et c'est lui qui garde la machine en marche. Moi, je leur donnais la Loi électorale, je les réunissais dans chaque paroisse pour leur dire de quelle façon une élection se fait, de quelle façon on peut faire voter, on peut assermenter, pourquoi faire assermenter; je les mettais au courant de toute la procédure électorale.

F. Sauvageau. Finalement, c'est une machine très décentralisée avec beaucoup de travailleurs à la base?

F. Lizotte. C'est ça, c'est ça. La Loi électorale, c'est ça l'important. Je connaissais la Loi électorale mieux que les avocats qui venaient nous l'enseigner, parce qu'ils la lisaient seulement, mais nous, on la pratiquait. On leur faisait faire d'abord une journée de scrutin miniature, si vous voulez. Un soir, je les réunissais et je leur disais: «Là c'est le vote. Alors, moi je rentre, je donne mon nom et il n'est pas sur la liste; alors vous allez m'assermenter.» Il dit: «On ne peut pas vous assermenter.» Alors là on fait la procédure, on fait toute une procédure d'élection. C'est comme ça que ça se gagne une élection.

F. Sauvageau. Ça se gagne aussi au niveau du contact personnel, non?

F. Lizotte. Oui. A part ça, il faut voyager, il faut être sur le trottoir, comme dirait Bellemare. Tu ne peux pas rester dans ton bureau et diriger tes forces de ton bureau, ce n'est pas vrai. Duplessis savait ça. Duplessis, dans une campagne électorale, il faisait le tour de la province, il faisait un discours à Saint-Jean, il en faisait un à Sainte-Anne-de-la-Pocatière, il en faisait un à Rimouski, il allait partout.

F. Sauvageau. Et vous aussi, vous gagniez l'élection avec votre trousse de médecin aussi...

F. Lizotte. Oui, il y a un tas de rouges qui ont voté pour moi parce qu'ils se rappelaient des services que j'avais rendus en médecine. D'abord, je n'ai jamais envoyé de comptes; ça ne sert à rien d'envoyer des comptes si vous savez qu'ils n'ont pas d'argent pour payer. Quand un citron a donné sa dernière goutte de jus, vous ne faites pas de limonade avec, vous jetez l'écorce.

F. Sauvageau. **Est-ce qu'on ne peut pas dire, Docteur, que l'Union nationale a été défavorisée par l'apparition de la télévision? C'est un medium éminemment «sophistiqué» qui allait peut-être mieux aux libéraux qu'à certains des candidats de l'Union nationale?**

F. Lizotte. Oui, pour plusieurs raisons. Duplessis n'a jamais voulu aller à la télévision. Il a eu des grosses chicanes avec Jos Bégin, qui voulait l'envoyer à la télévision. «Vous ne m'enverrez pas là, il dit, maudit! ils me prennent de côté et j'ai le nez ça de long!» Alors, il se méfiait de ça.

M. Bégin répond à la même question.

J.D. Bégin. Moi, j'ai trouvé ça bien important la première fois que je m'en suis servi. Il ne s'était pas fait beaucoup de publicité dans les journaux jusqu'au moment où on a commencé ça en 1941. Moi, je m'étais dit: on peut vendre n'importe quelle commodité aux consommateurs avec la publicité; il se vend toutes sortes de savons, ils abandonnent une marque, ils en reprennent une autre et ils l'introduisent.

F. Sauvageau. **Et vous pensez que la politique, c'est la même chose?**

J.D. Bégin. C'est la même chose. Duplessis n'avait pas confiance trop trop en ça. Je lui disais: «Mais expliquez-moi comment il se fait que pendant la guerre, General Motors, Ford, Chrysler n'avaient aucune automobile à vendre et chacun d'eux dépensait, General Motors quinze millions ici au Canada, un autre dépensait dix millions et un autre cinq millions, pour vanter des automobiles qu'ils n'avaient pas à vendre?» Ils voulaient rester dans l'esprit du public. C'est la même chose pour nous autres. Mais c'était assez difficile de lui faire comprendre ça. S'il avait été dans les affaires, il aurait pu comprendre que la publicité c'était bien important, mais il ne comprenait pas ça; par contre il ne s'y objectait pas; je pouvais faire ce que je voulais.

F. Lizotte. Au niveau de la publicité, je me rappelle avoir vu un avion passer dans le ciel et qui écrivait: «Votons Union nationale!» en lettres de fumée. C'était la patente à Jos D. Bégin, ça. C'était peut-être un avant-goût de la disparition de notre parti, mais à tout événement...

F. Sauvageau. **C'était des dépenses qui étaient faites de Québec par l'organisation centrale...**

F. Lizotte. Absolument. Maintenant, au point de vue des photographies, des slogans, des affiches, la location des salles, le décor des salles, il y avait...

F. Sauvageau. **C'est-à-dire que vous, pour faire votre élection, de toute cette période où vous avez été député tant sous M. Duplessis que sous M. Johnson, vous n'avez jamais eu de sommes très importantes au niveau du comté?**

F. Lizotte. J'ai dû avoir... ici ç'a dû me coûter $11 000 pour ma première élection. La deuxième, en 1952, à peu près la même chose, peut-être $15 000.

F. Sauvageau. **Et en 66 par exemple?**

F. Lizotte. En 66, c'était la période noire. En 66 la caisse électorale, n'oubliez pas qu'on n'en avait pas: on était par nos propres moyens. Les représentants dans le poll n'étaient pas payés, les vérificateurs de listes à la porte, je ne les payais pas, c'était mes amis qui faisaient ça; j'avais des amis qui transportaient les électeurs.

M. Bégin nous parle encore de publicité.

J.D. Bégin. Je suis encore plus porté pour les journaux que pour la télévision.

F. Sauvageau. **Pourquoi?**

J.D. Bégin. Parce que ça reste, ça reste. Surtout la publicité qui est faite à la campagne dans les hebdomadaires. Les gens qui reçoivent les hebdomadaires lisent ça de la première à la dernière ligne; c'est leur affaire, c'est les nouvelles de leur région, et tout ça passe avec. Et ça reste sur la table une semaine.

F. Sauvageau. **Est-ce que vos annonces étaient plus orientées du côté local?**

J.D. Bégin. C'est ça, oui. Ces annonces-là étaient rédigées pour toucher plutôt la localité. C'était fait en collaboration avec le publiciste du comté où le journal allait être distribué.

F. Sauvageau. **Le journal du parti,** *Le Temps,* **est-ce que pour vous ç'a été un élément important de succès?**

J.D. Bégin. C'était un élément important sûrement. Nous l'avons fondé en 1941 et aux élections de 44 nous avions atteint quand même 30 000 abonnés payés. Ça nous a permis aussi pendant la campagne électorale de 44 de tirer des numéros spéciaux qui allaient aussi loin que 500 000, 600 000, sur cette petite presse-là. Alors, on pouvait étendre notre propagande à bon marché parce qu'on la produisait nous-mêmes.

F. Sauvageau. **C'est peut-être un peu délicat de vous le demander à vous, parce que vous étiez l'organisateur en chef, mais est-ce que vous avez l'impression que c'était la force de l'Union nationale, l'organisation?**

J.D. Bégin. Évidemment, je crois que oui, que c'était la force de l'Union nationale. Il n'y a pas de doutes là-dessus. Et ç'a fonctionné, notre affaire, tant et aussi longtemps qu'on n'a pas eu en 1960 M. Barrette qui ne voulait rien comprendre, absolument, dans la publicité et dans la direction d'une élection; il n'a rien voulu comprendre.

F. Sauvageau. **Dans quel sens?**

J.D. Bégin. En ce sens que tout devait revenir à lui. Il fallait l'inonder, le submerger de fleurs, puis ne pas parler de Duplessis, ne pas parler de Sauvé. Toute la publicité était faite depuis quatre, cinq mois; depuis qu'il avait été choisi, on l'avait un peu modifiée parce que ce n'était pas la même chose... il y avait beaucoup de sympathie chez les cultivateurs pour Duplessis...

F. Sauvageau. **Encore en 60?**

J.D. Bégin. Ah oui! Ils avaient une confiance dans ce bonhomme-là: «Ce bonhomme-là nous aime, il ne peut pas nous tromper.» Et d'ailleurs sa politique était agricole d'abord. Sauvé avait suscité tellement d'espoirs que c'était une adoration, il était adoré par le peuple. Alors, j'ai dit: «Si on unit ces trois noms-là ensemble, on fera comme les libéraux ont fait avec Laurier. On promènera le nom de Duplessis et de Sauvé au-dessus des foules, l'âme de nos deux chefs au-dessus des foules, ça va nous aider.» Dans la première annonce, on parlait des trois «grands»: Duplessis, Sauvé et Barrette. Mais lui, il voulait qu'il y ait seulement un «grand»: lui-même. Alors il m'appelle le lendemain matin de la publication de cette annonce-là pour me dire: «Annonce pourrie!» — «Comment pourrie?» Il dit: «Pourrie!» Je lui dis: «Tu ne connais rien, absolument rien là-dedans, tu es un innoncent. En tous les cas, fais-la ta publicité, tiens! Moi, ça fait dix-neuf ans que je la fais avec Jean Dionne et des amis, fais-la ta publicité.» J'ai tout lâché, et je me suis occupé de l'organisation. Puis la publicité, ç'a été bien beau: la boîte à lunch et tout ce que vous voudrez de folies qui s'est dit, ça s'est écrit. Et puis notre affaire est tombée à terre.

Le départ de M. Bégin marqua le début d'une longue période de réorganisation qui déboucha sur la campagne électorale de 1966. Le président de cette campagne, Mario Beaulieu, en explique le fonctionnement.

M. Beaulieu. Le véritable organisateur et chef était quand même M. Johnson, qui connaissait bien les rouages des trois principales branches de l'organisation: le comité politique (la partie intellectuelle), l'organisation technique et la publicité. Quant à l'organisation technique, il avait réussi avec Fernand Lafontaine et d'autres à mettre sur pied des associations de comtés, des structures de comtés. Il a tellement insisté qu'il a obtenu dans beaucoup de comtés deux jeunes, deux dames et deux seniors. Ce qui permettait de rajeunir avec force l'Union nationale. Souvent on entendait à cette époque-là: «Il n'y a pas de jeunes dans l'Union nationale.» Mais quand vous avez 36 000 polls dans le Québec, que vous avez deux jeunes par poll, ça commence déjà à faire 72 000 jeunes en bas de trente ans qui sont prêts à travailler... Nous avons établi des stratégies ensemble et nous avons suivi cette stratégie jusqu'à la fin. Nous avions analysé comment était fait le Québec, comment battre les libéraux à ce moment-là. Les libéraux, il faut le rappeler, étaient une équipe un peu comme le club de hockey Canadiens, avec à cette époque Maurice Richard, Jean Béliveau, Dickie Moore, Doug Harvey, Jacques Plante; on ne pouvait pas battre les Canadiens, ce n'était pas possible. Autour de Jean Lesage, il y avait René Lévesque, Paul Gérin-Lajoie, Laporte, Wagner, et j'en passe. C'était une équipe qui devait écraser tout. Comment battre cette équipe? Sur le plan national, elle est réellement trop forte pour la prendre de face, de force.

Alors, nous avons dit: nous allons nous occuper de chaque joueur, et nous nous sommes occupés de chaque comté. Nous avons bâti une stratégie où nous avons dit: ça nous prend au moins 55 comtés pour prendre le pouvoir; à ce moment-là, il y avait 108 députés. Alors, nous avons étudié dans chaque comté quel était le véritable candidat pouvant prendre le comté. Et comme exemple: le comté de Saint-Henri, moi, je regardais ça et je disais à M. Johnson: «Saint-Henri, on le perd par 200, 300, 400 voix. Dans Saint-Henri il y a des Italiens, dans Ville-Émard, dans ce coin-là, 2, 3, 4000 électeurs; si on était capables de trouver un Italien capable de faire voter Union nationale, nous avons le comté.» Et c'est là que Camille Martellani est arrivé. On a fait un sondage sur Camille Martellani; on s'est aperçus que tous les gens du comté disaient que c'était un Canadien français, Camille Martellani, c'était un gars qui avait grandi dans le coin, qui parlait français, qui avait été à l'école française. Donc vis-à-vis des francophones, on n'apportait pas un Italien, même, on apportait un gars du coin. Et tous les Italiens ont décidé de voter pour Camille Martellani. Comme résultat, Camille a été élu par 600 voix.

On a fait aussi de la stratégie au niveau électoral. On s'est dit: il y a des points clefs. Je me rappellerai toujours qu'en 1960, j'étais au Palais du Commerce pour l'assemblée d'Antonio Barrette et en curieux le lendemain je suis retourné pour celle de Jean Lesage. Il y avait 2 ou 3000 personnes de plus à Jean Lesage. Je me rappelle que les journaux à l'époque avaient dit que ç'avait été le point tournant. Antonio Barrette avait offert de donner la moitié du boulevard Métropolitain; Jean

Lesage, le lendemain soir, avait offert tout le boulevard Métropolitain. En 66, j'avais dit à Johnson: «Nous, on va parler les premiers.» Et nous avions réussi à tenir l'assemblée une journée avant les libéraux. Nous avions eu 11 ou 12 000 personnes un jeudi soir. Le lendemain soir à Paul-Sauvé, Jean Lesage s'est réveillé avec 6-7 000.

Nous avions aussi réservé tout le système de télévision à travers tout le Québec à ce moment-là comme dernière émission pour montrer l'assemblée de Montréal. Parce que dans les milieux ruraux, on disait toujours: «Nous dans les milieux ruraux, on est forts mais à Montréal, ils sont faibles.» On s'était dit: «Si on peut réussir à prouver à ces gens-là qu'ils doivent réellement travailler en confiance, ils vont travailler tellement fort qu'on peut avoir quelques surprises.» On en a eu dans Arthabaska: on a gagné par 29 voix. C'était drôlement important, l'assemblée de Montréal à ce moment-là dans Arthabaska.

Cette assemblée-là a donné un impact. Je me rappellerai que Gabriel Loubier m'a appelé à trois heures du matin pour me dire: «Qu'est-ce qui se passe, Mario, à Montréal?» Je dis: «Il ne se passe rien.» Mais il dit: «Oui, tous mes gars sont fous dans le comté, ç'a l'air que vous gagnez à Montréal.» Je lui dis: «Oui, ça marche à Montréal.» Le lendemain, les gars de Bellechasse, les gars de Loubier, ont travaillé deux fois plus fort parce qu'ils étaient certains du pouvoir.

Jean-Jacques Bertrand n'assuma pas au niveau de l'organisation le même leadership que M. Johnson. Rodrigue Pageau, qui était alors directeur général adjoint du parti, parle de la campagne de 1970.

R. Pageau. Face à cette absence de leadership de M. Bertrand, il s'est développé, je dirais, plusieurs cellules de direction d'organisation. Il y avait des gens influents dans le parti, des députés, des ministres qui pensaient d'une façon, qui appelaient des gens pour leur faire prendre des décisions dans un sens, alors que MM. Beaulieu et Lafontaine, eux, pensaient autrement, prenaient des décisions dans un autre sens. Alors tout ça créait une espèce de climat de pagaille.

F. Sauvageau. **Il n'y avait pas de coordination?**

R. Pageau. Il n'y avait de coordination. Et M. Bertrand qui était un homme assez tendu et assez nerveux, surtout en campagne électorale, avait eu dès le départ une très mauvaise déclaration. Une petite anecdote: au cours de la tournée, l'hélicoptère qui devait le transporter d'Ottawa à Gatineau, je pense, ou Pointe-Gatineau, s'était perdu, et le pilote de l'hélicoptère avait dit à MM. Bertrand et Lafontaine qu'il avait perdu sa route et qu'il devait se poser à la première place possible. Tout ça avait duré deux ou trois heures pendant lesquelles nous avions perdu le premier ministre du Québec. Il n'y avait pas de radio à bord de cet hélicoptère-là. Et M. Bertrand nous avait reproché après d'avoir risqué sa vie...

F. Sauvageau. **Et c'est là qu'il avait dit que vous sabotiez sa campagne.**

R. Pageau. Et c'est là qu'il avait déclaré aux journalistes, — je pense qu'on en était à la deuxième ou troisième journée de la campagne — que son organisation à Montréal sabotait sa campagne électorale et qu'il verrait à mettre bon ordre dans cette chose. Le lendemain matin, pas besoin de vous dire qu'au comité central de l'Union nationale le moral des troupes était très bas.

F. Sauvageau. **Mais ce qu'on oublie peut-être dans le fond, c'est que le grand patron de l'organisation de 66, M. Johnson, n'était plus là?**

R. Pageau. Mon explication, c'est ça. Vous savez, en 70, il y a un phénomène inexplicable. Parti de je ne sais où, quelqu'un a suggéré qu'on devrait déclencher les élections immédiatement, qu'on prendrait tout le monde par surprise; les libéraux venaient d'élire Robert Bourassa, le P.Q. était en train de s'organiser. Et on disait : «Si on déclenche les élections immédiatement, il n'y aura personne en face de nous parce que personne n'est prêt. On avait oublié à ce moment-là que nous n'avions pas choisi nos candidats; nous avions complètement oublié la stratégie de 66 qui voulait qu'on choisisse les candidats en fonction du comté; pas forcément parce qu'ils étaient de l'Union nationale. On avait oublié que nous étions en pleine période de restructuration, que nous étions en train d'organiser des assises pour nous donner un programme, parce que nous n'avions même pas de programme.

En 1973, ce fut la débâcle. Le directeur général du parti à ce moment-là, le docteur Philippe Demers, tente d'en définir les causes.

Ph. Demers. Ce qui n'a pas marché, c'est que l'Union nationale n'avait pas de position précise au point de vue constitutionnel.

M. Cardinal. **Est-ce que l'organisation de l'Union nationale était prête à affronter des élections?**

Ph. Demers. Je ne crois pas qu'elle était prête. D'abord, nous n'avions pressenti aucun candidat. Et nous venions de mettre en place, c'est-à-dire la direction du parti — et plus particulièrement le chef — venait de mettre en place un nouvel organisateur en chef, M. Cherry, qui n'a pas eu le temps d'organiser rien.

M. Cardinal. **Vous avez été pris par surprise.**

Ph. Demers. Ç'a été une surprise, d'autant plus que M. Loubier à l'époque nous disait qu'il y aurait probablement une entente avec le Parti présidentiel et M. Dupuis, puis que M. Bourassa l'avait assuré qu'il n'y aurait pas d'élections. Et quelques jours après, disons deux ou trois semaines, M. Bourassa a fait venir M. Loubier et lui a dit qu'il déclenchait les élections.

M. Cardinal. **Est-ce que votre programme était prêt?**

Ph. Demers. Nous avions un excellent programme qui avait été préparé avec minutie. Nous avons siégé plusieurs semaines avec des hommes-ressources de qualité, à la Villa Montmorency, et le programme a été détaillé dans tous les secteurs avec efficacité. Nous avons essayé de vendre le programme pendant la campagne électorale, mais les gens étaient marqués par la crainte du séparatisme. On sentait que l'opinion publique n'avait pas d'attirance vers l'Union nationale, en dépit d'un programme qui avait beaucoup d'allure et de sens pratique, en dépit des efforts qu'a faits M. Loubier. M. Loubier a couru la province dans tous les sens, mais il a été pris avec des problèmes d'organisation matérielle à la dernière minute, trouver des candidats d'urgence. Il nous a manqué une année et demie de travail bien rodé et bien mis en place pour faire une élection avec décence.

On ne saurait parler d'organisation sans parler en même temps de financement, donc de caisse électorale, et sans évoquer tous les commentaires qui ont circulé au sujet de la caisse du parti. Les millions, les comptes en Suisse et le reste. En 36, toutefois, on était encore bien loin de la ronde des millions, comme l'explique M. Jean Mercier, qui était alors à la fois organisateur et trésorier du parti.

F. Sauvageau. **Et la caisse électorale? On a dit tellement de choses là-dessus; qu'est-ce que c'est dans les années 30 la caisse électorale d'un parti politique?**

J. Mercier. En 36, on a eu un peu plus de cadeaux qu'en 35. Mais en 35 il y a des gens qui ont fait le comté dans la neige presque, parce que c'était en novembre, et il y en avait qui faisaient leur comté à bicyclette, monsieur, pas les moyens de se payer une automobile. Ils avaient $200 pour payer leur dépôt, puis il fallait s'arranger avec le reste comme on pouvait. M. Duplessis, avait plus que ça pour son comté parce qu'il y avait du monde à Trois-Rivières et ailleurs qui souscrivait...

F. Sauvageau. **Il était déjà député depuis plusieurs années...**

J. Mercier. Oui. Mais c'était très difficile d'avoir des fonds. Alors en 36, — je vais vous faire une confidence — on a eu $3 000 par comté. Là, on était à notre aise pour travailler. Si ça travaillait bien !

F. Sauvageau. Mais d'où est-ce qu'il venait, cet argent ?

J. Mercier. Cet argent-là venait de gens qui le ramassaient. Prenez par exemple un avocat qui avait des clients un peu plus fortunés, je pense par exemple à Mark Drouin. Mark Drouin était venu me porter $7 000 ou $8 000 de différents amis. Et un autre, c'était comme ça. Je dirais que les cadeaux tout de même devaient être plutôt de l'ordre de mille que de cent dollars.

F. Sauvageau. Et en retour, ces gens qui souscrivaient à la caisse du parti, qu'est-ce qu'ils attendaient ?

J. Mercier. Aucun engagement. Les souscriptions qui arrivaient comme ça étaient presque anonymes. Je ne savais même pas ; il avait la liste, lui, mais ça ne venait pas certainement du Québec Power, ça aurait été plus gros que ça, n'est-ce pas ? Ça venait de Montréal, ça venait par d'autres sources. Mais en 36, je dirais qu'il nous est venu par la malle une quantité de souscriptions, de petites souscriptions : $5, $25, $50. On a eu certainement un $100 000 par la malle comme ça.

F. Sauvageau. $100 000 en billets parvenant dans des enveloppes ?

J. Mercier. En partie. Tous les matins, on avait nos dépenses pour la journée en général.

F. Sauvageau. Avec des messages ? Qu'est-ce que les gens disaient ?

J. Mercier. Ah ! «Bons souhaits !» puis un $10 ou bien deux, trois $10...

F. Sauvageau. Quelques années après la crise économique, $10, c'est énorme.

J. Mercier. Des fois un dollar aussi, un dollar !

Après l'élection de 1939, M. Mercier se retire et son poste est scindé. Ce sera la venue de M. Jos D. Bégin comme organisateur, mais aussi celle de M. Gérald Martineau, qui devient alors trésorier du parti. Et c'est à partir des années 50 que l'on commence vraiment à parler de l'importance de la caisse de l'Union nationale. M. J. D. Bégin rappelle cette époque.

F. Sauvageau. Au sein de l'Union nationale, on distinguait l'organisation de la caisse électorale. En fait, pourquoi une distinction aussi étanche ?

J.D. Bégin. La distinction est bien compréhensible, parce que moi j'étais organisateur, mais j'étais aussi membre du gouvernement. Comme membre du gouvernement, je ne pouvais pas accorder de faveurs, je ne pouvais pas recevoir d'argent, je ne pouvais rien faire de ce que M. Martineau faisait comme organisateur.

F. Sauvageau. **Vous ne contrôliez donc pas le nerf de la guerre, parce que l'argent en campagne électorale...**

J.D. Bégin. Oui, mais il n'y avait pas de problèmes de ce côté-là; je n'ai jamais eu de problèmes de ce côté-là, parce que M. Martineau demandait ce que ça allait coûter, ce qui en coûterait pour l'élection, avec autant que possible une division plutôt brute du pourcentage dans chacun des postes. Et ça pouvait dépasser, et ç'a dépassé jusqu'à 25% et il n'y a pas eu de problèmes de ce côté-là. Entre les périodes électorales, c'était un nommé Pouliot qui s'occupait de régler les comptes. Et quand il avait besoin d'argent, il allait voir M. Martineau.

F. Sauvageau. **Est-ce que M. Martineau avait autant d'autonomie au niveau de la caisse que vous en aviez au niveau de l'organisation? Je pense à M. Duplessis; est-ce que M. Duplessis lui laissait ça entièrement, comme à vous l'organisation?**

J.D. Bégin. Ah oui, la même chose. Quand je lui ai recommandé M. Martineau, il le connaissait déjà, et moi je l'ai recommandé fortement comme un très honnête homme. Il l'était aussi, un très honnête homme.

F. Sauvageau. **On a dit de cette caisse électorale qu'elle était si richement garnie qu'on en avait gardé en Suisse des sommes fabuleuses.**

J.D. Bégin. Il n'y a jamais eu d'argent en Suisse. L'argent était gardé pas mal à Québec et puis dans des placements à terme que Martineau faisait; mais il n'a pas exporté d'argent en dehors du pays.

F. Sauvageau. **Mais est-ce qu'elle a été vraiment importante, cette caisse-là, à une certaine époque? Une élection qu'est-ce que ça pouvait coûter par exemple?**

J.D. Bégin. Je dirais que la caisse était assez importante. Ce n'est pas la caisse pour faire élire le président des États-Unis, qui coûte cinquante millions, mais on peut dire un cinq, six millions pour la dernière élection, c'est à peu près ça.

F. Sauvageau. **Vous aviez dépensé cinq ou six millions de dollars pour les élections de 1960?**

J.D. Bégin. Oui, celles de 60.

F. Sauvageau. **Et ça s'était accru rapidement au cours des années?**

J.D. Bégin. Bien ça s'est dépensé — il y a eu des dépenses folles de faites par Barrette. Il a commencé par faire venir Karsh pour se faire photographier... Il marchait comme un prince et puis il ne voyageait pas autrement que «diacre, sous-diacre»; c'était le prince. Alors, ça n'a pas coûté bon marché.

F. Sauvageau. **La caisse s'est donc vidée après l'élection de 60?**

J.D. Bégin. Non, pas tout à fait, il y en avait assez pour faire les élections de 62. Pas au même rythme évidemment, mais il y en avait assez pour faire une élection modeste.

F. Sauvageau. **Qui la garnissait cette caisse?**

J.D. Bégin. Ah! ça, je ne le sais pas.

F. Sauvageau. **Il faudrait demander à M. Martineau?**

J.D. Bégin. Il faudrait demander à M. Martineau, puis il n'est plus là.

Cette caisse était, entre autres, alimentée par des entreprises qui bénéficiaient des contrats du gouvernement. L'une des plus importantes, Simard et Frères, était dirigée à l'époque par M. Fridolin Simard. M. Simard a bien voulu expliquer le système des contributions.

M. Cardinal. **M. Simard, vous étiez de ceux qui contribuaient à la caisse électorale de l'Union nationale comme président de Simard et Frères?**

F. Simard. Oui, certainement.

M. Cardinal. **Est-ce que toutes les grosses entreprises qui obtenaient des contrats du gouvernement sous M. Duplessis souscrivaient comme vous à la caisse électorale?**

F. Simard. Je pense que oui. Ceux qui obtenaient des contrats souscrivaient à la caisse électorale.

M. Cardinal. **Et cette souscription, elle prenait quelle forme? Est-ce que c'était un pourcentage sur le contrat ou bien une contribution annuelle ou encore une contribution à l'occasion des campagnes électorales?**

F. Simard. Non, jamais. C'était laissé à la générosité des souscripteurs. Et ce pouvait être avant ou après, disons qu'on nous accordait une certaine confiance.

M. Cardinal. **Ces souscriptions pouvaient être de quel ordre? de $5000, $10000?**

F. Simard. Ah ben non! ça pouvait dépasser beaucoup. Ça dépendait naturellement de l'importance du contrat, hein? Si tu avais des contrats de cinq, dix millions, ça pouvait être plus. Mais il n'y avait pas nécessairement de pourcentage de fixé.

M. Cardinal. **Mais sur un contrat de dix millions, par exemple, à quel montant le parti était-il en droit de s'attendre comme contribution ?**

F. Simard. Ça pouvait varier un peu naturellement selon l'importance du contrat ; le montant, oui, mais aussi la difficulté de l'exécution. Si c'était par exemple un barrage dans la forêt, ça voulait dire pour l'entrepreneur beaucoup plus de dépenses. Alors je pense qu'à ce moment-là, — non seulement je pense — mais on tenait compte des dépenses que pouvait occasionner le résultat du contrat.

M. Cardinal. **Est-ce qu'il serait juste de dire que le pourcentage — si pourcentage il y avait — s'établissait plutôt sur le profit net que l'entrepreneur pouvait retirer d'un tel contrat ?**

F. Simard. Je pense qu'il y avait d'abord une souscription de base qui était laissée à la générosité de l'entrepreneur. Et si les travaux allaient bien, naturellement ils s'attendaient à une seconde souscription. Mais il n'y avait jamais de montants fixes, il n'y avait jamais de conditions fixes d'imposées.

M. Cardinal. **Vous, par exemple, quelle est la plus grosse souscription que vous avez pu faire dans une année à l'Union nationale ? Si ce n'est pas indiscret ?**

F. Simard. J'ai sûrement fait des souscriptions de l'ordre de $100 000 dans une seule fois.

M. Cardinal. **Est-ce que c'était une année d'élections ?**

F. Simard. Pas nécessairement, non.

M. Cardinal. **Comment se faisaient ces souscriptions ? Est-ce qu'on vous approchait ? Est-ce qu'on vous sollicitait ? Ou bien tout bonnement un matin vous décidiez de faire parvenir un chèque à l'organisation du parti ?**

F. Simard. Si ça avait été un chèque, ça aurait été bien moins compliqué. Il y avait à ce moment-là une méthode de souscriptions aux caisses qui était peut-être déplorable un peu pour les entrepreneurs, mais disons que c'était accepté en général : c'était fait en «cash». Alors partir avec $100 000 dans son «portfolio» pour aller le porter — on peut bien le dire — au trésorier du temps, M. Martineau. On allait lui porter en «cash», hein ! alors $100 000 dans une serviette, en «cash», ça représentait quelque chose.

Cette formule de souscriptions en «cash» a représenté pour les entrepreneurs de très graves inconvénients quelques années après le départ de M. Duplessis. Du temps de M. Duplessis, il n'y a pas eu de problèmes, parce que, vous le savez, à cause de son principe autonomiste, le gouvernement fédéral n'avait pas accès aux livres du Québec, alors ça passait. Mais après son départ, à l'arrivée de M. Lesage, il a ouvert les livres du Québec, et là tous les entrepreneurs pour la plupart ont eu de graves problèmes. Et personnellement j'en ai eu, parce que comme les souscriptions électorales n'étaient pas allouées comme dépenses...

M. Cardinal. Ce n'était pas déductible de l'impôt?

F. Simard. Ce n'était pas déductible de l'impôt, malgré que les comptables agréés avaient depuis de nombreuses années fait des représentations au gouvernement fédéral de même qu'au gouvernement provincial et demandé que ce fût considéré comme dépenses ou au moins en partie comme dépenses — et d'ailleurs aujourd'hui, vous le voyez, ils l'acceptent en partie comme dépenses. Et le gouvernement à ce moment-là a ouvert les livres du Québec, on a fait des enquêtes; ç'a posé des graves problèmes aux entrepreneurs. Mais heureusement que M. Martineau, qui était un homme très intègre, avait une comptabilité impeccable; on a pu retracer et on a pu prouver par des reçus, aux messieurs du fédéral, que l'argent avait été versé en souscriptions; même s'il n'était pas allouable comme dépenses, au moins il ne nous fut pas chargé comme appropriation personnelle.

M. Cardinal. Pour l'attribution des contrats, est-ce qu'il y avait des appels d'offres à ce moment-là ou bien était-ce beaucoup plus discrétionnaire que maintenant?

F. Simard. Il y avait quelques... oui, mais disons que c'était un peu choisi. C'était un peu classifié et c'était choisi.

M. Cardinal. Comment se faisait cette sélection-là? Par exemple, s'il y avait un travail important, tel la construction d'un barrage, comment ça fonctionnait?

F. Simard. Disons qu'on commençait à considérer les entrepreneurs locaux. S'il y avait deux ou trois entrepreneurs locaux, assez souvent on n'allait pas à l'extérieur, on faisait appel à ces entrepreneurs-là.

M. Cardinal. Est-ce que M. Duplessis intervenait souvent dans des travaux d'importance?

F. Simard. Je pense que oui. M. Duplessis essayait de donner à chaque région le maximum de sécurité et de rendement local. Il aimait à donner à la région l'occasion de profiter davantage, plutôt que d'étendre à l'extérieur les avantages du résultat de ces travaux.

M. Cardinal. On a eu l'impression, pendant le régime de M. Duplessis, que certaines entreprises sont devenues de plus en plus importantes, qu'elles étaient en quelque sorte privilégiées par rapport à d'autres. Simard et Frères pourrait être de celles-là. Est-ce que c'est juste?

F. Simard. C'est juste dans Simard et Frères mais pas seulement dans Simard et Frères. Si vous remarquez...

M. Cardinal. **Non, il y en avait d'autres; il y avait O'Connell, par exemple, et d'autres.**

F. Simard. Remontez au temps de Duplessis. Quand Duplessis est arrivé au pouvoir, il y avait à peine cinq Canadiens de langue française qui étaient millionnaires dans la province de Québec. Et si vous revenez à la fin du règne de Duplessis, vous pouvez en compter, je pense, au moins cinquante à soixante-quinze. Ceci veut dire que Duplessis s'appliquait à aider les siens, à aider la collectivité du Québec à faire des réalisations, parce qu'il avait compris qu'un contrôle économique dans le Québec pouvait énormément aider.

M. Cardinal. **Est-ce que, quand vous obteniez un contrat important du gouvernement, vous étiez tenu de donner des sous-contrats à des sous-contractants locaux?**

F. Simard. Oui, oui. A moins qu'il y ait des raisons exceptionnelles, c'était le mot d'ordre.

M. Cardinal. **Et ça, c'est M. Duplessis qui l'exigeait?**

F. Simard. Oui, il l'exigeait.

M. Cardinal. **Est-ce que vos souscriptions, vous les faisiez uniquement au parti, c'est-à-dire à M. Martineau, ou bien aviez-vous le loisir d'aider par exemple un ami ou un parent qui pouvait être candidat ou qui pouvait être organisateur quelque part dans un comté?**

F. Simard. Oui, Monsieur. Duplessis aimait naturellement qu'il y ait quelque chose qui aille à la caisse centrale, mais il aimait aussi qu'il y ait quelque chose qui aille à la région, c'est-à-dire au comté. Mais il avait l'oeil ouvert, et s'il voyait quelqu'un qui dépensait trop, il le faisait venir et il voulait savoir pourquoi il pouvait se permettre autant de dépenses.

M. Cardinal. **Est-ce que vous, M. Simard, vous avez souscrit aux deux partis politiques? Etiez-vous tenu de ne souscrire qu'à l'Union nationale?**

F. Simard. Non, Monsieur, nous n'étions pas tenus. Et moi j'ai déjà admis à M. Duplessis que je souscrivais à des amis libéraux que je considérais comme des gens de valeur, qui à mon point de vue devaient être aidés. Et il me disait: «Ne t'en fais pas, nous avons besoin d'une bonne opposition!»

M. Cardinal. **Vous avez donc aidé des adversaires de l'Union nationale?**

F. Simard. Oui, Monsieur!

M. Cardinal. **Et M. Duplessis le savait?**

F. Simard. Oui, Monsieur!

M. Cardinal. On a dit, M. Simard, qu'au moment de l'octroi d'un contrat, une fois que le montant était établi, on établissait arbitrairement ou péremptoirement 10% de plus pour la caisse électorale du parti.

F. Simard. Non, je m'excuse, jamais!

M. Cardinal. Ce n'est pas comme ça que ça fonctionnait?

F. Simard. Jamais, jamais il n'était établi sur ce principe-là, et j'en ai assez négocié et j'en ai assez vu. C'était la bureaucratie, la technocratie, qui discutait avec nos ingénieurs, nos technocrates et qui, selon les circonstances, établissait des prix unitaires, et ce n'était pas si mal. Dans ce temps-là il n'y avait presque jamais d'extra de réclamés, tandis qu'aujourd'hui regardez les réclamations qu'il y a continuellement; regardez à la Baie James et ailleurs, il y a toujours des millions, des centaines de millions de réclamations qui sont faites, qui traînent et qui sont négociées. Et à ce moment-là il n'y en avait à peu près jamais.

M. Cardinal. Après 1960, est-ce que les grandes entreprises qui avaient souscrit à la caisse de l'Union nationale ont continué à aider financièrement le parti?

F. Simard. Bien, beaucoup moins, hein! Mais je pense qu'à ce moment-là, étant donné qu'il y avait des appels d'offres publics, nous n'avions plus la même possibilité de souscrire.

M. Cardinal. En 1962, par exemple?

F. Simard. Oui, Je sais que certaines compagnies qui ont voulu être nationalisées à ce moment-là ont aidé les deux partis. Elles ont souscrit sûrement plus au Parti libéral qu'à l'Union nationale, mais elles ont souscrit aux deux partis.

M. Cardinal. Il y a donc des compagnies en 62 qui ont souscrit au Parti libéral parce qu'elles voulaient être nationalisées?

F. Simard. Oui, ç'a fait leur affaire. Mais également pour ne pas être dans une mauvaise situation dans le cas où les libéraux ne prendraient pas le pouvoir, elles ont également souscrit à l'Union nationale. Et j'en ai la certitude, la conviction, je peux le prouver.

Dès son arrivée à la tête du parti, en 1959, Paul Sauvé avait prévenu M. Martineau qu'il allait réorganiser la trésorerie du parti. Sauvé décédé, M. Martineau resta cependant à son poste, et à l'automne de 1961 il remet la caisse, soit $600 000 ou $700 000, au nouveau chef de l'Union nationale, Daniel Johnson.

En 1966, la caisse est dégarnie. Pour faire la campagne électorale, l'Union nationale doit puiser dans les surplus du journal Montréal-Matin. Elle doit même emprunter une somme impor-

tante du Trust Général du Canada. De sorte qu'au lendemain de la victoire de 66, la dette du parti est d'un quart de million. En 1970, l'Union nationale a pu néanmoins dépenser un million de dollars en campagne électorale sans avoir à emprunter.

De 1961 à 68, la caisse est administrée par le chef, M. Johnson. Dès 68, M. Bertrand crée une fiducie qui administre les biens du parti jusqu'en 1971, soit non seulement la caisse mais les clubs Renaissance, à Montréal et à Québec, et le journal Montréal-Matin. En 1971, le nouveau chef, Gabriel Loubier, trouve à peine $100 000 dans la caisse et prend tout de suite un certain nombre de mesures. Il démembre la fiducie et doit emprunter aussi personnellement $140 000 à la Banque Provinciale de la Côte-de-la-Fabrique à Québec. Il vend enfin les clubs Renaissance et Montréal-Matin. Dès lors, l'Union nationale peut compter sur quatre millions de dollars.

Cependant l'administration, les conseillers spéciaux, les bureaux régionaux mis en place un peu partout dans la province et surtout les élections de 1973 coûtent très cher: trois millions de dollars, nous dira Maurice Bellemare. Avant les élections du 15 novembre 1976, le dépositaire de la caisse, Mario Beaulieu, confirmait qu'elle contenait moins de $700 000.

CHAPITRE 9

LE PATRONAGE

Au niveau des circonscriptions électorales, l'Union nationale n'a jamais eu d'organisation formelle. Mais à ses heures de gloire le parti pouvait compter, au moment des élections, sur le travail d'un grand nombre de partisans. A ces ressources humaines s'ajoutaient des ressources financières. La caisse électorale était garnie de petites souscriptions venant de fidèles partisans, mais surtout de grosses souscriptions venant des entrepreneurs et d'autres personnes du milieu des affaires qui avaient obtenu des contrats ou des privilèges de la part du gouvernement.

Maurice Duplessis, août 1959, quelques jours avant sa mort.
(*Société des Amis de M. Duplessis*)

J.D. Bégin. Le patronage, je considérais que ce serait de faire obtenir à quelqu'un quelque chose qui n'est pas légitime trop trop. Si quelqu'un obtenait quelque chose à un prix plus élevé que le prix du marché par ses influences, je trouverais que ça pourrait être du patronage.

F. Sauvageau. **Finalement quand on embauche des gens du parti ou quand on donne des contrats aux amis du parti, ça ne vous apparaît pas du patronage?**

J.D. Bégin. Bien, si toutes les précautions sont prises, si des soumissions sont demandées, je sais bien que, comme ministre, moi, je n'ai jamais donné un contrat de voirie, de défrichement, d'arpentage, sans demander des soumissions.

F. Sauvageau. **On a dit que la force de l'Union nationale, c'était dans toutes ces petites «faveurs» — entre guillemets, le terme faveur parce que, comme vous dites, dans bien des cas c'est un droit — qu'on accordait non seulement aux bleus mais aux rouges aussi.**

J.D. Bégin. A n'importe qui, n'importe qui, la loi...

F. Sauvageau. **Et les rouges devenaient vite bleus à ce moment-là?**

J.D. Bégin. Bien oui! dans certains cas, pas toujours, mais on ne faisait pas ça pour ça. Je me rappelle, au début du prêt agricole, un monsieur qui était maire de sa municipalité et avait une famille de sept ou huit grands garçons. Il était criblé de dettes — ça, c'était en 36 — et il voulait avoir un crédit agricole. Sa terre ne pouvait pas garantir suffisament, d'après les normes du Crédit agricole; il a été refusé. Il vient me voir et il me dit: «J'ai été refusé, il faut que je sois accepté, il faut que je paie mes dettes pour repartir à neuf. Un lot de grands garçons dans la maison, il me semble que je suis capable de faire ça.»

Alors, je vois un des membres de la Commission du Crédit agricole à qui je dis: «Va donc faire une inspection, il y a le côté humain dans son affaire aussi, le côté famille. C'est une très bonne famille, c'est un bon citoyen, il est maire de sa municipalité, mais seulement il est pauvre et ce n'est pas de sa faute; il est mal pris. Tâche d'étirer ça tant qu'il y a moyen et tâche de le lui accorder.» Ce type m'avait dit: «La prochaine fois je vais me rappeler de ça si vous me donnez ça.» Je lui ai dit: «Écoutez, je ne travaille pas pour ça. J'ai des votes en masse, j'ai été élu par 4 500 de majorité, ce n'est pas ça qui me fait marcher. Mais votre problème, j'y suis sympathique.» Alors, l'inspecteur y est allé et il l'a recommandé.

Puis, un peu avant les élections, il vient me dire: «Vous savez, vous pouvez compter sur moi.» Je lui dis: «Écoutez, si vous le faites, ça me fera plaisir. Seulement je ne l'ai pas fait pour ça.» Alors l'élection se passe, mon organisateur me dit: «Il est avec nous autres.» Je lui dis: «Non Monsieur, je n'y crois pas, il n'est pas capable de me regarder en face.» Ç'a été vrai la troisième fois; il faut être patient, il ne faut pas en avoir besoin trop trop.

F. Sauvageau. Toutes ces légendes, M. Bégin, qui disent qu'au moment des élections, lors des belles années, l'Union nationale inondait la province de frigidaires et de poêles, qu'est-ce qu'il y a de vrai là-dedans?

J.D. Bégin. C'est ce qu'il y a de plus ridicule. J'étais au Club Renaissance pendant une élection; une jeune femme se présente le matin vers huit heures et demie. Elle dit: «Je peux vous parler en particulier?» On passe dans le salon et elle dit: «J'entends dire qu'il se distribue des poêles et des frigidaires; je voudrais en avoir un, poêle.» Je lui dis: «Es-tu folle? Y a-t-il un parti qui est capable de faire ça?» Elle dit: «Les rouges disent ça.» Je lui dis: «Eux autres non plus n'en donnent pas. C'est ridicule, ça. Les libéraux ne le font pas et nous autres non plus on ne le fait pas. Tu vois bien que ça ne tient pas debout.»

F. Sauvageau. Mais on donnait quand même certaines petites choses, non?

J.D. Bégin. Pas à ma connaissance. Et je ne pense pas... je ne dirais pas que les rouges l'ont fait non plus, je ne le crois pas. Ils ont pu peut-être accorder, régler des problèmes, ça arrive ça. Il y a des petits problèmes des fois, quelque chose comme ça. Mais avoir une politique de distribution de cadeaux comme ça, moi, je n'y crois pas pour les libéraux, pas plus que pour nous autres, parce que je sais qu'on ne l'a pas fait.

Dénonciation de l'immoralité politique par les abbés Gérard Dion et Louis O'Neill en 1956, publication par **Le Devoir** *de l'affaire du gaz naturel en 58, le règne de Maurice Duplessis s'achève dans la contestation et le tumulte. Tout cela après la victoire unioniste de*

56, *qualifiée par plusieurs de sommet de la corruption et du favoritisme. Dans une série d'articles parus dans* **Le Devoir** *du temps,
le journaliste Pierre Laporte, candidat indépendant à l'élection de
1956, dénonce le patronage utilisé pendant la campagne : paiement
de comptes d'hôpitaux, gravier et asphalte dans les campagnes,
chantage aux octrois et aux pensions, utilisation de fonctionnaires
pour faire la propagande du parti, et j'en passe.*

*La situation est-elle aussi grave ? Ne faut-il pas plutôt faire com-
me les libéraux des années 60 et distinguer le bon et le mauvais
patronage ? En tout cas, dans les comtés d'Opposition, la vie n'é-
tait pas facile. A témoin, le député libéral de Richmond durant les
années 50, Émilien Lafrance.*

É. Lafrance. Oui, le patronage, c'était la marque de commerce de
l'Union nationale; on exploitait ça. Disons que ce n'est sûrement pas
M. Duplessis qui a inventé le patronage; M. Taschereau avait été son
maître. Mais je crois qu'il a joliment dépassé M. Taschereau puisqu'il a
érigé le patronage en système. Il faut dire que le député d'opposition
n'était jamais reconnu, excepté en Chambre, commé étant le député du
comté. C'était par le *patronneux* (celui qui avait subi la défaite) qu'il
fallait passer pour obtenir quoi que ce soit du gouvernement. Il y avait,
par exemple, des cartes roses qui étaient remises...

M. Cardinal. **Qu'est-ce que c'était que ces cartes roses ?**

É. Lafrance. Il y avait des gens qui étaient considérés comme nécessi-
teux, alors l'Union nationale se servait de ces cartes roses qui étaient
remises par l'intermédiaire du député à certains électeurs.

M. Cardinal. **C'était des cartes officielles émises par le ministère de la
Santé ?**

É. Lafrance. C'est ça. Elles permettaient d'être hospitalisé aux frais de
l'État : on était reconnu comme de l'assistance publique. Alors on a
énormément abusé de ça, surtout au cours des élections, c'est inconce-
vable !

M. Cardinal. **On distribuait alors beaucoup de cartes roses ?**

É. Lafrance. On en distribuait à condition évidemment qu'on s'engage
à voter pour l'Union nationale. Et quand c'était des libéraux, à condition qu'ils se taisent et qu'ils n'interviennent pas et qu'ils ne participent
pas à la campagne électorale. Le patronage était un instrument de chantage et d'intimidation incroyable. Il faut avoir vécu ça pour savoir ce
que c'était.

M. Cardinal. **Est-ce qu'un comté qui avait osé voter libéral sous M.
Duplessis bénéficiait de moins d'avantages que les autres comtés dans la
province ?**

É. Lafrance. C'est évident! C'est évident! Du côté de la voirie, son budget était coupé plus que de moitié et c'était redistribué dans des comtés de l'Union nationale. Alors il faut dire que nos routes en particulier étaient très négligées et quand on construisait des routes d'asphalte, il arrivait très souvent qu'en passant devant la porte d'un organisateur libéral, on suspendait le pavement...

M. Cardinal. **Pour le reprendre un peu plus loin?...**

É. Lafrance. Pour le reprendre un peu plus loin. Alors, la voirie a été certainement l'instrument par excellence pour pratiquer le patronage et pour influencer les gens. C'était la loi du crois ou meurs.

M. Cardinal. **La construction des écoles aussi?**

É. Lafrance. La construction des écoles, tous les domaines, tous les domaines. Les loisirs, les permis de boisson, les tolérances dans les comtés, tout, tout était...

M. Cardinal. **Qu'est-ce que vous appelez les tolérances?**

É. Lafrance. Les tolérances? Il y avait des gens qui pouvaient vendre des boissons alcooliques sans permis, parce que la loi ne leur permettait pas de se procurer un permis. Alors, M. Duplessis leur accordait une tolérance. Ç'a été un instrument de corruption que j'ai condamné à plusieurs reprises en Chambre et qui m'a mérité deux expulsions de la Chambre.

M. Cardinal. **Comment se distribuaient, sous l'Union nationale, les contrats de voirie et de construction dans les comtés?**

É. Lafrance. A ce moment-là tous les travaux de voirie et du ministère des Travaux publics se donnaient sans soumissions, aucun contrat n'était donné par soumissions. C'était donné à des organisateurs de l'Union nationale ou à des souscripteurs de sa caisse électorale.

Un point de vue différent: celui d'un député au pouvoir, député de Montmagny, l'ancien solliciteur général sous M. Duplessis, Antoine Rivard.

A. Rivard. Le patronage était exercé par le député. Alors, vous aviez ceux-là qui travaillaient pour le ministère de la Voirie... La gratte, ça c'était un problème dans la plupart des paroisses... celui qui peut avoir la gratte, je ne dis pas qu'on le nommait, mais il fallait le recommander, du moins quand il nous le demandait.

F. Sauvageau. **Mais il est souvent nommé quand le député le recommande, il faut le dire.**

A. Rivard. Pas toujours, pas toujours, parce qu'il y a une question de capacité et de compétence — quoique pour la Voirie, la compétence se juge assez facilement. Seulement, ça, il faut s'en occuper, au moins recevoir les gens, écrire, donner signe de vie, montrer qu'on avait fait ce qui était en notre pouvoir pour tâcher de les aider.

F. Sauvageau. **Qu'est-ce qu'ils vous demandent, les électeurs?**

A. Rivard. Tout, surtout ce qu'on ne peut pas leur donner, tout. Évidemment ça va jusqu'aux demandes en séparation de corps, jusqu'aux réclamations pour accident, tout. Et comme question de fait, pendant les douze ans que j'ai été député et ministre, je me trouvais souvent le seul ministre de la région de Québec, parce que l'honorable Onésime Gagnon a été très malade à certains moments. Alors en plus de mes électeurs, je recevais les gens de Québec aussi, qui eux aussi demandaient des recommandations, des faveurs, des aumônes, etc. Je recevais en moyenne entre quarante et cinquante personnes par jour, toujours pour demander quelque chose, la plupart du temps que je ne pouvais pas accorder.

F. Sauvageau. **Vous dites: «Il faut s'occuper de notre monde.» Qu'est-ce que ça veut dire ça, concrètement et dans la vie de tous les jours, pour un député?**

A. Rivard. C'est à peu près ce qu'il y a de plus épuisant, du moins dans le temps. D'abord, il ne faut pas laisser passer un mariage ni une sépulture et à peu près pas de baptêmes sans donner signe de vie. A part ça, vous avez ce que j'appelais mon courrier du coeur; c'est des gens qui sont dans la misère et qui demandent une aumône etc., il faut s'occuper de ça aussi.

L'ancien chef de l'opposition libérale, M. Georges-Émile Lapalme, donne sa version des choses.

G.-É. Lapalme. Quand Taschereau a été battu, ça faisait quarante ans qu'il était là. A ce moment-là, les libéraux étaient partout. Ça allait de soi, il fallait être libéral partout. En fin de compte, je dirais que Duplessis a perfectionné le système de Taschereau. Il l'a perfectionné, parce que là ont été inventées les subventions. Du jour au lendemain, Duplessis est arrivé dans la province et il disait: «Vous voulez un hôpital ici? Très bien, on va vous donner $200 000.» Mais on ne disait pas comment ça se paierait, ça; on disait: $10 000 par année pendant vingt ans, des choses comme ça, ou pendant dix ans. En sorte que les intérêts mangeaient une grosse partie des subventions. Et ça frappait les gens parce que l'hôpital commençait à se construire. Et puis un curé, une communauté, voulait avoir de l'asphalte dans l'entrée, dans le rond-point... Ça s'en allait partout, la poussière d'or était distribuée partout, partout, d'une façon tout à fait perfectionniste.

C'était un renversement. Duplessis, pendant seize ans, a été obligé de répondre à tous les appels d'une opposition qui n'avait rien eu pendant quarante ans. Et au bout de seize ans, le Parti libéral arrivait au pouvoir. Alors, tous les espoirs déçus ou mort-nés pendant seize ans nous sont tombés sur la tête. Les gens nous demandaient la province de Québec.

F. Sauvageau. Pouvez-vous nous donner un exemple concret de corruption sous l'Union nationale?

G.-É. Lapalme. C'était dans les campagnes que les choses se produisaient comme ça... En 52, à Joliette, un de mes partisans vient me trouver et me dit: «M. Lapalme, vous savez ce qui vient de m'arriver, le malheur que j'ai eu? J'ai reçu un coup de téléphone d'un tel qui m'a dit: «Veux-tu me rencontrer? on apprend que tu es mal pris. Alors Barrette a dit qu'il serait prêt à te rencontrer, peut-être à t'aider.» Mon partisan me demande: «Qu'est-ce que je dois faire?» Je lui dis: «Vas-y donc! Seulement je te demande une chose: dis-moi ce qui va se passer, mais fais ce que tu voudras.»

Il revient et dit: «Barrette m'a dit: «Écoute, tu as eu un incendie, ta femme a été tuée et çi et ça, tu es mal pris, tu as des dettes, ça te prend combien?» — «Je suis pris pour $4 000 ou $5 000.» (A l'époque, $4 000 ou $5 000, ça valait $25 000 aujourd'hui.) — «Je peux te régler ça tout de suite.»

Puis il m'est revenu avec son livret de banque, me montrant qu'il y avait un dépôt de $5 000! Vous savez, ce n'était pas avec le dos de la cuillère, même aujourd'hui $5 000, on ne ramasse pas ça sur le bord de la route. Et il a fait une campagne pour Barrette.

É. Lafrance. Disons que le patronage, c'était une véritable pieuvre, ça s'étendait à tous les domaines de l'administration provinciale et ça s'étendait également à tous les milieux. D'abord, les maires des municipalités, les présidents des commissions scolaires, les présidents d'associations de loisirs et autres, les curés, certains évêques. Et des professionnels en particulier; ce sont peut-être ceux qui ont le plus largement, avec les entrepreneurs, bénéficié du patronage. Par exemple, il n'y a pas une municipalité ou une commission scolaire qui pouvait présenter un bill privé ou public sans retenir les services d'un avocat d'allégeance Union nationale; ça c'était du patronage!...

M. Cardinal. Et les subventions pouvaient venir ou ne pas venir selon que l'avocat était bien vu ou non de l'Union nationale?

É. Lafrance. C'est ça, c'est ça.

M. Cardinal. Et dans le cas de la construction des écoles, par exemple, comment une commission scolaire pouvait-elle fonctionner? Comment ça se passait?

É. Lafrance. Il fallait d'abord que la commission scolaire soit dans les bonnes grâces du député ou du patronneux. Vous savez cette histoire d'un bon Français qui était venu ici au pays et qui voulait se procurer un permis pour vendre des boissons alcooliques dans un restaurant? Alors il s'est adressé au Parlement et on lui a dit — c'est un fait — on lui a dit: «Bien, mon ami, il faudrait d'abord passer par le patronage.» Alors, il est sorti du Parlement et il s'est informé aux gens de Québec: «Le patronage, qu'est-ce que c'est?» Ils lui ont dit: «Le patronage Saint-Sauveur» et d'autres patronages. Il est allé là et il a fait un don comme on le lui avait demandé...

M. Cardinal. Une oeuvre de charité.

É. Lafrance. Une oeuvre de charité. Et ensuite, il a dit: «Est-ce qu'on va m'accorder mon permis?» Ils ont dit: «Mais, Monsieur, ça ne relève pas de nous, ça relève du Parlement.» — «Mais on m'a dit de faire un don à un patronage et que je l'obtiendrais!» Ça, c'est une histoire vécue qui m'a été contée par un député de l'Union nationale.

M. Cardinal. Et les municipalités, comment obtenaient-elles des subventions du gouvernement?

É. Lafrance. C'était toujours le même processus: il fallait d'abord obtenir les bonnes grâces du député ou du patronneux.

M. Cardinal. Mais est-ce qu'on faisait au préalable une évaluation des besoins? Par exemple dans le cas des commissions scolaires, est-ce qu'on étudiait d'abord la clientèle scolaire avant de construire une école dans une région donnée?

É. Lafrance. Toutes ces subventions-là et tous ces travaux-là n'étaient pas surtout en fonction des besoins mais en fonction des votes; c'était ça. Et également des souscripteurs à la caisse de l'Union nationale. Si dans un certain comté, par exemple, il y avait un entrepreneur qui avait contribué assez largement au cours de l'élection ou qui s'engageait de ... alors on s'organisait pour avoir des travaux.

M. Cardinal. On lui faisait construire une école ou une route?

É. Lafrance. Oui. Il est même arrivé qu'on a fait construire des ponts là où il n'y avait pas de rivières. Ç'a été photographié, ç'a été montré à ce moment-là.

M. Cardinal. On a fait beaucoup de blagues à ce sujet-là, est-ce que c'est vrai?

É. Lafrance. Oui, c'est un fait. Moi, j'ai eu en ma possession cette photo-là, puis je connaissais l'endroit; je ne peux pas de mémoire me rappeler où c'est; c'est un fait, ça.

M. Cardinal. Et on a construit un pont même s'il n'y avait pas de rivière?

É. Lafrance. Il n'y avait pas de rivière, c'est un fait.

Dans les comtés qui ont eu le bonheur d'élire un député de l'Union nationale, le patronage se confond avec les devoirs du député envers la population. L'ancien secrétaire de la Province et député de Montmorency, M. Yves Prévost, s'explique à ce sujet.

Y. Prévost. Vous avez des gens qui ne parviennent pas à se débrouiller par eux-mêmes et ils s'adressent au député en toute confiance. Et là, vous tentez par les moyens qui sont à votre disposition de résoudre son problème, de l'aider à résoudre son problème. Vous allez faire de votre mieux pour lui.

M. Cardinal. Est-ce que ça pouvait aller jusqu'à créer de nouveaux emplois, une multitude de nouveaux emplois, dans des secteurs comme la voirie, par exemple, pour permettre à des gens de travailler?

Y. Prévost. Bien, pas nécessairement. Voici, ça suppose qu'on a besoin de quelqu'un. On ne peut pas demander à l'État ou à l'entreprise privée d'embaucher des personnes dont elle n'a pas besoin ou dont l'État n'a pas besoin. Mais vous recommandez des gens en prévision d'une ouverture de poste qui pourrait se présenter, et c'est ainsi qu'encore une fois vous essayez d'aider les gens qui s'adressent à vous.

Dans l'activité économique, vous avez des amis, vous vous adressez à eux sans gêne, les laissant bien à l'aise dans la mesure où ils peuvent vous aider. Vous savez, en affaires, que ce soit en affaires pour l'État ou en affaires pour l'entreprise privée, si vous pouvez aider quelqu'un, vous le faites. Je ne vois pas pourquoi non, en autant évidemment que vous y trouvez votre compte.

M. Cardinal. Pendant que vous étiez député, M. Prévost, est-ce que vous faisiez une distinction entre le patronage du parti et le patronage du député?

Y. Prévost. Le patronage du parti, le député en sait bien peu de choses, en supposant qu'il en sache quelque chose. Le parti et son organisation, c'est une chose; le caucus des députés, c'est une autre chose. Et chaque député dans son comté, s'il se dévoue pour ses gens, et indépendamment encore une fois de la couleur politique de celui qui s'adresse à son député, les gens savent le reconnaître. Si vous êtes dévoué, attentif, disponible, les gens seront reconnaissants. Et un député comme ça, ils tiennent à le conserver.

M. Cardinal. Et le patronage du parti dans un comté comme le vôtre, par exemple, ça se manifestait comment?

Y. *Prévost*. Le patronage du parti, on n'en a pas tellement connaissance, le patronage du parti. On a plutôt connaissance de celui auquel on participe, de la façon suivante encore une fois: que ce soit les conseils municipaux qui viennent vous voir pour résoudre des problèmes de voirie surtout, ou d'aqueduc, ou d'égouts, ou de trottoirs, ou d'éclairage public, ou de ponts publics; que ce soit des commissions scolaires qui viennent vous voir pour que vous les aidiez à résoudre des problèmes; que ce soit des individus qui viennent vous voir en groupes ou isolément, en définitive il faut aider l'individu, l'être humain qui par lui-même se sent débordé, dépassé par une situation qui le confronte.

Le premier ministre de la Révolution tranquille, M. Jean Lesage, voit tout ceci d'un autre oeil.

J. *Lesage*. C'était basé sur des relations personnelles, à partir du chef en passant par les premiers lieutenants, les sous-lieutenants, les sergents, les caporaux, les lance-caporaux, etc... bien structuré.

M. Cardinal. Ceux qui en profitaient...

J. *Lesage*. Tous, tout le long de l'échelle jusqu'au niveau de l'électeur, avec — comme disait mon ami Courcy — son voyage de grenotte la veille de l'élection, pour mettre sur la vase de son entrée de ferme, ou son bout de tuyau de ciment.

M. Cardinal. Y avait-il un patronage au niveau des grandes entreprises?

J. *Lesage*. Oui, oui, un degré de patronage. Quand vous arrivez à l'octroi des contrats, il est sûr qu'on n'avait pas le système des demandes de soumissions comme nous l'avons eu de notre temps. Lorsque j'ai pris le pouvoir, nous avons établi le système des soumissions publiques. On nous a reproché, nous, le système du patronage pour les professionnels. Évidemment, ce système a toujours existé; ça existait du temps de l'Union nationale. Le gouvernement confie aux avocats qu'il désire les causes qu'il a. Il confie aux ingénieurs de son choix les travaux qu'il a à effectuer. Mais ç'a paru beaucoup plus de 60 à 66 à cause de l'énormité des travaux en cours. Et là on a dit: «Le patronage s'en va maintenant vers les professionnels.» Mais ce n'est pas ça. C'est parce qu'il y avait beaucoup plus de contrats pour les ingénieurs et les architectes, parce qu'il y avait de la construction, ça grouillait, ça remuait. Mais c'était le même système et c'est encore le même système. Qu'est-ce que vous voulez, les ingénieurs, leur loi dit c'est tant pour cent; les avocats, votre tarif c'est ça. Alors il n'y a pas de demandes de soumissions. Et, comme disait René Hamel, le parti au pouvoir choisit ses amis, pas ses ennemis.

* * *

Le 5 octobre 1960, quelques mois à peine après son élection, conformément à l'engagement qu'il avait pris lors de la campagne électorale du printemps, M. Lesage crée une commission d'enquête sur l'administration de l'Union nationale, présidée par le juge Élie Salvas, de la Cour supérieure; un avocat de Québec, Me Jean-Marie Guérard, et un comptable de Montréal, M. Howard Irwin Ross, complètent la commission.

F. Sauvageau. Professeur Lemieux, l'enquête Salvas portait non seulement sur ce qu'on avait appelé le scandale du gaz naturel mais aussi sur les méthodes d'achat du gouvernement, du service des achats, et de façon particulière du ministère de la Colonisation. Est-ce qu'on peut dire qu'on s'attaquait là à celui qui était ministre de la Colonisation et organisateur en chef du Parti de l'Union nationale, M. Bégin?

V. Lemieux. Oui, je pense qu'on peut dire cela, parce qu'évidemment on aurait pu, dans le mandat de la commission, viser d'autres ministères, — d'ailleurs les commissaires enquêteurs dans leur travail se sont intéressés aussi aux achats du ministère de la Voirie. — alors que le mandat se limitait au département de la Colonisation, comme on l'appelait dans le temps, c'était certainement une façon de viser M. Bégin.

Les commissaires rendent public leur rapport en deux tranches, la première partie est publiée le 27 juillet 1962.

V. Lemieux. La première partie traite de la vente du réseau de gaz naturel qui appartenait à l'Hydro-Québec à une compagnie privée, où un certain nombre de ministres, de députés, de conseillers législatifs et aussi de fonctionnaires avaient des actions. Les commissaires enquêteurs, au terme du rapport, reprochent aux ministres et députés d'avoir, en connaissance de cause, vendu un bien de la Province à eux-mêmes et d'avoir réalisé des profits de la sorte.

F. Sauvageau. C'était l'affaire du gaz naturel rendue publique en 58 par Le Devoir. Et la deuxième partie du rapport de la Commission Salvas est rendue publique en juin 63 et traite, celle-là, de la politique d'achat du gouvernement.

V. Lemieux. Oui, plus spécialement du Service des Achats et aussi du département de la Colonisation. Alors là, c'est un petit peu plus complexe. Voici ce qui arrivait: des compagnies vendaient de l'équipement au gouvernement ou encore des graines de semence et comme il n'y avait pas vraiment d'intermédiaires entre ces compagnies et le gouvernement, on versait une commission par l'intermédiaire de M. Martineau ou de M. Bégin, à des organisateurs de l'Union nationale ou à des travailleurs d'élections du parti. C'est ce que reprochent les commissaires à des gens qui sont nommés très précisément parce qu'ils ont participé à cela: M. Bégin évidemment, M. Martineau, M. Hardy, qui était directeur du Service des achats, M. Godbout, qui avait vendu des graines de semence et aussi M. Arthur Bouchard, qui faisait partie d'une compagnie avec M. Bégin.

* * *

Des accusations de fraude et conspiration de fraude envers le gouvernement sont ensuite portées contre MM. Bégin, Martineau, Hardy et Bouchard, mais aussi contre l'ancien ministre de la Voirie, M. Antonio Talbot. MM. Bégin et Bouchard sont acquittés, MM. Hardy et Talbot condamnés à l'amende, et M. Martineau à trois mois de prison. Malade, il purge sa peine à l'hôpital Laval de Québec.

*Quinze ans après l'enquête Salvas, quelques-uns des principaux acteurs de l'époque s'interrogent à ce sujet. D'abord, M. Gérard Filion, directeur du **Devoir**, qui avait révélé l'affaire du gaz naturel.*

G. Filion. Moi, je pense que — et là je vais peut-être vous surprendre — je pense que la rançon de négligence ou même de malhonnêteté dans le domaine politique, c'est encore le fait d'être défait dans une élection. C'est l'électorat qui est le juge suprême...

F. Sauvageau. **Est-ce que vous reprochez aux libéraux d'avoir mis en place la Commission d'enquête Salvas?**

G. Filion. Si j'avais été premier ministre à ce moment-là, je ne l'aurais pas mise en place. D'ailleurs Duplessis a été plus fin que ça, il a accusé les libéraux de tous les crimes inimaginables en 1936, et quand il a pris le pouvoir, il a dit aux libéraux: «Allez-vous en chez vous, laissez-moi tranquille, et puis j'administre le Province.» Il faut une certaine magnanimité en politique.

Chez les libéraux, les sentiments à ce sujet sont partagés. Voici, tour à tour Georges-Émile Lapalme, qui était procureur général au moment où l'enquête a été déclenchée, Bona Arsenault, ministre des Terres et Forêts, et enfin le premier ministre d'alors, M. Jean Lesage.

G.-É. Lapalme. L'enquête Salvas, comme toutes les enquêtes du genre, a fatalement été obligée de s'éterniser. Si on avait été capable de procéder rapidement là-dedans, elle aurait eu un impact sur la vie future de la Province au point de vue administratif. Mais, on passait un mois uniquement sur des gallons de peinture.

F. Sauvageau. **Est-ce que vous pensez que c'était nécessaire?**

G.-É. Lapalme. C'était nécessaire, parce que ça indiquait que ça pouvait arriver des choses comme ça à l'avenir. Mais ce qu'il y a eu de curieux, c'est qu'il y a un ministre qui a été condamné, qui n'était pas le plus coupable, et il y en eu un ou deux qui ont été acquittés, qui l'étaient beaucoup plus. A mon point de vue, ç'a été absolument décevant.

B. Arsenault. Il y a d'autres moyens de redresser les torts... Ce qui s'est passé, ce qui s'est dit à l'enquête Salvas, à peu près tout le monde le savait, et ç'a été interprété comme un moyen de vengeance. Et ça n'a pas tellement rapporté au Parti libéral. Parce que, voyez-vous, il y a eu une élection en 60 et une élection tout de suite en 62, et si ça n'avait pas été de la nationalisation de l'électricité, je ne sais pas si Jean Lesage aurait été réélu.

F. Sauvageau. **Mais est-ce que vous aviez fait valoir ces arguments à ce moment-là? Vous étiez membre du gouvernement et du Parti libéral.**

B. Arsenault. Bien, Jean Lesage s'était engagé à faire une enquête complète. Duplessis s'était engagé, lui aussi, en 36, mais ne l'avait pas fait. Jean Lesage s'était engagé et il a cru bien faire; évidemment j'étais solidaire de sa décision à ce moment-là parce que j'étais ministre de son gouvernement. Et nous avons cru tous ensemble que c'était la chose à faire, mais je crois que l'enquête Salvas a été une erreur. L'enquête Salvas avait été instituée dans le but de détruire pour toujours l'Union nationale dans l'esprit de la population.

M. Cardinal. **L'enquête Salvas, M. Lesage, si elle était à refaire, est-ce que vous la feriez?**

J. Lesage. Je me pose la question — je vous vois venir et je me pose la question. Je ne le sais pas. Disons que je ne le sais pas. Il y a du pour, il y a du contre. Et puis je ne peux pas porter un jugement. J'ai des doutes...

M. Cardinal. **Parce que les conclusions sur lesquelles elle a débouché, ce sont des conclusions avec lesquelles vous n'étiez pas d'accord ou?...**

J. Lesage. Non, non, non! C'est tout le tapage que ç'a fait. Ç'a fait du mal à des gens, puis je ne sais pas si en vieillissant je suis devenu plus mou, mais je me demande si ça valait la chandelle. Malgré que, lorsque je regarde l'autre côté de la médaille, je vois que c'est probablement une des grandes causes de la disparition du patronage. Le patronage qu'on connaissait avant 60, on a pu le déraciner sous le régime que j'ai dirigé et il n'est pas revenu sous Johnson et Bertrand. Je pense qu'une raison pour laquelle il n'est pas revenu, c'est l'enquête Salvas. Alors, il y a ce bien d'un côté, puis il y a le mal que ç'a pu causer à des individus. Alors sur le plan personnel, je suis embarrassé.

Deux anciens ministres de l'Union nationale, l'un blâmé par la Commission Salvas puis accusé de fraude, M. Bégin, et l'autre dont le nom avait été mentionné au cours de l'enquête, M. Yves Prévost.

F. Sauvageau. **Est-ce que ça vous a fait mal, ça, à vous et à vos amis, l'enquête Salvas?**

J.D. Bégin. Évidemment ça m'a fait mal, parce que c'était faux d'un bout à l'autre. Et ç'a été prouvé par les jugements qui ont été rendus. Même plus que ça! je ne dis pas qui l'a fait, quelqu'un l'a fait, mais il a fait parjurer des témoins. Et le juge l'a dit dans son jugement. Les témoins de la Couronne se sont parjurés sur des faits essentiels. Alors, ils ont porté douze plaintes contre moi: douze acquittements haut la main. Il n'y avait rien, absolument rien, parce que je n'ai pas touché à ça. Tandis que Martineau était l'organisateur et en vertu de la loi...

F. Sauvageau. **Il était responsable de la caisse électorale...**

J.D. Bégin. Oui, il était responsable de la caisse électorale, il était responsable du patronage. S'il y avait un contrat, s'il y avait quelque chose à donner, c'est lui qui le donnait; s'il y avait un achat, c'est lui qui suggérait. Alors, il a été accusé, lui aussi, et il s'est présenté devant le juge — c'était Dumontier, qui a invoqué une jurisprudence très élaborée — pour prouver qu'il avait le droit de faire ça, comme conseiller législatif, qu'il n'était pas fonctionnaire au sens de la loi. Moi, j'étais fonctionnaire au sens de la loi, comme ministre. Mais lui ne l'était pas. Il a été en appel; il a perdu en appel; c'est allé en Cour suprême et ça n'a pas marché non plus.

M. Cardinal. **M. Prévost, si on parlait de l'enquête Salvas. Vous avez été, je pense, cité à l'enquête Salvas; est-ce que ça vous a fait mal d'être cité?**

Y. Prévost. Non, pas du tout. Une couple de fois, je pense, d'après ce qu'on m'a dit. Et je n'ai pas été convoqué d'abord à l'enquête. N'ayant pas été convoqué, je n'y suis pas allé. Mais des amis m'ont dit que j'avais été cité une couple de fois. Ça ne m'a pas dérangé, ça ne m'a pas dérangé du tout.

M. Cardinal. Vous aviez été cité, je pense, pour avoir acheté des actions de la Corporation de gaz naturel?

Y. Prévost. En effet, oui. Et là, ça m'amuse: j'ai commencé à acheter des actions — à jouer à la bourse comme on dit — quand j'étais étudiant en droit. Périodiquement, j'ai acheté des actions et...

M. Cardinal. De sorte qu'un courtier à un moment donné vous a proposé d'acheter des actions de la Corporation de gaz naturel?

Y. Prévost. Bien sûr, puis ces actions-là ou d'autres, j'en ai encore d'ailleurs quelques actions qui ne valent pas grand-chose par exemple.

M. Cardinal. Vous n'y avez pas vu un conflit d'intérêts?

Y. Prévost. Non, j'en ai pas vu du tout.

M. Cardinal. Comme membre du Conseil des ministres qui décidait de...

Y. Prévost. Non, j'en ai pas vu du tout. L'historique de la Corporation du gaz naturel, je ne le connaissais même pas à l'époque.

M. Cardinal. Mais quand vous achetiez des actions, vous deviez le faire parce que vous envisagiez de faire un profit?

Y. Prévost. Oui, disons que oui. Si j'allais dire non, ç'a n'aurait pas d'allure beaucoup, mais c'était plutôt comme un sport.

M. Cardinal. Mais dans le cas de la Corporation de gaz, par exemple...

Y. Prévost. Celle-là ou une autre, pas de différence pour moi.

M. Cardinal. Oui, mais la perspective de profit reposait sur quelque chose?

Y. Prévost. Je vous l'ai dit, dire non, ça n'a pas de sens; on y pense toujours. Mais c'était beaucoup plus, dans mon cas du moins, un sport, une espèce de «gamble». A un moment donné, ça devient une habitude, vous faites ça instinctivement.

De 1960 à 1966, les libéraux sont au pouvoir. Après 1966, le patronage ne pouvait plus être le même. Marcel Masse, député de Montcalm et ministre d'État à l'Éducation dans le cabinet Johnson, dit pourquoi.

M. Masse. Si vous vous souvenez, lorsque les libéraux ont pris le pouvoir en 1960, ils ont mis à la porte des milliers de fonctionnaires, de petits fonctionnaires, à travers le Québec. Alors, cette clientèle qui était une clientèle de l'Union nationale voulait retrouver sa place en 66. Et M. Johnson, aux élections de 66, à plusieurs reprises avait parlé de rétablir la justice et que ceux qui avaient été congédiés injustement allaient être réengagés. Mais entre-temps, la fonction publique avait évolué, il y avait eu des règlements, des classifications, il y avait eu des gens en poste, et ç'a été pour lui un dilemme qui a duré de 66 à sa mort : comment rétablir une certaine justice envers ceux qui avaient été congédiés injustement sans pour autant qu'il remplace de façon injuste quelqu'un qui est là depuis six ans et qui remplit correctement sa fonction ?

Il y a eu aussi les autres problèmes de patronage, d'octrois de contrats, où se posait le dilemme entre compétences égales : aussi bien choisir une compétence que l'on connaît qu'une compétence qu'on ignore. Alors dans ce sens-là et verbalement, M. Johnson ne se gênait pas pour prendre cette position, enfin devant des partisans. Mais lorsqu'il s'agissait de poser le geste légal, je peux vous assurer qu'il le faisait toujours à l'intérieur de la réglementation et de la loi, quitte à être obligé de passer plusieurs heures avec la personne qui n'avait pas eu l'octroi ou le contrat pour essayer de continuer à se l'attacher, tout en faisant en sorte que le contrat, elle ne l'ait pas, parce que légalement c'est l'autre qui devait l'avoir.

Une deuxième version, celle du ministre des Transports de M. Johnson, le docteur Fernand Lizotte.

F. Sauvageau. Est-ce que le fonctionnarisme, ça n'a pas sonné le glas de ce qu'on appelait le patronage ?

F. Lizotte. Non. Le petit patronage, oui, ou des jobs de cantonnier et tout ça, il faut qu'ils passent des examens. Mais ce que M. Lesage a fait, lui, il a tout rasé la table en 1960, il a mis tous nos gars dehors, il a engagé une équipe nouvelle, puis là, il a passé sa Loi sur la fonction publique et il les a tous consacrés permanents. De sorte que quand on a pris le pouvoir, à partir de ce moment-là, nos gars qui avaient travaillé là pendant dix, quinze ans, ils ne pouvaient plus reprendre leurs jobs; il y avait des pères de famille là-dedans...

F. Sauvageau. Et on vous a reproché, vous, en 66 de ne pas avoir mis les rouges dehors.

F. Lizotte. Absolument. Ils ont dit : «Hein ! eux autres, ils nous ont mis dehors, mais toi tu les a gardés.» Alors, il y en a une bonne gang que j'ai perdue à cause de ça. Ça ne me fait rien, j'aime autant avoir perdu que d'avoir gagné avec ça. Je ne suis pas dans la politique pour ça.

F. Sauvageau. Quand on dit qu'il n'y avait plus de patronage à cause du syndicalisme aussi dans la fonction publique, est-ce qu'il n'y avait pas aussi, en 66, le fait que Daniel Johnson a averti tout le monde: «Le patronage, c'est fini!» Il ne voulait pas se retrouver avec une autre enquête Salvas éventuellement. N'avait-il pas été traumatisé par l'enquête Salvas, M. Johnson?

F. Lizotte. Oui. Je sais que Johnson n'en voulait pas de patronage. Il a dit: «Si vous faites du patronage, vous allez vous défendre tout seuls en Chambre, parce que moi je vais vous abandonner, soyez assurés de ça.» Il avait raison aussi. Du patronage pour placer un cantonnier ou placer un gars qui va piquer, puis gagner dix piastres par jour pour faire des fossés et tout ça, je ne vois pas de péché là-dedans. S'il y a un père de famille qui vient et dit: «Moi, maudit! ça fait deux mois que je n'ai pas travaillé, et j'ai besoin de gagner, et j'ai des taxes à payer.», tu téléphones au bureau de la Voirie et tu dis: «Tâche de lui trouver un trou, puis fais-le travailler.» Moi, je n'ai pas d'objections à ça. Mais quand vous arrivez, par exemple, et que vous dites: «Moi, pour avoir la place de chef de cette affaire-là, je suis prêt à donner $2 000.» Là, ça commence à ne pas faire.

L'ancien chef de cabinet de M. Johnson, ministre des Finances sous M. Bertrand, M. Mario Beaulieu.

M. Cardinal. Est-ce que Daniel Johnson, après son élection de 66, a mis au point une forme particulière de patronage?

M. Beaulieu. Non, non, non. C'est certain qu'il y a eu du patronage après notre prise de pouvoir, comme il y en a eu sous tous les régimes et comme il va continuer à y en avoir. Mais il y a un patronage que... je ne sais comment l'appeler: honnête, ou structuré, ou normal, ou logique. Si j'ai le choix entre trois avocats pour défendre une cause, qu'ils sont compétents les trois, je ne vois pas pourquoi je ne choisirais pas celui que je connais; ça c'est une forme de patronage. La même chose peut s'adapter à un ingénieur, ou à un architecte, la même chose peut s'adapter à différentes sphères de la société. Mais, toujours M. Johnson voulait que la structure de la compétition puisse se faire dans le gouvernement, de façon à ce que ça ne revire pas en scandale, de façon aussi à ce que celui qui voulait percer ne puisse pas être défavorisé.

Alors, s'il y a eu du patronage, les gens ont compris le message de cette façon. Il n'y a pas eu de structures où on payait pour obtenir telle chose, il n'y a pas eu de structures où la veille d'une élection on a payé pour aboutir à quelque chose.

Voici la version de M. Jean Lesage.

J. Lesage. De 66 à 70, le genre de patronage qui existait avant 60 sous l'Union nationale, je ne l'ai plus décelé. Il n'était plus là, il n'y en avait plus.

M. Cardinal. Est-ce à cause du fait que M. Johnson voulait projeter une image de chef d'État?

J. Lesage. Non, non. Parce que ce n'était plus rentable. Mais il y a eu beaucoup d'anciens partisans de l'Union nationale d'avant 60 qui sont revenus à l'Union nationale dans l'espérance de voir se rétablir le système du patronage qu'elle n'a pas rétabli.

M. Cardinal. Parce qu'il ne pouvait pas le rétablir ou parce qu'il avait décidé de ne pas le rétablir?

J. Lesage. Non, il ne voulait pas, il ne voulait pas. M. Bertrand non plus.

M. Cardinal. Et là, on pourrait voir une des causes de la défaite de 70?

J. Lesage. Oui, c'est probablement une des causes, oui, la déception des gens qui espéraient le retour au patronage d'avant 60; il y a eu de ça. Mais ç'a été beaucoup plus une cause de la désagrégation de l'Union nationale que de la défaite de 70.

*Jérôme Proulx fut député du comté de Saint-Jean, d'abord de l'Union nationale puis indépendantiste, de 1966 à 1970. Il devait ensuite publier un livre, **Le panier de crabes,** dans lequel il parlait de patronage. Voici ce qu'il en dit.*

F. Sauvageau. M. Proulx, dans ce petit livre, vous parlez, et je vous cite: «...du sinueux corridor du pouvoir, du patronage et de la corruption.» Qu'est-ce que c'est que ce corridor?

J. Proulx. Quand nous sommes arrivés en 66, le syndicalisme existait mais il y avait des petites marges. Le gouvernement Lesage s'est laissé un petit corridor; c'est peut-être là que je peux parler du «corridor sinueux». Là, on peut en placer quelques-uns...

F. Sauvageau. La Protection civile, par exemple...

J. Proulx. Bien oui. C'est un exemple bien précis. La Protection civile, c'était parallèle, c'étaient tous nos amis qui étaient là.

F. Sauvageau. Et les employés n'étaient pas syndiqués...

J. Proulx. C'est ça. Il y a plusieurs organismes comme ça où on pouvait placer pas mal de gens. Les gens disaient: «Tu as placé un tel à la Protection civile, et moi, tu ne m'as pas placé!» Mais le petit corridor se rétrécissait davantage. C'est un corridor qui est assez difficile à saisir, dans lequel on se perd facilement, c'est extrêmement sinueux, ça prend du temps à s'y reconnaître. Quand on entre là-dedans, il faut être extrêmement prudent; c'est une espèce de grand labyrinthe, on s'y reconnaît peut-être après un an, deux ans, trois ans.

F. Sauvageau. Et votre premier contact avec le patronage, pourriez-vous nous le décrire?

J. Proulx. C'est bien simple. J'ai eu trois avocats qui entrent dans mon bureau et qui n'avaient pas fait grand-chose dans le comté: «Jérôme, là, on va se diviser les jobs de la Justice. Tu as le procureur, un procureur général, c'est à nous autres.» Ça m'insultait; eux autres, ils se prenaient le gâteau tel quel. Je les ai écoutés parler; six mois après, j'ai nommé ceux que j'ai voulu. C'était là le pouvoir.

Un autre exemple: trois jeunes — parce qu'il y avait deux générations dans l'Union nationale — entrent en front de boeuf: «Jérôme, donne-nous la liste de tout ce qui se vend, ce qui s'achète, ce qui se loue dans le comté, on veut avoir ça. Le gâteau, c'est à nous autres.» Je n'en revenais pas, je n'avais pas été élu pour cette affaire-là, ça n'avait pas de bon sens; ça m'a écrasé.

Mais heureusement, M. Johnson, qui était un homme de grande expérience, nous avait réunis au motel La Bastogne. Nous avons été élus le 5 juin; le 8 juin, nous nous sommes réunis là trois jours de temps, et ç'a été un «brainwashing» incroyable. M. Bellemare, M. Bertrand, M. Gosselin, M. Johnson: c'était des cours de huit heures à midi et de une heure à cinq heures: «Faites attention à ci! Faites attention à ça! Ne partez pas de contracteurs, M. Bellemare nous a dit, Moi, je n'ai jamais parti un contracteur. Ça va être épouvantable, tenez-les au frette!» M. Bellemare disait: «Tenez-les loin, ils ne vous lâcheront pas.» M. Bellemare a l'expérience. Et puis, ils ont eu la fête, la maudite enquête Salvas qui leur est tombé sur le dos. M. Bertrand nous disait: «Avant de nommer un gars, prenez six mois, un an, deux ans. Un bonhomme qui est nommé, c'est votre ami, il va faire ce qu'il va vouloir!» On tenait comme ça. Pendant cette période de quatre ans, l'Union nationale n'a pas été entachée de corruption et de patronage. M. Johnson était là-dessus d'une rigueur énorme.

F. Sauvageau. Mais malgré M. Johnson et malgré M. Bellemare et leurs objections au patronage, il doit quand même y en avoir eu de 66 à 70?

J. Proulx. Oui, il y en a eu. Mais comme les gens de l'Union nationale n'étaient que 56, ils en faisaient moitié moins que les libéraux, donc c'était beaucoup moins dangereux.

F. Sauvageau. **Ensuite vous avez compris ce que c'était que le pouvoir d'un député.**

J. Proulx. Ah oui, là je l'ai compris. Surtout lorsque j'ai vu le ministre de la Justice; j'ai dit: «C'est lui qui est à la Régie des loyers. C'est lui qui est procureur de la Couronne. — C'est ça le pouvoir. — C'est lui qu'on nomme contremaître de voirie.» Tous les contrats qu'on donne par adjudication, donc en bas de cinq mille, dix mille ou quinze mille, c'est nous qui les donnons. Le poste le plus important dans un comté, c'est le contremaître de voirie: c'est lui qui fait les chemins, c'est lui qui peut détruire tout un député, c'est lui qui fait des fossés... les entrées dans toutes les maisons, c'est lui qui répand du sable et tout ça: alors c'est un homme important. Le procureur de la Couronne, c'est un homme très important aussi, c'est un homme capital; celui qui est à la Régie des loyers, c'est important, il rencontre des centaines et des centaines de personnes, il peut faire ou du trouble au parti ou rendre mal son service. Et puis ce que M. Bertrand nous avait dit aussi, et c'est assez juste: quand un homme est nommé, c'est difficile de l'enlever.

Un dernier témoignage, celui de Clément Vincent, ancien député de Nicolet et ministre de l'Agriculture de 1966 à 1970.

C. Vincent. Moi, j'ai l'expérience d'avoir été député fédéral, d'avoir été ministre à Québec, d'avoir été député de l'Opposition. Je dis qu'à tous les niveaux de la société — ce n'est pas seulement au niveau des comtés ruraux — il y a toujours cet aspect reconnaissance ou amitié à l'endroit de ceux qui forment le gouvernement. Je pourrais vous citer les cas d'avocats, qui ne sont quand même pas des gens du milieu rural, lorsque ça change de gouvernement, ils s'attendent d'avoir les dossiers du gouvernement. Des médecins, lorsque ça change de gouvernement, ils s'attendent d'être favorisés par le gouvernement pour un travail particulier, si le gouvernement a à faire un travail particulier. La même chose pour les nominations aux commissions, aux conseils consultatifs, c'est tellement normal qu'un gouvernement aille chercher de ses amis pour les nommer à des fonctions qu'ils ont à remplir pour la bonne marche du gouvernement, que les gens s'attendent à ça, pas seulement au niveau des comtés ruraux, mais à tous les niveaux.

Ce qui est mal, c'est quand un gouvernement, un ministre ou un député, provoque une situation pour favoriser un de ses amis, ça c'est mauvais. Mais quand une situation se présente, il se doit de s'entourer de ses amis. Et ça je pense que c'est normal, d'ailleurs toute la population s'attend à ça.

QUATRIÈME PARTIE:
L'U.N. ET LES AUTRES

Maurice Duplessis à la conférence fédérale-provinciale de novembre 1957, présidée par John G. Diefenbaker. (Société des Amis de M. Duplessis)

CHAPITRE 10
L'ÉGLISE

L'étude du personnel de l'Union nationale, de son organisation, de sa caisse électorale, de son patronage révèle certaines constantes. La philanthropie, la chaleur des relations humaines, le refus du formalisme caractérisent le parti. Un parti dont on a souvent dit qu'il était près du peuple et qu'il avait des racines profondes dans la société québécoise. L'Union nationale, dès ses débuts, a eu aussi à se définir par rapport à d'autres composantes de la société québécoise: les autres partis, les forces d'opposition, les nationalistes, l'Église. Dans cette dernière partie de l'ouvrage, nous allons examiner les relations de l'Union nationale avec ces groupes.

Le cardinal Maurice Roy, le cardinal Paul-Émile Léger et Maurice Duplessis. (Société des Amis de M. Duplessis)

Dans le Québec des années 30, 40 et 50, l'Église prend beaucoup de place. Duplessis et, avec lui, tout son parti s'en félicitent et s'en réjouissent. Une même conception de la société, un même ordre des choses, pourrait-on dire, unissent l'Église et l'Union nationale. Le clergé défend l'agriculture comme Duplessis, le clergé est nationaliste comme Duplessis qui, en plus, fait la chasse aux Témoins de Jéhovah et la lutte aux communistes.

Mais à cette époque où «l'enfer est rouge et le ciel est bleu,» il reste tout de même quelques rares ecclésiastiques à ne pas craindre le feu éternel. Parmi ceux-là, le fondateur et directeur de l'École des Sciences sociales de l'Université Laval, le Père Georges-Henri Lévesque.

G.-H. Lévesque. Duplessis était profondément et sincèrement religieux. En face de l'Église et aussi de la religion en général, il a toujours été très très respectueux. Mais en face des hommes d'Église, j'ai toujours eu l'impression qu'il les considérait plus hommes que d'Église. Je veux dire qu'il les regardait comme des gens qui pouvaient être pour lui ou contre lui. Je ne pense pas qu'il y ait eu, pour lui, des curés, des ecclésiastiques, qui lui aient paru neutres. Il fallait absolument qu'ils soient ou pour lui ou contre lui; c'est comme dans l'Évangile: celui qui n'est pas avec moi est contre moi.

Il avait peur de l'Église et de la religion en général, mais il n'avait pas tellement peur des hommes de l'Église. Il leur faisait peur par toutes sortes de menaces, comme d'enlever des subventions pour les écoles, pour les pavages, etc... Ainsi, — et je pense que c'est un trait de sa personnalité — il les considérait comme des hommes, donc des gens à qui on peut faire peur, et qu'on peut acheter aussi. Le mot achat est un peu fort; je ne crois pas que ce soit arrivé souvent sur le plan individuel; ah! ç'a dû être très très rare. Mais, par exemple...

F. Sauvageau. **Vous pensez à l'aide aux oeuvres de l'Église.**

G.-H. Lévesque. Exactement. Quand un curé, par exemple, avait obtenu une bonne subvention soit pour une école, soit pour un hospice ou pour quelque chose de semblable, ce n'était pas lui qui se vendait, il le faisait pour ses ouailles. Je comprends que ça avait beaucoup d'implications, mais s'il l'avait refusé, c'est la paroisse qui aurait été mécontente.

F. Sauvageau. **Mais est-ce que ça ne fait pas partie du patronage, ça? Est-ce que le clergé n'était pas parmi les bénéficiaires privilégiés des faveurs du parti?**

G.-H. Lévesque. Ah oui, dans ce sens-là. Mais il le faisait toujours pour des oeuvres paroissiales, des oeuvres d'éducation.

F. Sauvageau. **Au point de vue moral, comment considérez-vous ces faveurs du parti et du gouvernement pour les oeuvres? Au fait, est-ce que les curés libéraux recevaient autant de pavage ou d'écoles que les autres?**

G.-H. Lévesque. Ah non, ça, sûrement non! J'en connais qui ont demandé des choses et qui n'ont rien reçu. Des fois on donnait une miette de pain...

F. Sauvageau. **Pourtant, il s'agissait d'un gouvernement catholique, le seul gouvernement catholique en Amérique du Nord, disait M. Duplessis.**

G.-H. Lévesque. Bien oui. D'ailleurs, il m'a fait une sorte de procès à Rome là-dessus, auprès de Mgr Jean-Baptiste Montini qui était pro-secrétaire d'État, aujourd'hui Paul VI; c'est Mgr Montini qui me l'a raconté.

 M. Duplessis a envoyé un mémoire à Rome m'accusant de faire de l'influence indue comme membre du clergé et ensuite d'organiser, parmi mes anciens étudiants et les syndicats catholiques et toutes sortes d'organisations, un nouveau parti politique pour renverser le seul gouvernement catholique de l'Amérique du Nord. Mgr Montini me répétait ça en riant. Il a dit: «Vous savez, nous n'avons pas pris ça au sérieux.»

F. Sauvageau. **Quand on dit que ses relations avec Rome étaient excellentes, — par exemple, au sujet de Mgr Charbonneau, on l'accuse d'intervention auprès de Rome — est-ce que ça vous apparaît plausible?**

G.-H. Lévesque. Pour Mgr Charbonneau, l'intervention de M. Duplessis n'a pas été déterminante. Oh non, oh non! C'est bien autre chose qui a fait sauter Mgr Charbonneau, mais ç'a pu être une des causes. Il y a eu un faisceau de causes, et ce n'est pas l'affaire d'Asbestos non plus.

F. Sauvageau. **Au sujet d'Asbestos, il y a un incident qui démontre bien que Duplessis, lui, ne se conformait pas toujours à ce que Rome désirait.**

G.-H. Lévesque. Oui, c'est une des choses qui m'ont le plus surpris dans l'histoire de Duplessis. Je vais vous faire un récit que je n'ai jamais raconté. J'ai rencontré un jour, en 1950, le délégué apostolique, Mgr Antoniutti, qui était dans tous ses états. C'était l'Année sainte, que le pape Pie XII avait appelée l'Année du Retour et du grand Pardon, et à cette occasion le pape avait confié un message à Mgr Antoniutti pour qu'il demande à M. Duplessis de gracier les prisonniers syndicalistes. C'était à la suite du conflit d'Asbestos. M. Duplessis avait refusé. Je n'ai jamais compris pourquoi. Mgr Antoniutti m'a dit: «Je ne puis pas transmettre à Rome ce refus parce qu'il y aurait trop de répercussions. J'essaie une autre intervention auprès de M. Onésime Gagnon qui a tout le respect de M. Duplessis et qui est un bon catholique.»

Une vingtaine de mineurs et leaders synicaux avaient en effet été arrêtés au cours de la grève de l'amiante. Un seul d'entre eux cependant, M. René Rocque de Montréal, assistant directeur de l'organisation à la C.T.C.C. (la C.S.N. maintenant), fut jugé et condamné à la prison.

Des mois plus tard, après remise sur remise et protestations des accusés contre ces remises, on abandonnait les poursuites contre les autres dirigeants syndicaux et mineurs. Les pressions de Rome avaient-elles joué ou un exemple suffisait-il à l'autorité? Seul M. Duplessis pourrait sans doute le dire.

La grève d'Asbestos avait amené l'épiscopat à poser des gestes qui ont profondément indisposé M. Duplessis, comme par exemple, celui d'autoriser des quêtes pour les grévistes aux portes des églises. Antoine Rivard faisait alors partie du cabinet de M. Duplessis.

A. Rivard. La seule difficulté dont je me souvienne... c'est lors de la grève illégale d'Asbestos où il s'était commis des actes de violence formidables, où on trouvait dans une certaine sacristie, cachés derrière les surplis, les aubes et les vêtements sacerdotaux, des pierres et les *bats* de baseball...

F. Sauvageau. **Avez-vous des preuves de ça?**

A. Rivard. Certainement, je les ai vus, moi. Et alors Duplessis a été profondément attristé de voir que certains évêques ont commandé des quêtes aux portes des églises pour soutenir une illégalité qui se propageait avec une violence inadmissible.

A un moment donné, il m'a demandé d'aller à Ottawa avec Barrette, qui était son ministre du Travail, pour rencontrer le délégué apostolique Mgr Ildebrando Antoniutti, afin de lui mettre la situation très claire, qu'apparemment le clergé soutenait l'illégalité.

F. Sauvageau. En somme, M. Rivard, cette rencontre avec le délégué apostolique, accrédite la thèse voulant que le gouvernement de l'Union nationale ait fait des pressions pour faire révoquer Mgr Charbonneau?

A. Rivard. Il n'a jamais été question de Mgr Charbonneau, à ma connaissance, devant le délégué apostolique. Et suivant les informations que j'ai et ce que j'ai entendu dans le temps, ce ne sont pas les membres de l'Union nationale qui ont demandé le renvoi de Mgr Charbonneau. Ce sont des gens beaucoup plus élevés dans la hiérarchie catholique qui l'ont fait.

Mgr Charbonneau a été invité par Rome en janvier 50 à démissionner de son poste d'archevêque de Montréal ou encore à s'adjoindre un administrateur apostolique. Bref, la démission ou la tutelle. Outre la rencontre avec le délégué apostolique déjà évoquée, deux ministres, le même M. Barrette et le docteur Albiny Paquette, passaient la Noël 49 à Rome. Ils participaient aux cérémonies d'inauguration de l'Année Sainte et rencontraient le pape Pie XII, son secrétaire d'État, le cardinal Montini, devenu Paul VI, et un bon nombre de cardinaux. Fut-il alors question de Mgr Charbonneau? «Jamais,» affirme encore aujourd'hui le docteur Paquette. Qu'en pense M. Nive Voisin, un spécialiste en histoire religieuse de l'Université Laval?

N. Voisine. Je trouve absolument impensable que des émissaires provinciaux, même s'ils sont ministres, aient pu intervenir à Rome. Car, pour Rome, un gouvernement québécois, ça n'existe pas; il y a des filières diplomatiques qui passent toujours par Ottawa et la délégation apostolique.

F. Sauvageau. Ce que vous dites conduit à la possibilité de pressions auprès du délégué apostolique à Ottawa.

N. Voisine. Oui, ça c'est très possible, c'est même sûr. Il y a quand même une délégation de deux ministres et d'un conseiller législatif, Asselin, qui est allée à Ottawa en avril 49 dénoncer probablement certains membres du clergé, les aumôniers surtout. A ce moment-là, remarquez que Charbonneau n'est pas encore intervenu dans le dossier d'Asbestos ou si peu — c'est seulement le 1er mai qu'il fait sa grande déclaration. Qu'il ait été question un peu de Mgr Charbonneau, c'est possible. Mais même si à ce moment-là il y a vraiment eu une dénonciation, je ne pense pas qu'elle ajoute grand-chose à ce qui était déjà préparé à Rome et à Ottawa à propos de Mgr Charbonneau.

F. Sauvageau. Mais, une chose est certaine, M. Duplessis n'aimait pas tellement Mgr Charbonneau.

N. Voisine. Oui, d'accord. Mais il importe peu qu'il aime ou pas un évêque; je ne pense pas que Duplessis puisse avoir assez d'influence pour faire changer un évêque, le faire démissionner ou même le faire déplacer. Et si on veut parler de ce voyage des ministres à Rome, il est évident que s'ils avaient vraiment eu la moindre intention de s'ingérer dans ces questions-là, il y aurait eu une intervention de la diplomatie canadienne. Il a été question vers 1950 d'une espèce d'intervention de l'ambassade du Canada par l'intermédiaire du diplomate Désy, qui était en poste à Rome.

L'ambassade du Canada aurait pris des mesures avec Mgr Léger, qui était à ce moment-là supérieur du Collège canadien, justement pour faire que les deux ministres québécois ne rencontrent que d'une façon très très officielle et un peu sociale les cardinaux et les autres hauts personnages de Rome. Mais même cela a été complètement nié. Les deux ministres ont rencontré Pie XII, mais à mon avis ce sont des visites très très officielles où on n'entre pas dans le détail. Je suis absolument sûr que l'Union nationale n'a eu rien à faire dans le dossier de Mgr Charbonneau.

Il semble que le bas clergé ait eu envers M. Duplessis des sentiments différents de ceux d'une partie de l'épiscopat. C'est du moins l'avis de l'abbé Pierre Gravel, ancien curé de Boischatel, qui fut longtemps un confident de M. Duplessis.

F. Sauvageau. Duplessis aurait affirmé à plusieurs reprises qu'«il faisait manger les évêques dans sa main.» Pensez-vous que cela puisse être vrai?

P. Gravel. D'abord, je ne crois pas qu'il ait dit ça. Je l'ai tellement bien connu qu'il n'a jamais eu d'expressions de ce genre devant moi. Et si ça avait été chez lui une expression facile, d'instinct, il l'aurait laissé échapper devant nous. Dans une réunion ou une veillée d'amis, où on y va sans se retenir, tout bonnement, il n'a jamais eu d'expressions comme ça.

F. Sauvageau. Comment le clergé le percevait-il tant à la base que dans la hiérarchie?

P. Gravel. Le bas clergé estimait beaucoup M. Duplessis. C'est que Duplessis était en faveur de l'éducation chrétienne; il ne démordait pas là-dessus. Il fallait enseigner le catéchisme aux enfants, il fallait leur faire pratiquer la religion. Il y tenait à ça. Si le haut clergé a été en faveur de Duplessis, c'est qu'il est généralement en faveur — je ne trompe personne en disant ça — du parti au pouvoir. Comme Julien Green vient de l'écrire dans ses mémoires — j'ai lu ça avec beaucoup de complaisance —: «Dans cette situation, que feront les évêques? Ils feront comme ils font toujours, ils suivront». Le haut clergé a profité de la situation et les gens l'ont suivi. On peut dire que ça ne leur a pas nui quand même dans le temps.

Qu'en pense un religieux de l'époque, le Frère Untel, Jean-Paul Desbiens, contestataire de la première heure et témoin de ce qu'il appelait «la grande peur québécoise»?

J.-P. Desbiens. Si on revient aux avantages que trouvait l'Église dans cette collaboration très étroite avec le régime, on peut voir que pour l'implantation de certaines institutions scolaires ou hospitalières, il y avait intérêt à être du bon bord. Par exemple, il est clair que l'École normale d'Amos a été obtenue par l'influence directe de Mgr Desmarais qui avait, lui, c'est le cas de le dire, une ligne directe avec Duplessis.

F. Sauvageau. **C'est-à-dire, donc, que non seulement des comtés bleus pouvaient obtenir des hôpitaux ou des écoles importantes, mais aussi les comtés où des religieux entretenaient des relations particulières avec le premier ministre?**

J.-P. Desbiens. Certainement. Et ç'a été le cas aussi de la création de l'université de Sherbrooke qui a été presqu'officiellement créée pour contrer l'université Laval, plus particulièrement l'École de pédagogie, devenue maintenant la Faculté des sciences de l'éducation.

F. Sauvageau. **Et pourquoi à Sherbrooke?**

J.-P. Desbiens. Sherbrooke? parce que l'évêque du lieu — on peut bien le dire — était Mgr Cabana, un des trois ou quatre évêques les plus influents et les plus près de Duplessis. Mais encore une fois, il faut insister là-dessus, l'Église n'était pas monolithique: le bas clergé, les religieux, étaient plutôt, je ne dirais pas hostiles, mais en tout cas n'é-taient pas conservateurs et ne trouvaient pas les mêmes avantages que le haut clergé dans cette collaboration avec Duplessis.

   Le système comme tel était mauvais, néfaste, mais sur des points parti-culiers, il donnait de bons résultats. Un bon hôpital au bon endroit, c'était un acquis et des bonnes écoles aussi. L'un portant l'autre, on obtenait moins dans les écoles que dans le système hospitalier. Et le peu qu'on obtenait ne valait quand même pas le genre de soumission qu'exi-geait Duplessis, soumission du point de vue financier; on peut dire que chaque tuile et chaque brique de chaque école étaient politisées, dans le sens du patronage. Du point de vue de la doctrine, ça regardait très peu les écoles élémentaires et secondaires. Mais au niveau universitaire, il fallait, pour obtenir des subventions, être de la bonne opinion et de la bonne école.

F. *Sauvageau*. Certains évêques à la fin des années 50, craignaient-ils le départ de Duplessis?

J.-P. Desbiens. Je dirais même que l'ensemble de l'épiscopat, à quelques exceptions près, redoutait la disparition de Duplessis. Non pas tellement peut-être sa disparition physique que la disparition de son régime et de ce qu'il représentait, parce que c'était pour eux une garantie, une garantie d'orthodoxie, d'homogénéité...

F. *Sauvageau*. C'est lui qui empêchait la marmite de sauter?

J.-P. Desbiens. Je pense qu'il était assis sur le couvercle; il l'empêchait de sauter, oui.

Le cardinal Maurice Roy était déjà à ce moment-là archevêque de Québec. Il fut appelé à jouer un rôle de premier plan dans la grève d'Asbestos à titre de médiateur. Il fut également, dit-on, au coeur des relations entre M. Duplessis et l'épiscopat. Il parle de la nature de ces relations.

Mgr Roy. Ces relations différaient beaucoup d'un diocèse à l'autre. Il faut bien distinguer d'abord le cas des évêques chargés de diocèses encore jeunes, comme Mgr Ross à Gaspé, Mgr Labrie sur la Côte-Nord et Mgr Desmarais dans l'Abitibi. Dans un territoire en pleine évolution, où il y avait énormément à faire au point de vue matériel comme au point de vue spirituel, ces pasteurs se sont faits «tout à tous», comme l'Apôtre saint Paul. C'est autour d'eux que les maires comme les curés ont unis leurs efforts pour assurer le progrès de la région; c'est eux que l'on chargeait de faire connaître au gouvernement les besoins et les espoirs de tout un peuple.

F. *Sauvageau*. Certains ont vu là une influence excessive. On a dit, par exemple, que certains évêques avaient — pour reprendre une expression — «une ligne directe» avec M. Duplessis.

Mgr Roy. Là où l'on manquait de bien des choses, on comptait sur l'évêque pour faire les commissions de tout le monde. Ces hommes d'église se sont engagés dans ce qu'on appelle aujourd'hui le développement intégral de leur peuple; ils ont construits des églises et ils ont demandé à l'État de construire des routes, des écoles et des hôpitaux.

Par contre, dans le cas de diocèses plus anciens et déjà pourvus d'une foule d'institutions, on ne peut parler de rencontres fréquentes des évêques avec le premier ministre. Si par hasard il fallait créer ou agrandir un collège ou un hôpital, on devait, en l'absence de subsides statutaires, faire une demande spéciale et l'appui de l'évêque pouvait être nécessaire; mais cela n'arrivait pas fréquemment.

F. Sauvageau. Mais par ailleurs, Monseigneur, est-ce qu'une même conception des choses ne liait pas aussi l'Église et M. Duplessis? Par exemple, les valeurs qu'il défendait : l'agriculture, une certaine conception du nationalisme. N'étaient-ce pas des valeurs que l'Église acceptait et qu'elle voulait voir conserver au Québec?

Mgr Roy. Certainement; mais il s'agit ici de valeurs traditionnelles qui ont été également acceptées par d'autres premiers ministres avant M. Duplessis et après lui. Il y mettait seulement une vigueur particulière dans un style assez pittoresque. Il faut noter d'autre part qu'il y avait chez les évêques, comme chez ceux et celles qui animaient les diverses institutions d'église, un souci de recherche, d'initiative et de renouvellement qui les mettait parfois en conflit avec lui.

F. Sauvageau. Comment expliquez-vous, avec le recul des années, qu'on ait accordé tant d'importance à ces liens ou à cette entente cordiale, entente tacite, disent certains, entre l'Église et Duplessis?

Mgr Roy. Je pense que c'est parce que l'histoire, surtout quand elle n'est pas écrite de façon très exacte, simplifie beaucoup de choses. Sous prétexte que les évêques ne publiaient pas des condamnations ou des critiques explicites, on prétend qu'ils étaient satisfaits de tout. En réalité, ils ont fait plus d'une fois, et particulièrement dans leur lettre sur le problème ouvrier, des déclarations qui heurtaient les sentiments de M. Duplessis. Mais dans l'ensemble, ils ont agi avec lui comme avec les autres premiers ministres : ils ont respecté la responsabilité propre de l'État dans son domaine, ils ont donné à César ce qui est à César.

Pour bien comprendre les liens de Duplessis et de son parti avec l'Église, il faut faire un peu d'histoire. L'Union nationale avait en quelque sorte succédé au Parti conservateur, et, traditionnellement au Québec, l'Église, les évêques, avaient appuyé les conservateurs, assimilant souvent le Parti libéral ou aux libéraux français condamnés par l'Église, ou aux rouges du XIXe siècle, tenants de la séparation Église-État.

Les ultramontains avec à leur tête Mgr Bourget à Montréal, puis Mgr Laflèche à Trois-Rivières, affirmaient bien haut, à la fin du 19e siècle, le droit de regard de l'Église sur l'État en certains domaines, l'éducation par exemple. Et il ne faut pas oublier que Duplessis a grandi à Trois-Rivières, fief de Mgr Laflèche et bastion ultramontain. L'historien Nive Voisine parle de cette influence de Trois-Rivières sur Duplessis.

N. Voisine. Bastion ultramontain et conservateur, les deux sont très très liés à Trois-Rivières. C'est quasiment une région protégée. Le diocèse de Trois-Rivières, à certaines élections, est à peu près le seul à être, je ne dis pas unanimement, mais très fortement conservateur.

F. Sauvageau. **Et spontanément, des liens vont se tisser entre Duplessis et l'Église?**

N. Voisine. Oui, et d'autant plus que dans son diocèse, Mgr Laflèche est vraiment adoré par son peuple. Il y a des oppositions, mais à ce moment-là les oppositions sont beaucoup moins fortes. Et alors, même si on est libéral, — la famille Bureau par exemple est libérale à Trois-Rivières — on est quand même ami de Mgr Laflèche. Donc, il y a ce culte de la personnalité, et dans le cas de certaines familles comme celle des Duplessis, s'ajoute évidemment le fait qu'on est de même catégorie politique.

F. Sauvageau. **En 1935, Duplessis arrive à la tête de ce regroupement de l'Action libérale nationale et du Parti conservateur. Duplessis est conservateur, il a grandi dans un milieu ultramontain; les libéraux sont toujours assimilés aux rouges et, plus encore, Taschereau n'a pas plu aux évêques à certains égards. Les conditions ne sont-elles pas réunies pour que le clergé appuie l'Union nationale?**

N. Voisine. Oui, d'autant plus que l'Action libérale nationale s'était élevée contre la corruption du régime Taschereau et avait prôné un programme social qui sortait directement des Jésuites et de l'École sociale populaire. Il y avait également un autre élément: on reprochait à Taschereau de ne pas être suffisamment sévère contre les communistes. Et dans le programme de l'Action libérale nationale et de l'Union nationale, on retrouve cet anticommunisme qui est assez fort à l'époque.

Oui, vraiment, tout est réuni pour que l'Union nationale ait un appui assez fort de beaucoup de groupes de catholiques, y compris de certains prêtres. Et le fait est qu'à certaines élections, par exemple, celle de Grégoire, l'ancien maire de Québec, il y a eu des communautés qui se sont mises en prière pour qu'il gagne...

F. Sauvageau. **Mais ça se gâte entre Duplessis et l'Église, ou en tout cas entre Duplessis et une partie du clergé, même une partie de l'épiscopat. L'élément le plus spectaculaire qui manifeste bien que les relations sont tendues est peut-être la grève d'Asbestos, la grève de l'amiante. Mais pour vous, ce n'est qu'un élément extérieur, d'autres éléments sont plus importants...**

N. Voisine. C'est vraiment la partie qu'on voit, parce que déjà à ce moment-là, il commençait à y avoir des frictions au sein de l'épiscopat.

Il est difficile de parler de divisions, mais il reste quand même que c'était des gens qui avaient des idées particulières, différentes...

F. Sauvageau. **On était tiraillé?**

N. Voisine. Oui, et ce tiraillement se manifeste au point de vue social après la guerre, très fortement à propos de la grève d'Asbestos, mais surtout à propos de la lettre pastorale de 1950 qui, d'ailleurs, devait être publiée en 48, mais qui a été repoussée à cause de la grève d'Asbestos.

* * *

Nos très chers frères,

Des devoirs plus particuliers s'imposent à l'État pour le relèvement de la conditions des ouvriers. Ils sont bien inspirés, les gouvernements qui, par des mesures appropriées ou par des lois, cherchent à enrayer les activités du communisme et des autres sociétés subversives de l'ordre social chrétien. Les mesures répressives sont nécessaires mais elles ne seront vraiment efficaces que si elles sont accompagnées d'efforts sincères en vue de créer un ordre social à base de justice et de charité. Il importe avant tout de favoriser une meilleure distribution des richesses, un état de sécurité pour tous les travailleurs honnêtes et consciencieux et un régime de travail qui respecte la dignité humaine de l'ouvrier.

(Extrait de la lettre pastorale collective de LL.EE. nosseigneurs les archevêques de la province civile de Québec sur le problème ouvrier en regard de la doctrine sociale de l'Église. Donné à Québec le quatorzième jour de février 1950.)

* * *

N. Voisine. Donc, on trouve à ce moment-là un groupe de prêtres, un peu d'aumôniers d'Action catholique, mais surtout des aumôniers de syndicats qui sont préoccupés par la question sociale et qui voient de la part du gouvernement une attitude antisyndicale assez prononcée. Alors ces gens-là vont réussir à se faire entendre de l'épiscopat par la Commission épiscopale des affaires sociales où siègent certains évêques: Mgr Garant, auxiliaire de Québec, est là-dedans, par exemple; Mgr Charbonneau y participe mais pas toujours, — il va y participer surtout à l'occasion de la grève d'Asbestos — mais il est un peu de cette tendance-là; et il y a aussi des prêtres, tels l'abbé Gérard Dion et le père

Cousineau, Jésuite. Ce sont des gens qui sont vraiment préoccupés par les questions sociales et qui sont très au courant de tous les débats qui ont lieu en Europe. Évidemment, ils vont essayer d'abord d'insister pour que l'État renouvelle sa législation sociale.

F. Sauvageau. Mais qu'est-ce que cette lettre de 1950 peut bien contenir pour mécontenter à ce point Duplessis?

N. *Voisine.* Elle contient, je dirais, une approche nouvelle de la question sociale; on insistait par exemple sur la participation des ouvriers à l'entreprise et — ce qui va toucher Duplessis davantage encore — sur la justice qu'il devait y avoir dans le monde ouvrier. Le fameux Code du travail qu'il avait voulu passer quelques années auparavant, contre lequel s'était levé l'épiscopat cette fois-ci unanime, était à l'encontre même des principes sociaux de cette lettre de 1950.

* * *

«*C'est d'abord dans l'entreprise, cellule de la vie économique et sphère d'actions quotidiennes, que doit être organisé plus humainement le travail industriel caractérisé par la mécanisation, la standardisation et la spécialisation des tâches. Nous croyons devoir orienter l'action sociale vers une réforme de l'entreprise de façon que les travailleurs organisés soient amenés graduellement à participer à sa gestion, à ses profits et à sa propriété selon une juste conception de la nature privée de l'entreprise et des droits légitimes des propriétaires des biens de production.*»

(*Extrait de la lettre de l'épiscopat, 1950*)

* * *

N. *Voisine.* Cette lettre-là va quand même permettre au clergé des manifestations beaucoup plus ouvertes comme, par exemple, à l'École des sciences sociales de Laval. Celle-ci n'avait pas attendu la lettre des évêques, mais il y avait là quand même un milieu qui permettait d'aborder la question sociale de façon scientifique, d'apporter des idées nouvelles et même de combattre le gouvernement Duplessis. Et là, on trouvait non seulement le Père Lévesque, mais également ceux qui s'y rattachaient, laïcs ou prêtres. Chez les syndicats, il y avait également les aumôniers qui ont participé à la discussion au moins, sinon à la critique du gouvernement Duplessis, qui s'accentue particulièrement à partir de 1950.

Certains prêtres réagissent déjà et de façon violente au duplessisme. Il y eut d'abord le Père Georges-Henri Lévesque qui secoua le régime par une conférence au Palais Montcalm à Québec, conférence qui devait être ensuite reprise sur les ondes de Radio-Canada en mai 1952.

F. *Sauvageau*. La notion d'autorité était une notion capitale au sein de l'Union nationale au cours des années 50...

G.-H. Lévesque. Ah! mon Dieu, oui, c'était le thème général de presque tous les discours politiques, surtout ceux des grands chefs. Probablement qu'ils voulaient attaquer les syndicats, les organisations ouvrières, même l'U.C.C. et les Sciences sociales, parce qu'ils trouvaient qu'on réclamait trop de liberté. Ainsi, partout dans la province les chefs religieux et les chefs politiques, se promenaient en faisant des conférences et des sermons pour demander le respect de l'autorité, en rappelant la fameuse phrase de saint Paul: «Toute autorité vient de Dieu et celui qui attaque l'autorité civile attaque du même coup l'autorité religieuse». On mêlait toutes ces choses-là.

Personnellement, je me suis aperçu que c'était un peu trop fort et qu'il fallait tout de même revendiquer un peu de liberté, parce que c'était de l'autoritarisme, non seulement sur le plan politique, mais aussi sur le plan religieux. On n'était presque plus capable de rien faire, d'avancer une idée neuve sans prouver qu'elle était déjà dans les encycliques. C'est à ce moment-là que j'ai décidé de faire une conférence à Québec, au Palais Montcalm; les étudiants de l'université Laval m'avaient demandé une conférence en me laissant le choix du sujet. J'ai commencé ma conférence en criant presque: «La liberté aussi, Mesdames et Messieurs, vient de Dieu!» Et ç'a eu un succès formidable. Là, j'ai vu que la population commençait à en avoir assez de l'autoritarisme sous toutes ses formes.

* * *

«Le déferlement de bêtises et l'immoralité dont le Québec vient d'être témoin, ne peuvent laisser indifférent aucun catholique lucide. Jamais peut-être, ne s'est manifestée aussi clairement la crise religieuse qui

existe chez nous. Nul doute que les bien-pensants vont sursauter devant de telles affirmations. Ceux pour qui la moralité se réduit à peu près uniquement aux problèmes des shorts, des robes-soleil ou de la Loi du Cadenas, trouveront bien osés les propos que nous tenons ici. Mais un morale chrétienne qui respecte l'ordre des vertus pose la charité, la vérité et la justice comme fondement de la vie sociale. Et qui sait encore se scandaliser devant le mensonge, la perversion des consciences, la corruption systématique du droit, ne peut que s'émouvoir devant un état de faits devenu manifeste.»

Ces extraits sont tirés d'un texte publié début août 1956 dans la revue **Ad Usum Sacerdotum** *par deux clercs, les abbés Gérard Dion et Louis O'Neill. Le journal* **Le Devoir** *devait ensuite reprendre cette dénonciation des moeurs politiques de l'époque. MM. Dion et O'Neill évoquent les circonstances qui ont entouré sa publication.*

* * *

L. O'Neill. Je me rappelle que la décision d'écrire ce texte était venue à la suite d'une rencontre avec un groupe d'amis dont la plupart étaient des universitaires ou des gens du milieu syndical qui avaient l'air absolument découragés. C'était une sorte de désespérance. Je me souviens, nous étions sortis de cette réunion en nous disant: «Il y a quand même quelque chose qu'on peut faire». Je pense qu'il y avait une préoccupation de stimuler les gens, de leur donner confiance, pour qu'ils puissent au moins protester, contester, aller à contre-courant un petit peu. Et on l'a abordé, le problème, sous l'angle de la moralité comme telle, mais l'idée de stimuler jouait un rôle important dans notre décision de rédiger un texte.

G. Dion. Le texte était signé par nous deux. Mais dans les discussions préalables, il y en avait d'autres, deux entre autres, qui se sont retirés. Pas du méchant monde, pas des gens qui manquaient de courage; je pourrais donner les noms, aujourd'hui, de ces gens-là qui vivent encore et qui étaient entièrement d'accord avec nous. Mais à la fin, il y avait un climat de découragement, de crainte. Et c'est pour ça que ce caillou dans la mare aux grenouilles a produit un effet beaucoup plus grand qu'on ne l'aurait cru.

M. Cardinal. Il faut dire que M. Duplessis venait d'être réélu pour un mandat de quatre ans et qu'il était très fort. Est-ce que vous aviez l'impression, à ce moment-là, que le clergé, auquel était destiné le docu-

ment, n'était pas tout à fait conscient de ce que vous dénonciez dans le document, c'est-à-dire le mensonge, la fraude électorale érigée en système, la corruption, la perversion des consciences, etc.?

G. Dion. Il y aurait une distinction à faire ici. La circulation d'*Ad Usum Sacerdotum* était d'environ 800 à 900 copies et allait chez des prêtres qui pour 90% étaient d'accord avec nos propres réactions. Maintenant, il arrivait que ces prêtres se servaient habituellement de notre publication pour la diffuser autour d'eux et ensuite passer le message à d'autres. Mais, si on considère les personnes immédiates à qui s'adressait la publication, on peut dire qu'ils avaient déjà les mêmes convictions que nous. Cependant, ils ne le disaient pas; quelques-uns voulaient le dire mais n'osaient pas.

M. Cardinal. Vous dénoncez dans ce texte une forme de pastorale. Par exemple, ce curé qui dit: «Votez pour qui vous voudrez mais en allant voter, regardez bien notre école comme elle est belle!»

G. Dion. Le curé qui a dit ça en chaire a posé un geste public, et des gens l'écoutaient. Donc, on ne dévoilait aucun secret. C'était des choses qui étaient déjà connues et jamais personne ne protestait contre elles, ne les soulignait.

L. O'Neill. Il n'y avait rien dans ce document-là. Quand on y regarde maintenant, on peut dire que, d'une certaine façon, c'était banal. Parce qu'en fait on a mis dans un petit texte des choses qui étaient sues un peu partout et qui étaient loin de scandaliser beaucoup de gens de toute façon. Pour beaucoup de gens, en effet, la moralité ne touchait pas le domaine politique, même pour des gens qui pouvaient avoir, par ailleurs, dans leur vie un sens moral très élevé.

M. Cardinal. Mais il était reconnu à l'époque que M. Duplessis se servait de la religion dans ses campagnes électorales. Et jusqu'à la publication de votre document, on a un peu l'impression, vu de l'extérieur, que l'Église s'accommodait assez de cette situation.

G. Dion. L'Église, c'est bien du monde. Si on regarde du côté de la hiérarchie, tout le monde ne marchait pas avec Duplessis. Pourtant, on avait cette impression. Il faut bien se mettre dans la tête aussi, étant donné le caractère de M. Duplessis, qu'il n'était pas facile de l'affronter publiquement, de s'opposer à lui, parce que vous pouviez être sûr qu'il y aurait des représailles ici et là, venant et de M. Duplessis et de ses supporteurs.

A cette époque-là, notre document a été percutant parce qu'il était une surprise. Dans le document, nous n'avons parlé ni de M. Duplessis — le mot Duplessis n'y est pas — ni de l'Union nationale; il n'y a rien de ça.

Mais il était évident, à partir du texte, qu'en condamnant les habitudes des gens, on se trouvait aussi indirectement à condamner ceux qui favorisaient cette chose-là.

* * *

Le mensonge systématique et l'emploi du mythe sont déjà des manoeuvres frauduleuses. Les procédés tels que: achat de votes, corruption de la Loi électorale, menaces de représailles pour ceux qui ne soutiennent pas le bon parti, les faux serments, les suppositions de personnes, la corruption des officiers d'élection, semblent aussi devenir des éléments normaux de notre vie sociale en période électorale. (Extrait du texte de MM. Dion et O'Neill)

* * *

L. O'Neill. Quand on regarde ça d'un peu plus loin, — ce qui peut nous aider à expliquer un comportement — on peut dire que c'était ce que j'appellerais la théorie du moindre mal chez beaucoup de gens. C'est-à-dire, qu'il y avait des gens qui votaient, appuyaient le gouvernement en place tout en sachant que beaucoup de choses étaient inacceptables. Ce pouvait être par exemple en se disant: «Il y a beaucoup de choses inacceptables, mais il reste que dans l'ensemble, il y a des choses sur lesquelles nous sommes obligés d'être d'accord.» Par exemple, Duplessis disait: «Vous savez, l'école confessionnelle, c'est extrêmement important.» Il revenait là-dessus.

Aussi, deux autres facteurs jouaient un rôle important. D'abord, l'anticommunisme; il faut se rappeler qu'on est dans la période de la guerre froide; l'anticommunisme, qui est un sentiment général en Amérique du Nord, est très marqué chez nous à cause de notre passé religieux et parce qu'aussi on en a eu une peur très forte. Chez d'autres, la question de l'autonomie est un facteur qui a joué un rôle très important. C'est-à-dire que des gens qui faisaient des reproches très sérieux à M. Duplessis, reconnaissaient en lui le porte-parole d'aspirations jugées fondamentales. Alors, on lui pardonnait certains de ses comportements. Quand je dis Duplessis, ça peut être aussi son organisation, parce qu'il faut être juste envers M. Duplessis: il n'était pas au courant de tout ce qui se faisait dans les moindres recoins de son organisation.

G. Dion. Un autre élément, par exemple, c'est que, par sa lutte contre les Témoins de Jéhovah, Duplessis donnait l'impression de protéger l'Église et la population, parce que les Témoins de Jéhovah étaient très très agressifs; ils parcouraient les campagnes, les villes, faisaient de la propagande et toutes ces choses-là. Comment pouvez-vous vous opposer à quelqu'un qui lutte contre les Témoins de Jéhovah?

M. Cardinal. Est-ce que votre document a eu un impact au niveau du clergé et de la population? Avez-vous eu l'impression qu'il a changé quelque chose?

G. Dion. Sûrement. La même chose dite par des laïcs à cette époque-là n'aurait pas eu les mêmes conséquences. L'impact a été le suivant, on a dit: «Mais c'est possible de s'exprimer! c'est possible de dire ça!» Ç'a donné confiance à certaines autres personnes et a déclenché un mouvement.

L. O'Neill. Il serait assez prétentieux de penser qu'on a révolutionné le Québec; on ne change pas les habitudes comme ça. Notre document a joué un rôle sûrement de déclencheur, de catalyseur, pour en arriver à des attitudes politiques différentes, ce qui a peut-être permis cette ouverture dont nous avons bénéficié à partir des années 60.

CHAPITRE 11
LES FORCES D'OPPOSITION

Ce n'est qu'au moment de la grève d'Asbestos et après les élections de 1956 que l'Union nationale rencontra l'opposition ouverte de certains hommes d'Église. Des évêques, ainsi que des clercs rattachés à la faculté des Sciences sociales de l'Université Laval s'opposent à elle à l'occasion de la grève d'Asbestos, et les abbés Dion et O'Neil dénoncent ses pratiques électorales après la victoire de juin 1956. Mais de façon générale le gouvernement Duplessis, plus encore que les gouvernements libéraux qui l'avaient précédé, trouva chez la plupart des hommes d'Église une attitude bienveillante, voire une collaboration intéressée. Ce n'est pas de ce côté que vinrent les principales oppositions. Elles vinrent plutôt de certains milieux syndicaux ou universitaires et de certains journalistes.

Pierre-E. Trudeau, John Robarts, Jean-Noël Tremblay et Jean-Jacques Bertrand, lors d'une conférence fédérale-provinciale en 1969. A l'arrière-plan, Jean Marchand. (Photo La Presse, Montréal)

L'opposition à l'Union nationale semble avoir pris naissance surtout dans les syndicats, dans les journaux et parmi les universitaires. M. Vincent Lemieux en explique les raisons.

V. Lemieux. Le Parti libéral de M. Lapalme réussissait très difficilement à faire entendre son point de vue. Les sessions n'étaient pas très longues à ce moment-là et le Parlement, de toute façon, était dominé par M. Duplessis. Alors, c'est plutôt à l'extérieur du Parlement que les forces d'opposition faisaient le plus de bruit. Si bien qu'on est tenté aujourd'hui d'identifier les forces d'opposition surtout aux milieux extra-parlementaires.

Cette opposition était très diversifiée. L'historien Robert Rumilly, auteur de «Duplessis et son Temps», en dresse ici un tableau.

R. Rumilly. L'opposition au gouvernement Duplessis est née et s'est développée essentiellement dans les milieux intellectuels, plus précisément dans le milieu du *Devoir*, qui était alors contrôlé par l'équipe formée par Gérard Filion, André Laurendeau et Pierre Laporte. *Le Devoir* était lu par les professeurs, les étudiants et d'une manière générale par les milieux intellectuels, ce qui en faisait un instrument assez puissant entre les mains de l'équipe dirigeante.

A cette équipe, il faut rajouter l'équipe qui gravitait autour de Jean Drapeau, lequel a hésité un moment entre une carrière municipale et une carrière provinciale. Jean Drapeau était soutenu à fond par *Le Devoir*; on peut dire qu'il était à ce moment-là la créature du *Devoir*. Et avec Jean Drapeau, cela signifiait tout le groupe de la Ligue d'action civique comprenant des personnages aussi importants que Pierre Desmarais, le père de l'actuel maire d'Outremont, et un personnage remarquablement intelligent et habile, M. J.-Z.-Léon Patenaude. Les dirigeants de la Confédération des travailleurs catholiques — aujourd'hui la C.S.N. — se rattachaient également à ce groupe ; Gérard Picard était à la fois président de la Confédération des travailleurs catholiques et administrateur du *Devoir*. Alors, ça commence à faire un réseau assez puissant qui a un journal intellectuel entre les mains.

Ce réseau a également saisi le contrôle d'un autre foyer d'influence, secret celui-là, l'Ordre de Jacques-Cartier. L'Ordre de Jacques-Cartier a été fondé par des fonctionnaires canadiens-français à Ottawa qui voulaient s'entraider, se faire la courte échelle, élargir leur place au soleil dans l'administration, comme avaient fait les Chevaliers de Colomb. Mais assez vite, cette société secrète a débordé dans la province de Québec, a évolué, s'est modifiée et est devenue une société à double fin, nationaliste et catholique. L'Ordre de Jacques-Cartier a réussi à s'emparer — c'était son premier objectif et il l'a très bien réalisé — des postes de commande dans nos sociétés nationales : les sociétés Saint-Jean-Baptiste, le mouvement coopératif, le mouvement des Caisses populaires, etc.

Mais le groupe du *Devoir* a réussi à s'emparer et à contrôler à son tour l'Ordre de Jacques-Cartier. Le grand chef, le chef suprême de l'Ordre de Jacques-Cartier, était Pierre Vigeant, le correspondant du *Devoir* à Ottawa. Pierre Vigeant n'était pas un homme de tout premier plan, c'était un bon journaliste, un instrument entre les mains de l'équipe d'hommes volontaires formée, disions-nous, par Gérard Filion, André Laurendeau, Pierre Laporte et quelques autres. Et c'était une société secrète bien apte à propager des mots d'ordre, donc procurant une certaine puissance à ce groupe-là. Pierre Laporte est allé donner des conférences dans les sections de l'Ordre de Jacques-Cartier, conférences qui se terminaient régulièrement par des consignes antiduplessistes. Je crois que Gérard Filion était l'âme de tout ce mouvement, que toutes ces campagnes antiduplessistes sont parties essentiellement de lui, avec naturellement ses compagnons dont j'essaie de vous décrire l'ensemble.

A Québec, la besogne a été accomplie par le Père Georges-Henri Lévesque et sa faculté des Sciences sociales de l'université Laval. Le Père Lévesque est une jolie personnalité ; il est à la fois charmeur et dynamique, ce qui explique l'influence qu'il exerçait sur ses étudiants qui devenaient facilement ses disciples. Le Père Lévesque a fait de sa faculté des Sciences sociales une sorte de foyer, de cellule de combat antiduplessiste.

A ce réseau, il ne faut pas que j'oublie d'ajouter la revue *Cité Libre* de Pierre-Elliott Trudeau, qui était très antinationaliste et par conséquent très dressée contre l'autonomisme du gouvernement Duplessis. *Cité Libre* n'avait pas une très grosse circulation mais elle influençait un certain nombre d'intellectuels.

Enfin, il faut ajouter aussi l'influence plus sourde, plus confuse de Radio-Canada. Je ne parle pas de la Société Radio-Canada d'aujourd'hui qui, je crois, j'en suis sûr même, a très heureusement évolué vers l'impartialité, vers l'objectivité. Mais, je crois incontestable que dans les années 50, Radio-Canada était infiltrée d'éléments gauchistes et d'antiduplessistes. On ne voyait et on n'entendait dans ses émissions que Jean-Louis Gagnon, André Laurendeau, Gérard Pelletier, tout le groupe du *Devoir*. Et cette influence a joué, je crois, dans cette espèce de réseau.

*Le directeur du **Devoir** durant les années 50, M. Gérard Filion, parle de l'opposition de son journal à M. Duplessis.*

G. Filion. Le *Devoir* lui a résisté à partir de 1948-49 avec la grève d'Asbestos. C'est à ce moment-là que nous nous sommes rangés définitivement du côté des adversaires de Duplessis. *Le Devoir* était le seul journal quotidien qui s'opposait vigoureusement à Duplessis, peut-être pas à lui personnellement, mais aux idées qu'il représentait, aux politiques qu'il défendait. Nous l'avons chicané très vertement dans les domaines de la législation sociale et de l'éducation. Nous sentions que la société québécoise était en pleine mutation, que de société rurale et artisanale elle était en train de devenir une société industrielle, qu'une proportion de plus en plus grande des Québécois deviendrait des salariés d'usines ou des salariés de bureaux, et que, par conséquent, il fallait adapter la législation sociale à cette société nouvelle qui était en train de naître.

Et, personnellement, c'est peut-être surtout dans le domaine de l'éducation que j'ai hcuspillé le plus vigoureusement M. Duplessis. Alors que toutes les autres provinces canadiennes profitaient de la prospérité d'après-guerre pour rénover leur système d'enseignement, le Québec ne faisait pas grand chose.

M. Cardinal. M. Filion, est-ce que les forces d'opposition à M. Duplessis constituaient un véritable réseau bien orchestré?

G. Filion. Non. Les gens qui s'opposaient à M. Duplessis venaient de milieux très différents et je pense qu'ils ne se sont jamais concertés vraiment pour combattre l'Union nationale. Ils avaient des raisons particulières chacun de leur côté pour s'opposer à certaines politiques de l'Union nationale. Et on aurait tort, j'en suis sûr, d'y voir un immense complot ou une conjuration d'éléments disparates qui s'entendent entre eux pour combattre et défaire l'Union nationale.

M. Cardinal. **Par contre, à la fin des années 50, on retrouve les mêmes hommes qui occupent des postes clés dans les principaux mouvements d'opposition à M. Duplessis.**

G. Filion. Oui, mais je dirais que c'est simplement par hasard. Remarquez bien que je n'aurais aucune objection à révéler que *Le Devoir* a été le centre nerveux de l'opposition à Duplessis et que j'en étais l'éminence grise. Si c'était vrai, je le dirais carrément et même je m'en réjouirais ; mais ce n'est pas tout à fait exact. C'est vrai qu'il y a un certain nombre de gens qui se sont retrouvés à la fois dans les syndicats, dans les Caisses populaires, au conseil d'administration du *Devoir*, mais tout ça n'était pas l'effet d'un plan mûri d'avance, discuté, élaboré et mis en vigueur.

M. Cardinal. **On a dit que l'une des forces d'opposition était cette société secrète qui s'appelait l'Ordre de Jacques-Cartier. Et on a même ajouté que le centre nerveux de l'Ordre de Jacques-Cartier était au *Devoir*.**

G. Filion. C'est complètement faux, quoiqu'il y ait un petit peu de vérité là-dedans. Je sais que quelques rédacteurs du *Devoir* étaient actifs dans l'Ordre de Jacques-Cartier. Personnellement, j'en ai fait partie vers la fin des années 30 et au début des années 40. Et en 1945, quand j'ai déménagé ma famille à Saint-Bruno, j'ai coupé complètement tous liens avec l'Ordre de Jacques-Cartier et je n'en ai jamais fait partie de nouveau. De telle sorte que je ne sais pas du tout ce qui s'est passé à l'intérieur de l'Ordre. Je puis affirmer, en tout cas, que ce n'est pas l'Ordre de Jacques-Cartier qui menait *Le Devoir* et ce n'est pas *Le Devoir* qui menait l'Ordre de Jacques-Cartier.

Le chef de l'opposition libérale de 1949 à 58, M. Georges-Émile Lapalme, parle à son tour des oppositions à M. Duplessis, dont il exclut cependant la principale centrale syndicale d'alors, la Fédération provinciale du travail que dirigeait Roger Provost.

G.-É. Lapalme. La plus célèbre a été *Le Devoir*, et des milieux beaucoup plus restreints tels *Cité Libre* peut-être, mais ça ne comptait absolument pas. Aujourd'hui, on parle de *Cité Libre* comme si *Cité Libre* avait joué un rôle. Elle n'a joué aucun rôle nulle part. Il y avait quinze cents personnes qui connaissaient *Cité Libre*. Deux organismes, dans la province, faisaient la lutte à Duplessis : le Parti libéral dont j'étais le chef et *Le Devoir*.

F. Sauvageau. **Et les centrales syndicales à partir de la grève d'Asbestos ?**

G.-É. Lapalme. Ah! ça c'était une autre chose. L'une des principales centrales syndicales était présidée par un homme qui était l'âme damnée de Duplessis; il faisait ce que Duplessis lui disait de faire. Certains syndicats étaient souvent en lutte avec lui, surtout avec l'affaire d'Asbestos; ces syndicats étaient à ce moment-là, je ne dirais pas domi-nés, mais assez bien maîtrisés par Jean Marchand qui, de tout temps avait représenté une opposition à Duplessis. Il a été, à l'époque, un des seuls qui s'est mis à blanc. Mais de l'autre côté, le plus gros syndicat de la province était aux ordres de Duplessis tout le temps. J'ai eu des entrevues avec Provost à l'époque et je l'ai engueulé comme du poisson pourri; j'arrivais avec des dossiers fantastiques, il me disait oui, mais le lendemain, il y avait un banquet et il disait: «M. Duplessis, le plus grand premier ministre qu'on ait eu depuis la Confédération.»

F. Sauvageau. Est-ce que l'opposition syndicale représentée par Jean Marchand, justement, ne comptait pas?

G.-É. Lapalme. Elle était très importante et elle s'est synthétisée, elle a été une sorte d'emblème à l'occasion de la grève d'Asbestos. Mais, Jean Marchand n'a pas été suivi. Tous les comtés où avait eu lieu l'explo-sion d'Asbestos — parce qu'elle se répercutait en dehors d'Asbestos et de Thetford — ont réélu tout de suite après des candidats de l'Union nationale. C'est vrai qu'on a fait élire Émilien Lafrance en 1952, je crois, mais c'était Émilien Lafrance qui avait gagné le comté et non pas la grève d'Asbestos.

F. Sauvageau. Vous avez écarté très rapidement la contestation venant de *Cité Libre*. Mais est-ce qu'à l'occasion d'Asbestos il n'y a pas eu un certain ralliement?

G.-É. Lapalme. Cité Libre a peut-être augmenté sa circulation de 200 ou 300, mais ni Gérard Pelletier ni Trudeau n'ont représenté quelque chose dans la population à ce moment-là, absolument pas. Asbestos n'a eu aucun écho électoral ou politique immédiat. Ça se déroulait en 1949 et on a pris le pouvoir onze ans après; et les gens qui avaient fait la bataille d'Asbestos n'étaient pas à nos côtés, sauf Jean Marchand, quand est arrivée la bataille finale.

F. Sauvageau. Et les gens de la faculté des Sciences sociales? Marchand venait des Sciences sociales...

G.-É. Lapalme. Les Sciences sociales, c'était le Père Lévesque et Mauri-ce Lamontagne. Il y avait là des gens qui faisaient parler d'eux de temps en temps par des dénonciations de Duplessis, mais ça ne nous amenait personne du milieu académique. Nous avons travaillé pendant une di-zaine d'années pour essayer d'avoir le monde académique avec nous, mais on n'a pas été capable d'avoir qui que ce soit, sauf Maurice Lamontagne.

F. Sauvageau. **Est-ce que vous pensez que, même dans les milieux aca-
démiques, on pouvait refuser d'être associé à l'opposition par crainte de
représailles de la part du gouvernement?**

G.-É. Lapalme. Pierre-Elliott Trudeau n'a pas été capable d'être nommé professeur de droit comparé, je crois, à l'Université de Montréal,
sur un ordre de Duplessis. On avait accepté son engagement et le lendemain, il a appris que c'était fini.

*L'un des piliers de **Cité Libre**, aujourd'hui ambassadeur à Paris,
M. Gérard Pelletier, définit la position de la revue à l'égard de M.
Duplessis.*

G. Pelletier. En créant *Cité Libre*, est-ce que notre but était de combattre Duplessis? Non, très loin de là. D'abord, les buts de *Cité Libre*
n'étaient pas aussi immédiats, aussi politiques. Il y avait trois élans
principaux que *Cité Libre* essayait de déterminer. Le premier, c'était
carrément la lutte au cléricalisme, et je dis bien au cléricalisme, c'est-à-
dire à l'omnipotence et à l'omniprésence du clergé, ce qui n'a rien à voir
avec nos sentiments vis-à-vis de l'Église, qui étaient tout à fait différents. Aussi, il y avait la promotion du syndicalisme; par exemple les
luttes que *Cité Libre* a faites, et faites seule, sur le syndicalisme des
enseignants. C'est difficile d'imaginer, vingt-cinq ans après, à quel
point on pouvait être seuls à faire cette lutte-là.

F. Sauvageau. **Certains font maintenant de *Cité Libre* un symbole de la
lutte au duplessisme; vous semblez considérer que c'est un peu un
mythe qu'on a créé. Est-ce à dire que vous êtes d'accord avec M.
Lapalme qui minimise beaucoup l'importance de *Cité Libre* disant:
«Les seuls adversaires de Duplessis, c'était *Le Devoir* et le Parti libéral.»?**

G. Pelletier. Oui, il a parfaitement raison. C'est ce qu'il a dit d'ailleurs
dans ses «Mémoires» que j'ai lus récemment avec beaucoup d'intérêt.
Lapalme était un homme politique engagé dans l'immédiat. Nous, on
était des jeunes gars engagés à beaucoup plus long terme; il n'était pas
question de nous affilier à un parti. A ce moment-là, on croyait qu'il
fallait d'abord élaborer une philosophie politique sur laquelle on puisse
s'appuyer.

N'oubliez pas que c'est une période où même des partis neufs comme
le Bloc populaire établissaient leur programme en allant s'enfermer
dans un hôtel des Laurentides pendant quinze jours. Nous, on disait:
c'est de l'aberration mentale, il faut absolument qu'un programme politique soit longuement mûri, réfléchi, etc. C'est une des choses que *Cité
Libre* voulait faire. On savait qu'on ennuyait sérieusement M. Duplessis
à partir de la deuxième ou de la troisième année, mais on n'a jamais eu

la prétention de former une véritable opposition à son gouvernement.

D'autre part, sur certaines choses, *Cité Libre* ne pouvait absolument pas être d'accord avec *Le Devoir* non plus. J'étais aussi rédacteur au *Devoir*, je m'empresse de le dire, et j'ai beaucoup d'estime pour l'action qu'il a menée à ce moment-là. Mais dans *Le Devoir*, par exemple, on ne pouvait pas parler d'éducation; on ne pouvait pas dire que le système d'éducation du Québec était absolument pourri, qu'il fallait un ministère de l'Éducation nationale au Québec. Et *Cité Libre* a été, sauf erreur, la seule publication de l'époque qui a réclamé un ministère. N'oubliez pas que Lesage lui-même, arrivé au pouvoir, a dit: «Jamais de mon vivant, aussi longtemps que je serai premier ministre, il n'y aura un ministère de l'Éducation.»

F. Sauvageau. Ce qui explique, sans doute, que vous n'avez pas adhéré au Parti libéral provincial, ce que Jean-Louis Gagnon vous invitait à faire.

G. Pelletier. Il n'en était pas question pour nous parce que d'abord, il restait dans le Parti libéral, même sous M. Lapalme, des positions que nous jugions extrêmement réactionnaires, et il aurait fallu sacrifier les nôtres. Et n'oubliez pas qu'à ce moment-là, nous étions des jeunes gars absolument inconnus qui griffonnions dans une revue. Donc, nous ne pouvions pas nous imaginer qu'en joignant un Parti libéral déconsidéré depuis Taschereau, nous serions capables de le transformer et de l'amener à nos vues. Qu'on ait eu tort ou raison, c'est une autre question, mais c'est ainsi qu'on voyait les choses.

F. Sauvageau. Le moment n'était pas encore venu?

G. Pelletier. Pour nous, le moment n'était pas venu.

F. Sauvageau. Vous avez dit: «On savait qu'après deux ou trois ans on ennuyait sérieusement Duplessis.» En quoi et de quelle façon?

G. Pelletier. On le savait de façon indirecte. Évidemment, on l'agaçait parce qu'on retrouvait à *Cité Libre* les mêmes gens qui étaient dans le syndicalisme, dans la grève de l'amiante, etc. Je me souviens aussi qu'une lettre était tombée entre nos mains, dont j'ai encore une copie d'ailleurs, où M. Rumilly, qui était l'intellectuel de l'Union nationale et qui en a été l'historien depuis, disait à M. Duplessis: «Voilà des gens, à *Cité Libre*, qui sont extrêmement dangereux; ils ont des affiliations internationales avec la revue *Esprit* en France; ce sont des subversifs et il faut que vous vous en méfiiez; à long terme, c'est très dangereux pour votre régime, et la façon de les combattre, c'est d'aider des gens très valeureux.» Et il parlait d'une équipe nationaliste et conservatrice qui publiait un petit journal hebdomadaire.

Le Père Georges-Henri Lévesque commente les relations entre M. Duplessis et les intellectuels.

G.-H. Lévesque. Duplessis n'aimait pas les intellectuels. Il les traitait de poètes, de philosophes et de rêveurs, surtout les intellectuels qui oeuvraient dans les sciences sociales. Il en avait peur et c'était une peur très profonde. D'ailleurs, quand M. Duplessis parlait des sciences sociales, il avait toujours une boutade; il parlait «des sciences, les vraies; les autres, ce n'est pas des vraies sciences, ça.» Mais, il en avait peur quand même. Pour lui, il n'y avait rien qu'une science sociale, le droit.

F. *Sauvageau*. Comment s'est amorcée la grande querelle entre Duplessis et votre faculté?

G.-H. Lévesque. Tout cela partait du mot «social», en fait. Il répétait souvent: «Qui dit social, dit socialisme; qui dit socialisme, dit communisme; qui dit communisme, dit bolchevisme; donc, le doyen des Sciences sociales est un bolchevik.» La plus grande opposition, quoi. Lorsque j'ai prononcé au congrès des relations industrielles en 1958 ma conférence sur le communisme, j'ai demandé à tout le monde de cesser de faire de l'anticommunisme électoral ou bien de l'anticommunisme clérical. Par exemple, j'ai reçu un téléphone de Mgr Vandry, qui était alors recteur, me disant que Duplessis venait de l'appeler pour lui dire que Maurice Lamontagne enseignait le marxisme dans son cours de théorie économique. Nous savions très bien qu'il y avait des étudiants qui recevaient de très belles bourses et qui étaient des espions pour l'Union nationale; nous le savions très bien, parce qu'il y avait des choses qui se passaient à la faculté et qui, le soir même, étaient rendues au bureau du premier ministre.

F. *Sauvageau*. Quand Duplessis accusait le professeur Lamontagne d'enseigner le marxisme, qu'est-ce que cela signifiait?

G.-H. Lévesque. Je vais vous répondre par la réponse que j'ai donnée à Mgr le recteur: «Comment voulez-vous que quelqu'un fasse un cours d'histoire des théories économiques sans parler du marxisme? Il faut tout de même réaliser que la moitié du monde, aujourd'hui, vit de la pensée de Marx!» J'avais repris cette idée-là en 58, au congrès des relations industrielles. Je disais qu'il était très important de bien le connaître si on voulait bien le combattre, non seulement par des mots, par des écrits, mais surtout par des actes, en cherchant dans une pleine liberté académique des solutions théoriques et pratiques à nos problèmes sociaux. «Et rien ne nous en empêchera, ni la diffamation ni les menaces d'où qu'elles viennent, parce que nous sommes les enfants de celui qui nous a demandé de ne pas garder la lumière sous le boisseau et qui a dit un jour sur la montagne: bienheureux ceux qui ont faim et soif de justice, car ils seront rassasiés.» C'est ce qui a mis le feu aux poudres.

Le lendemain, je recevais une lettre du recteur m'annonçant que, à cause d'un discours précédent, la faculté des Sciences sociales avait déjà perdu la moitié de l'octroi de $50 000, et qu'il était à peu près sûr que la deuxième moitié disparaîtrait à son tour à cause de moi.

F. Sauvageau. Précédemment, vous avez expliqué que, dans le cas du professeur Lamontagne, Duplessis avait demandé en quelque sorte sa tête. Est-ce que c'est arrivé pour vous aussi?

G.-H. Lévesque. Oui, c'est arrivé pour moi aussi. Un bon jour, l'université a demandé une subvention de deux millions et la réponse a été: «Très bien, mais Lévesque, dehors!» Et alors, le recteur m'a soutenu. Je dois dire que l'université Laval m'a toujours soutenu.

A nouveau M. Rumilly.

M. Cardinal. Est-ce que vous pensez que M. Duplessis a vraiment fait des démarches auprès de l'université Laval pour qu'elle remercie le Père Lévesque, ou Maurice Lamontagne, ou un certain nombre d'intellectuels qui lui étaient opposés?

R. Rumilly. Écoutez, je suppose que vous devriez évidemment poser cette question au Père Lévesque. L'avez-vous posée au Père Lévesque?

M. Cardinal. Oui.

R. Rumilly. Que vous a-t-il répondu?

M. Cardinal. Il a dit que oui, des démarches avaient été faites.

R. Rumilly. Le Père Lévesque m'a dit à moi-même, et l'a répété, qu'aucune démarche n'avait été faite, qu'il était parti absolument de son plein gré, quand il a voulu, comme il a voulu. Je vais vous donner un point précis là-dessus. Je regrette de mettre des personnes en cause... Il y avait à l'époque deux universités: une faculté des Sciences sociales à Québec, dont le Père Lévesque faisait un foyer antiduplessiste, et une autre faculté à Montréal qui était également entre les mains d'un jésuite, le Père Bouvier, qui vit toujours. Le Père Bouvier, lui, était ouvertement partisan de Duplessis; il ne faisait pas de propagande, si vous voulez, mais, enfin, il était ouvert. Or, le Père Lévesque est resté à son poste tant qu'il a voulu, il est parti de lui-même quand il a voulu, il a fait sa propagande antiduplessiste tant qu'il a voulu, tandis que les autorités religieuses ont limogé le Père Bouvier parce qu'il était duplessiste. Alors, où est l'intransigeance là-dedans?

Laissez-moi encore signaler une chose. C'est que Duplessis a favorisé ces universités qui étaient des foyers d'animosité contre lui. Par exemple, c'est lui qui a transformé la vieille et vétuste université Laval en la magnifique institution de Sainte-Foy, au moment même où la plus en vue des facultés de cette université se transformait en machine de guerre contre lui. Je crois que, de tous les papiers de Duplessis que j'ai traversés — et Dieu sait si j'en ai traversés — le document le plus émouvant est une lettre de Mgr Vandry, qui était le recteur de l'université Laval et un grand gentilhomme. Il dit à peu près ceci à Duplessis, — je ne vous cite pas les termes, mais je donne l'esprit —: «Monsieur le premier ministre, ce que vous faites pour nous, pour l'université Laval, est d'autant plus généreux, d'autant plus noble, que vous le faites alors que d'une de nos facultés partent des attaques si acharnées contre vous et, en somme, si méchantes.»

A nouveau, M. Gérard Pelletier commente le rôle qu'ont joué des intellectuels en général dans la chute du duplessisme.

G. Pelletier. Je pense qu'il n'était pas possible de faire autrement; c'est pourquoi, d'ailleurs, l'opposition n'était pas au parlement. Et c'est peut-être l'objet de ma chicane avec M. Lapalme: c'est que l'opposition n'était pas au parlement, elle était parmi les intellectuels, elle était à *Cité Libre* pour une fort modeste part, que je ne veux pas exagérer même si d'autres l'ont fait; elle était dans les syndicats, elle était partout, sauf au parlement. N'oubliez pas que Duplessis nettoyait la place et laissait sept ou huit députés, ce qui ne faisait pas une opposition très forte au parlement. L'opposition n'étant pas là, elle était donc ailleurs, dans les universités et dans tous les milieux dont je viens de parler.

Ce n'était pas une opposition stérile. La preuve, c'est le programme de Jean Lesage, lorsqu'il est arrivé au pouvoir en 60. Qu'est-ce que c'était son programme? C'était tout ce qui avait été élaboré par le mouvement coopératif et par les syndicats, pour ce qui concerne les législations sociales et les législations ouvrières, et par certaines revues, pour ce qui concerne les relations fédérales-provinciales. Le seul point sur lequel *Cité Libre* ait été d'accord avec Duplessis était la défense de l'autonomie provinciale au sein de la Confédération canadienne; c'est assez remarquable, mais c'est ça. Et le gars qui défendait ça contre certains intellectuels de gauche de l'école du Père Lévesque, c'était un nommé Trudeau.

* * *

V. Lemieux. Je pense que les intellectuels «de gauche», encore aujourd'hui, ne savent pas très bien quel rôle ils ont joué dans la chute de l'Union nationale. Ils étaient dangereux dans une certaine mesure parce qu'ils avaient une audience auprès de la jeunesse. Les professeurs, par exemple, ou ceux qui écrivaient dans *Cité Libre* ou dans *Le Devoir*, étaient lus par la jeunesse; la jeunesse de la fin des années 50 devenait de plus en plus opposée à l'Union nationale. Je pense que c'est là que résidait leur véritable danger.

Les deux interventions que vient de faire M. Pelletier sont assez intéressantes de ce point de vue-là; dans la première, il semble minimiser le rôle de *Cité Libre*; dans la deuxième, il lui accorde plus d'importance. M. Pelletier illustre assez bien cette espèce d'hésitation qui fait qu'encore aujourd'hui, on ne réussit pas à déterminer de façon très exacte le rôle qu'ont joué les intellectuels dans la défaite de l'Union nationale.

M. Cardinal. **Est-ce que les intellectuels ont influencé le programme libéral de 1960 au point où l'affirme M. Pelletier?**

V. Lemieux. Je pense que si M. Lapalme avait la chance de parler à ce sujet, il ne serait pas tout à fait d'accord avec les propos de M. Pelletier, à savoir que le programme du Parti libéral était venu, finalement, de forces d'opposition autres que le Parti libéral. M. Lapalme a prétendu dans ses *Mémoires* que c'est lui qui avait écrit ce programme en s'inspirant, évidemment, de courants de pensée qui venaient d'un peu partout. Mais il a toujours tenu à se présenter, d'ailleurs preuves à l'appui, comme celui qui avait produit ce programme du Parti libéral.

M. Lapalme a tendance — et je crois qu'il a raison — à accorder au Parti libéral un rôle peut-être un peu plus grand dans la défaite de l'Union nationale et dans la baisse de popularité de M. Duplessis à la fin de sa vie, que les gens qu'on vient d'entendre veulent bien le croire et le dire. Je pense que le travail qui a été fait par le Parti libéral au niveau des comtés, le travail qui a été fait par un homme comme M. Lapalme et d'autres, a quand même été assez important. Les intellectuels, les journalistes, écrivaient, parlaient haut, mais ils étaient souvent lus et entendus par des gens déjà convaincus, sauf peut-être la jeunesse, dont les pères et les mères étaient partisans de l'Union nationale. Elle a pu être touchée par ces intellectuels; il y a des jeunes gens de cette époque qui sont peut-être passés au Parti libéral à cause de cette influence des intellectuels.

F. Sauvageau. **M. Lemieux, vous étiez à ce moment-là étudiant à la faculté des Sciences sociales à Laval, bastion de l'antiduplessisme. Est-ce que la faculté, professeurs et étudiants, faisait à ce point bloc contre M. Duplessis?**

V. Lemieux. Encore là, j'aimerais rectifier certaines choses. Certains professeurs étaient fortement opposés à M. Duplessis tels, évidemment, le Père Lévesque et M. Lamontagne. D'autres par contre, comme M. Léon Dion et M. Fernand Dumont, jeunes professeurs à cette époque, étaient des nationalistes et ne participaient pas à ce combat contre M. Duplessis ; ils étaient un peu en dehors de ce combat. Et je dirais même que leurs tendances idéologiques, ou du moins leurs idées à cette époque, étaient beaucoup plus près d'un certain nationalisme québécois que ne pouvaient l'être, évidemment, celles de gens comme Lamontagne ou d'autres, qui se définissaient surtout par rapport à Ottawa, où ils avaient des amis, où les anciens étudiants de la faculté travaillaient parce qu'il était impossible de travailler à Québec.

Alors, je pense qu'à l'intérieur même de la faculté, il n'y avait pas ce monolithisme dont on parle, du moins à la fin des années 50 ; un peu plus tôt c'était le cas, mais à la fin des années 50, avec l'arrivée de ces nouveaux professeurs, c'était déjà devenu un petit peu plus diversifié.

* * *

M. Robert Rumilly explique maintenant comment Maurice Duplessis voyait les intellectuels.

R. Rumilly. Duplessis avait je ne dirais pas le dédain des intellectuels — le mot serait nettement trop fort — mais il croyait avec raison que les intellectuels sont, je ne dirais pas toujours, mais assez souvent détestables. Les intellectuels, parce qu'ils sont des intellectuels, se croient supérieurs aux autres catégories de personnes, aux hommes d'affaires et aux artisans, par exemple. Ils vivent en vase clos et n'ont pas de contact avec la réalité ; ils ont la prétention et ils meurent d'envie de jouer un rôle politique et de diriger la destinée du pays. Telle était du moins l'opinion de Duplessis.

Duplessis était appuyé par le peuple, il gagnait facilement ses élections. Il a négligé la contrepartie de cette opposition intellectuelle ; il aurait pu par exemple, au moment de sa grande puissance, opposer un journal au *Devoir*. Il a contrôlé, à partir d'un certain moment, *Montréal-Matin*. Eh bien ! il a laissé les dirigeants de ce journal en faire une feuille essentiellement sportive qui ne s'est absolument pas occupée des querelles idéologiques.

M. Cardinal. Est-ce que, pour M. Duplessis, les syndicats représentaient vraiment une force d'opposition importante ?

R. Rumilly. Voici, je crois pourtant avoir dit que les dirigeants de la Confédération des travailleurs catholiques, c'est-à-dire essentiellement Gérard Picard et Jean Marchand, faisaient partie de ce groupe du *Devoir*, de ce groupe d'opposition. Ils ont lancé avec Filion, qui était un peu l'âme de toute cette opposition, cette espèce de slogan, de légende, de Duplessis adversaire des ouvriers, de Duplessis antisyndicaliste. Gérard Filion écrivait dans son journal en toutes lettres et répétait: «Duplessis hait les ouvriers! Duplessis hait les ouvriers!» Je me demande comment on peut se permettre de prêter un pareil sentiment à un premier ministre, serait-il adversaire politique, surtout de la part d'un homme qui a réprimé brutalement une grève qui s'était produite dans son propre journal; mais enfin cette légende se répandait.

Avant Duplessis, rien, absolument rien, n'interdisait à des patrons d'empêcher par tous les moyens d'intimidation des ouvriers d'appartenir à un syndicat. C'est Duplessis, vous entendez bien, c'est Duplessis qui a consacré la liberté syndicale par une loi qui dit textuellement: toute personne qui directement ou indirectement empêche un salarié d'appartenir à une union commet un acte illégal. La loi, avant Duplessis, obligeait un syndicat à rassembler 60% des ouvriers d'une usine pour obtenir le certificat de reconnaissance syndicale obligeant la compagnie à traiter avec lui, à négocier un contrat collectif, ce qui fait la force des syndicats. C'est Duplessis qui par une loi de 1945, — remarquez que n'importe qui peut vérifier en deux minutes ce que je dis là — a abaissé ces 60% à la majorité absolue, 50% plus 1; cette loi a donné un élan formidable, c'est d'elle que date le grand essor du syndicalisme dans la province de Québec. C'est Duplessis qui a donné aux chefs de la Confédération des travailleurs catholiques, les Gérard Picard et Jean Marchand, la force qui leur a permis de l'attaquer sans merci.

L'abbé Gérard Dion, professeur en relations industrielles à l'Université Laval, ne partage pas tout à fait les thèses de M. Rumilly à ce propos.

G. Dion. Je pense que l'antisyndicalisme de Duplessis correspondait à sa philosophie, à sa façon de voir les choses, à sa personnalité et à son caractère. Duplessis était par nature un autocrate. Les autocrates, ce sont des gens qui acceptent difficilement de partager le pouvoir ou qui refusent de voir un pouvoir monter à côté d'eux, pouvoir qu'ils ne peuvent pas contrôler.

Par ailleurs, Duplessis était imbu d'une philosophie, qu'on a appelée chez nous l'agriculturisme. Pour lui, l'agriculture était l'épine dorsale de notre économie. Alors, toute sa pensée était orientée vers l'agriculture, avec un refus de l'industrialisation. Et ce refus de l'industrialisation l'amenait fatalement à s'opposer aux institutions de l'industrialisation, comme pouvait l'être le syndicalisme.

M. Cardinal. Dès son premier gouvernement, en 1936-37, Duplessis a-t-il eu à prendre des positions assez fermes par rapport au syndicalisme?

G. Dion. Oui, et ceci s'est manifesté au cours d'une grève célèbre à l'époque — en passant, je suis surpris qu'on en parle moins aujourd'hui, on parle seulement de la grève de l'amiante —. En 1937, il y a eu une grève à travers toute la province dans l'industrie du textile, qui a duré un mois.

M. Cardinal. S'agissait-il d'une grève légale?

G. Dion. Une grève légale, oui. Dans un discours prononcé le 16 août 1937 à Knowlton, où il fêtait l'anniversaire de l'arrivée au pouvoir de l'Union nationale, M. Duplessis a pris la peine de dire: «La grève de l'industrie du coton est une grève malheureuse et injustifiable, car ceux qui avaient attendu trente ans un gouvernement qui ne faisait rien, pouvaient attendre un mois un gouvernement qui fait tout.» Je dois dire que Duplessis n'était pas contre l'ouvrier, mais contre l'ouvrier organisé. Il était en train de préparer une législation — qu'il a passée par la suite d'ailleurs — la Loi du salaire raisonnable. Par cette législation, Duplessis prévoyait faire un décret particulier pour régler les salaires dans l'industrie du textile. Les syndicats ont refusé parce qu'en réglant par cette loi, il n'y aurait pas eu de convention collective, donc pas de nécessité d'avoir des syndicats.

M. Cardinal. Comment la grève s'est-elle réglée, finalement?

G. Dion. Les ouvriers sont retournés au travail et il y a eu une convention collective.

En février 1949, M. Duplessis dut faire face à un conflit syndical majeur: celui de l'amiante à Asbestos. Ce conflit suivait de près la levée de boucliers de la part des syndicats contre un projet de code du travail que M. Duplessis avait présenté en chambre quelque temps auparavant. Gérard Picard, ancien président de la C.T.C.C., nous parle de ce projet.

G. Picard. Ce nouveau Code du travail reposait sur une philosophie qui nous ramenait à la conception du contrat individuel de travail du Code civil de la province de Québec. Le droit du travail, depuis la guerre 39-45, s'était développé normalement, non seulement au Québec, mais à travers le pays comme un droit distinct ayant ses propres règles. Tout à coup, le premier ministre du Québec, M. Duplessis, décidait que c'était rendu trop loin. Il voulait ramener le droit du travail sous la dépendance du Code civil de la province de Québec, qui est un code absolument réactionnaire lorsqu'il s'agit des travailleurs et des femmes.

Pour nous, retourner sous la dépendance du Code civil, cela signifiait donner aux employeurs tous ces droits arbitraires qui existaient auparavant comme par exemple, en matière de suspensions, de congédiements, etc. ; même sans aucune raison, ils pouvaient disposer de n'importe quel employé à peu près sans avis, puisque quand un type travaillait à l'heure sous le Code civil, à une heure d'avis, il pouvait être congédié sans raison. Le code individuel de travail, c'est le Code Napoléon. Je comprends que Duplessis pouvait admirer Napoléon, il en avait un petit peu l'esprit.

Les syndicats ont fait front commun contre le Code après l'avoir bien examiné et en avoir bien saisi la portée. Le front commun, qui a obligé le premier ministre à retirer ce projet de loi, n'a pas laissé un très bon souvenir dans son esprit, de sorte qu'on pouvait s'attendre, au premier conflit qui suivrait le Code du travail, à avoir affaire à forte partie. Il est arrivé que c'est nous, dans l'industrie de l'amiante, qui avons eu le premier conflit. Si c'était arrivé à une des autres centrales, j'imagine que ça aurait été la même chose, parce qu'après le retrait du Code du travail, M. Duplessis était furieux contre l'ensemble des syndicats.

M. Cardinal. M. Duplessis a retiré son projet de Code du travail, mais est-ce qu'on ne retrouve pas plus tard, sous forme de législations individuelles, un certain nombre d'articles qui étaient à l'origine dans le projet de Code du travail?

G. Picard. Oui, en effet. D'autres tentatives ont été faites, et certains des articles de bills subséquents s'inspiraient du Code du travail de 1949 sans être aussi élaborés et sans avoir exactement la même philosophie générale. Mais, ils s'en inspiraient sans aucun doute.

M. Cardinal. On pense par exemple à ce «Bill 19» sur les communistes, qui reprenait l'esprit, à tout le moins, de l'article 16 du Code du travail.

G. Picard. Oui, et sans aller aussi loin. Mais, naturellement, quand un homme comme M. Duplessis est en même temps procureur général et premier ministre, la loi, il l'a en mains, de sorte que, même si une disposition dans une loi n'était pas aussi élaborée que dans le projet de 1949, comme procureur général et avec le pouvoir discrétionnaire qu'il avait ou qu'il s'était lui-même accordé, il pouvait intervenir à peu près n'importe où.

Ces législations inspirées du défunt Code du travail ajoutées à un certain nombre de conflits ouvriers majeurs comme celui du textile, à Louiseville fin 1952, ont amené les centrales syndicales à organiser une grande marche sur Québec à la fin de janvier 1953. Ces centrales étaient la Confédération des travailleurs catholiques, la Fédération des unions industrielles (qui regroupait entre autres les Métallos et les travailleurs de l'automobile) et la Fédération provinciale du travail, que dirigeait Roger Provost. Ces deux dernières formeront la F.T.Q. en 1957. Or, à la dernière minute, la Fédération provinciale s'est retirée du front commun. Il était

connu à l'époque que M. Provost, à la manière des syndicats
américains, collaborait avec le pouvoir politique pour en tirer des
avantages syndicaux.

M. André Thibaudeau, ajourd'hui professeur à l'École des Hau-
tes études commerciales, a été un proche collaborateur de M.
Provost à partir de 1957.

A. Thibaudeau. Provost était un homme très très politique. Il était
président de la plus grosse des trois centrales: la F.U.I.Q. avait à peu
près 40 à 50 000 membres, la C.S.N. à peu près 80 000 membres, Provost n'était peut-être pas loin des 175 ou 200 000 membres, surtout dans
les syndicats de métiers: imprimerie, vêtement, débardeurs, tous des
vieux syndicats. Provost, qui était un grand politique en même temps
qu'un politicien, savait qu'il pouvait se faire battre très vite s'il ne
composait pas avec un gouvernement qui était prêt à donner des
faveurs.

M. Cardinal. Que s'est-il passé ensuite, dans les années 56-57, pour que
Roger Provost, qui composait avec M. Duplessis, se soit tout à coup
durci et que finalement la F.T.Q. joue le rôle qu'elle a joué à
Murdochville?

A. Thibaudeau. Il faut dire que vers les années 47, 48, Roger Provost
avait été membre du C.C.F., il en a même été le secrétaire au Québec.
Donc, il avait des idées sociales. Lorsqu'ici, au Canada et au Québec,
les métallos, le caoutchouc, tous les autres groupes se sont rejoints, ils
ont vite fraternisé avec des groupes plus à gauche de la Fédération
américaine, et l'équilibre politique s'est refait. Provost n'était plus à la
tête d'une vieille fédération, mais d'une jeune fédération avec du sang
très nouveau...

M. Cardinal. De sorte qu'il a dû se radicaliser malgré lui?

A. Thibaudeau. Les métallos étant là, fatalement, il fallait qu'il se
radicalise parce qu'il y aurait eu une nouvelle scission. Si Provost voulait essayer de faire l'unité, il fallait qu'il laisse ses amitiés, et l'occasion
a été la grève de Murdochville, une autre lutte sur la reconnaissance
syndicale... Avant, il ne condamnait pas les luttes qu'on faisait, au
contraire, il donnait sa sympathie, mais il se défilait dans la bataille.
Cette fois-là, il s'est mis à la tête de la bataille et la grève a mis fin à ses
bonnes relations avec Duplessis.

Provost savait très bien qu'il était devenu le président d'un groupe
dont une très grande partie, de 35 à 40%, qui a été en grossissant, était
beaucoup plus politisée que les gars de métiers, les débardeurs, les gens
du vêtement. A ce moment-là, en bon président, il s'est appuyé sur cette
nouvelle gauche où il y avait des gars excessivement solides, comme

Roméo Mathieu, qui faisait une lutte très acharnée contre Duplessis, Jean Gérin-Lajoie, qui était un jeune turc très violent sur la reconnaissance syndicale, et puis d'autres, comme Fernand Daoust, moi-même, Vaillancourt et beaucoup d'autres. Provost a senti qu'il y avait une force, il a commencé doucement, puis il a laissé tomber Duplessis lors de Murdochville.

A partir de Murdochville, donc de la fin des années 50, tout le mouvement syndical s'oppose à M. Duplessis.

* * *

V. Lemieux. A ce moment-là, c'est assez évident, l'Union nationale apparaît comme un parti antisyndical; ce sont les libéraux qui ont la faveur des syndicats. D'ailleurs, pendant les premières années du gouvernement Lesage, les relations entre les centrales syndicales et le Parti libéral furent très bonnes pour ne pas dire excellentes. C'est en collaboration avec elles que des lois très importantes ont été adoptées.

Par la suite, les choses ont changé assez rapidement. Déjà, à la fin du règne de M. Lesage, les relations entre les syndicats et le Parti libéral étaient moins bonnes. Si bien, que quand M. Johnson a été élu en 1966, il y avait presque une espèce de préjugé favorable des centrales envers lui, et l'Union nationale n'apparaissait plus à ce moment-là, du moins autant qu'à la fin des années 50, comme un parti antisyndical.

Il y a quand même eu sous M. Johnson certaines lois — la Loi 25, par exemple, qui s'est appliquée aux enseignants — qui ont pu faire paraître à nouveau l'Union nationale comme un parti antisyndical. Mais, je dirais qu'en fait on entrait, à ce moment-là, dans une époque où un peu tous les partis de gouvernement au Québec sont apparus comme antisyndicaux. Si bien que l'Union nationale a peut-être été la première à apparaître comme ça, mais les gouvernements qui ont succédé ont paru de la même façon.

F. Sauvageau. Et au sujet des intellectuels, peut-on dire que l'Union nationale a tenté un rapprochement avec eux, particulièrement sous le gouvernement Johnson?

V. Lemieux. Oui, il y a eu un rapprochement véritable. Les intellectuels avaient un préjugé très défavorable envers M. Johnson à cause de son passé dans l'Union nationale. Progressivement, on s'est aperçu qu'il n'était pas aussi farouchement anti-intellectuel qu'il pouvait le paraître. Je ne dirais pas que les relations ont été excellentes entre lui et les intellectuels, mais, encore-là, à cause d'une certaine désaffection des intellectuels envers la fin du gouvernement Lesage, les relations ont été assez bonnes, je ne dirais pas très très cordiales, mais finalement pas trop mauvaises.

CHAPITRE 12

LE NATIONALISME

*Le nationalisme de Duplessis et plus tard celui de Johnson rendaient l'Union nationale sympathique à un certain nombre d'élites laïques ou cléricales, qui étaient attachées aux formes traditionnelles du nationalisme canadien-français. Ces gens n'avaient pas le panache des collaborateurs de **Cité Libre** ou des éditorialistes du **Devoir**, mais l'influence qu'ils exerçaient dans leurs milieux servait les intérêts de l'Union nationale. Ce sont surtout les batailles autonomistes du Québec contre Ottawa qui mobilisaient ces élites. En ce sens, le nationalisme de Duplessis et de ses successeurs remplissait une fonction importante. Il donnait à un parti, dont la base était surtout populaire, une respectabilité à laquelle étaient sensibles les élites traditionnelles. De même, quand Daniel Johnson parlait d'égalité ou d'indépendance, il se rendait sympathique aux nouvelles élites nationalistes de son temps.*

*Maurice Duplessis reçoit Vincent Auriol, président de la Républi-
que française, le 7 avril 1951. (Société des Amis de M. Duplessis)*

«Canada ou Québec? Là où la nation canadienne-française trouvera la liberté, là sera sa patrie.» En 1965, dans son livre Égalité ou Indépendance, *Daniel Johnson reprend et pousse plus avant les thèses autonomistes défendues par Duplessis et qui avaient fait de l'Union nationale des années 40, après l'Action libérale nationale et le Bloc populaire, et avant les mouvements indépendantistes des années 60, le porte-étendard du nationalisme québécois.*

M. René Lévesque, premier ministre du Québec et président du Parti québécois, commente le nationalisme de l'Union nationale.

M. Cardinal. M. Lévesque, l'idée d'autonomie lancée par Duplessis dans les années 40 et sur laquelle il a insisté dans les années 50 n'est-elle pas un peu le prélude au nationalisme des années 60, y inclus celui de Daniel Johnson?

R. Lévesque. Il me semble qu'il faut répondre oui et non, surtout pour les gars de ma génération, parce qu'on avait connu d'abord l'Action libérale nationale. Je me souviens de l'espèce de choc que ce parti avait donné aux adolescents qu'on était, et aussi à nos professeurs, car c'était pendant mes années de collège. On voyait surgir tout à coup un programme qui était déjà une sorte de définition, d'objectifs nationalistes certes, mais assez diversifiés, où il y avait non seulement des objectifs politiques mais aussi une perspective sociale et économique qui commençait à être valable.

En fait, quand Duplessis a mis la main là-dessus, après les élections de 35, 36, et qu'il a fini par dessiner l'Union nationale telle qu'il la voyait, on a eu plutôt — et je garde cette impression-là — l'image d'un recul au point de vue nationalisme. Sur tous les plans, social et économique en particulier et même au point de vue d'une certaine vision politique, je dirais que Duplessis a plutôt été comme une sorte de couvercle sur la bouilloire et qu'il a créé un régime essentiellement stérile, sauf sur ce plan de l'autonomie; mais cette dernière lui a été imposée jusqu'à un certain point.

Je ne veux pas dire que Duplessis n'avait pas cette espèce de fibre nationaliste traditionnelle. Après tout, c'était un Québécois authentique avec ses racines, mais on peut dire que son attitude autonomiste lui a été littéralement imposée par le gouvernement central. Il ne faut pas oublier qu'on sortait des années de guerre; la grande période de Duplessis, seize ans ou presque, c'était au lendemain de la guerre mondiale qui avait permis au gouvernement fédéral de centraliser, d'empiéter comme jamais auparavant, et par la suite de continuer à avoir les mêmes appétits. Alors, Duplessis était littéralement acculé à une certaine résistance.

M. Cardinal. **Quand vous faites le bilan de la politique autonomiste de Duplessis, quels sont les éléments positifs que vous en retenez?**

R. Lévesque. Je mentionnerais comme élément particulièrement positif la lutte que Duplessis a menée autour du partage des impôts, qui a quand même galvanisé une bonne partie de l'opinion publique. C'est-à-dire, pour reprendre la formule qu'il employait volontiers à l'époque: «Rendez-moi mon butin!» A part ça, je ne vois pas grand-chose de positif.

M. Duplessis aurait même mis un certain temps à accepter le drapeau québécois: «Emblème séparatiste, drapeau des nationaleux et de l'abbé Groulx», disait-il. Pourtant, le 21 janvier 1948, le fleurdelisé flottait au-dessus du Parlement.

René Chaloult, l'un des plus fervents nationalistes de l'époque et partisan du fleurdelisé, dit l'importance que Duplessis y attachait.

R. Chaloult. C'était un symbole sans importance pour Duplessis. Il s'y est opposé plusieurs années avant l'adoption de la motion qui a fait du fleurdelisé le drapeau provincial. J'avais inscrit cette motion-là en Chambre et Duplessis s'est opposé par tous les moyens possibles à l'adoption du drapeau, au moment où la majorité des députés y étaient très sympathiques.

F. Sauvageau. **Pourquoi, tout à coup, a-t-il changé d'avis?**

R. Chaloult. A cause de l'opinion publique. Un matin, Duplessis téléphone chez moi et me dit: «Ton drapeau, tu vas l'avoir cet après-midi.» J'ai dit «Oui? Si tôt que ça et comment?» Il répond: «Il va être sur la tour principale du parlement.»

F. Sauvageau. **Et vous avez l'impression que, pour lui, c'était une chose secondaire?**

R. *Chaloult.* Oui, sans importance. Pour lui, ce qui était important, c'était la publicité.

Un ancien ministre de M. Duplessis, M. Antoine Rivard perçoit la question différemment.

A. *Rivard.* Duplessis était un patriote convaincu. Quand il a commencé sa lutte autonomiste, ça demandait un certain courage, parce qu'il était le seul à reveiller cette lutte qui avait peut-être déjà été amorcée par Mercier, mais que bien des gens avaient oubliée. C'est ce qui avait fait dire à Lapalme: «L'autonomie, qu'est-ce que ça mange?» C'était un mot d'esprit douteux, mais il l'a su plus tard: ça l'a mangé, lui, Lapalme.

J'ai participé à cinq ou six conférences fédérales-provinciales et je me souviens d'une, sous Mackenzie King, où à un moment donné, arrive une question qui contrecarrait les idées autonomistes de Duplessis. Duplessis proteste et les procureurs généraux des provinces anglophones ne veulent pas l'accepter. Duplessis se retourne vers moi et dit: «Prends tes papiers, on s'en va.» Il commence à recueillir ses documents, ses papiers, à fermer sa serviette, et Garson lui dit: «Qu'est-ce qui se passe? Il dit: «On s'en va chez nous. Puisque vous ne voulez pas nous entendre et nous comprendre, je vais aller le dire à ma province; eux autres vont me comprendre.» Ç'a été un changement complet dans le climat et l'atmosphère de la conférence.

F. **Sauvageau. C'était de la bonne stratégie, non?**

A. *Rivard.* Certainement. Les autres premiers ministres ou procureurs généraux avaient une peur indicible de Duplessis parce qu'ils ne comprenaient pas ce qu'il voulait, ni jusqu'où il était capable d'aller.

F. **Sauvageau. Est-ce que déjà on croyait que Duplessis voulait l'indépendance du Québec?**

A. *Rivard.* Ah non! Duplessis n'a jamais cherché l'indépendance; il s'est toujours refusé à faire de la province de Québec une république de bananes sans bananes. Il n'a jamais voulu jeter la province de Québec dans une aventure comme celle-là. Il a toujours prétendu qu'au sein de la Confédération, en respectant les droits provinciaux garantis par la Constitution, en nous donnant les libertés législatives nécessaires, les libertés fiscales nécessaires, les libertés de religion et de langue nécessaires, il serait facile de vivre avec les autres provinces, pas en guerre contre elles.

Dès 1939, à cause de la guerre, le gouvernement fédéral avait accaparé tous les pouvoirs de taxation. Après la guerre, Ottawa

*tardait à retourner ces pouvoirs aux provinces. Aussi, dès janvier
54, M. Duplessis annonce que son gouvernement va imposer une
taxe de 15% sur le revenu des contribuables.*

*Les premiers ministres Louis Saint-Laurent et Duplessis s'enga-
gent alors dans une série de débats contradictoires, violents et
injurieux. Si Ottawa ne consent pas à un abattement fiscal de
15%, les Québécois paieront l'impôt deux fois, ce sera la double
taxation. Le 5 octobre 1954, les deux adversaires finiront par
trouver un compromis.*

*M. Dale Thompson, qui était alors secrétaire particulier de M.
Saint-Laurent, raconte comment cela s'est produit.*

D. Thompson. A un moment donné, M. Saint-Laurent a trouvé que les
choses allaient trop loin et qu'il fallait que l'homme d'État prenne le
dessus. Et, à la grande surprise de tout le monde — ce n'était pas la
seule fois dans l'histoire qu'il l'a fait — il a pris l'initiative. Un jour, il
appelle M. Duplessis et lui dit: «C'est assez, il ne faut pas persister dans
cette querelle, est-ce qu'on peut se rencontrer?» M. Duplessis a dit:
«D'accord, je serai à Montréal lundi — je pense que c'était le lundi —
je vous rencontre à votre hôtel.» Alors a eu lieu la fameuse rencontre à
l'hôtel Windsor. Par après, on a accusé M. Saint-Laurent de négocier
dans les coulisses et dans les chambres d'hôtels en grand secret; beaucoup de gens du reste du pays ont dit qu'il a cédé aux pressions, qu'il a
dû faire des «bargains» secrets, etc.

Toujours est-il que M. Saint-Laurent disait à M. Duplessis: «Vous
avez le droit d'avoir votre impôt direct. Nous trouvons que ce n'est pas
sage, mais si vous tenez à l'avoir, c'est votre droit. Nous ne voulons pas
que les contribuables québécois en souffrent. Est-ce que le montant en
question ne pourrait pas être 10% plutôt que 15? Nous sommes prêts à
accorder une déductibilité jusqu'à 10%. La seule chose qu'on vous
demande, c'est d'enlever le préambule de votre loi, cette fausse affirma-
tion que vous avez la priorité dans ce domaine.» Alors, M. Duplessis a
répondu: «Écoutez, je ne veux pas insister non plus, je ne veux pas en
faire un cas de principe et j'accepte.» Ça, c'était un peu l'arrangement.
Duplessis gagnait en ce qui concerne la déduction. (il avait son impôt
provincial) mais il faisait effacer le préambule de sa loi.

Ce qui a été très drôle, c'est qu'en sortant de la Chambre, alors qu'il
venait de faire biffer le préambule, il a déclaré: «Je suis toujours d'avis
que nous avons la priorité.» Il n'avait rien cédé du tout!

M. Antoine Rivard explique la stratégie de Duplessis.

A. Rivard. Je dois dire que lors de la décision du Conseil des ministres
ou du parlement de lever un impôt provincial, nous n'avions aucune

garantie que l'impôt fédéral reculerait. Et au moins deux ministres (Paul Sauvé et moi-même) craignaient de passer ça avant d'avoir l'assurance que le citoyen de la province de Québec ne serait pas taxé deux fois. Duplessis nous a dit: «Vous êtes des peureux, ils vont reculer.» Et c'est lors de cette entrevue — je ne suis pas certain s'il y avait d'autres personnes que Duplessis et Saint-Laurent à cette entrevue-là, en tout cas je n'y étais pas — que Saint-Laurent a reculé. Duplessis avait eu toute la presse pour lui.

F. Sauvageau. Et M. Lapalme a eu l'impression que le gouvernement fédéral l'avait laissé tomber sur cette question.

A. Rivard. C'est clair et net qu'ils l'ont laissé tomber, et sans même l'avertir. Quand Lapalme a pris la position: «Vous allez imposer double taxe sur le revenu aux citoyens de la province de Québec», avait-il eu une garantie? Il était informé que le fédéral ne reculerait pas et mettrait par conséquent l'odieux de cette lutte-là sur Duplessis. Mais ça n'était pas pour faire peur à Duplessis, ça: «Vous allez voir qu'ils vont reculer», disait-il. Et ils ont reculé.

Un an et demi avant la rencontre à l'hôtel Windsor, M. Duplessis avait mis sur pied une commission royale d'enquête sur les problèmes constitutionnels. Elle était présidée par le juge Thomas Tremblay et les commissaires étaient MM. Esdras Minville, Honoré Parent, P.-H. Guimont, John Rowat et le Père Richard Arès.
 Le juge Tremblay explique pourquoi M. Duplessis avait créé cette commission d'enquête.

T. Tremblay. A un moment donné, il s'est demandé ce que le peuple pensait vraiment de cette histoire de nationalisme et de pouvoirs de taxation qu'il réclamait d'Ottawa. Il s'est demandé si le peuple comprenait bien ça. C'est ainsi qu'il a pensé à créer une commission royale qui ferait une étude des problèmes constitutionnels qu'il avait soulevés, et que d'autres soulevaient en même temps. Nous avons fait le tour de la province du nord au sud, de l'est à l'ouest, et nous avons parlé avec beaucoup de gens en dehors des séances de la commission. Nous avons constaté que les gens comprenaient beaucoup mieux ce problème du nationalisme québécois et du retour des pouvoirs de taxation.

C'est ce que je lui disais, un soir que je veillais avec lui, au cours de notre travail: «Nous avons fait le tour de la province et l'opinion publique est prête. C'est beau et c'est facile, par exemple, d'aller à Ottawa et de crier: donnez-nous notre butin! Seulement, la meilleure preuve qu'on tient à ses droits, c'est encore de les exercer. Et les pouvoirs de taxation que tu réclames d'Ottawa, ils ne te les donneront jamais à moins que tu ne les prennes. Le temps est arrivé d'adopter une loi provinciale d'impôt sur le revenu. D'après ce que nous avons senti au cours de nos voyages, l'opinion publique est prête et je suis sûr que Saint-Laurent va reculer.»

Il me regarda et dit: «Je crois bien que tu es fou. Me vois-tu arriver devant le peuple avec une nouvelle taxe aux prochaines élections? Tu ne comprends donc rien aux problèmes politiques?» Je lui dis: «C'est peut-être vrai, seulement, penses-y sérieusement. Nous, on a pris le pouls de la population et le peuple est prêt. Va-t-il avoir double taxation? Peut-être, mais celui qui en portera la responsabilité, ce sera celui qui a refusé à la province de Québec des pouvoirs de taxation qui ont été prêtés au gouvernement fédéral simplement pour des fins militaires. C'est sûr que le gouvernement fédéral va retraiter, et s'il s'obstine, c'est lui qui en portera les conséquences et le peuple votera contre lui aux prochaines élections.»

Deux semaines après, j'apprends qu'il avait donné instruction aux fonctionnaires du ministère du Revenu de préparer une loi d'impôt sur le revenu provincial.

La Commission Tremblay remet son rapport en 1956. M. Duplessis n'y portera guère d'intérêt. Au début des années 60 toutefois, d'abord M. Lesage, puis M. Johnson, puiseront abondamment au texte des commissaires.

T. Tremblay. Le fait est que Lesage, quand il a pris le pouvoir, à son premier voyage à Ottawa, y est allé avec un exemplaire de notre rapport. Il dit: «Ce sera mon évangile et c'est là-dessus que je me baserai pour réclamer les droits de la province». Duplessis, lui, n'a jamais fait ça; il a mis notre rapport sur les tablettes. Je n'ai jamais su ce qu'il en pensait; il ne nous a jamais fait de compliments ni de reproches. J'ai bien l'impression qu'il n'a pas aimé beaucoup notre travail parce qu'il était trop long; il n'avait pas le temps de lire ça.

F. Sauvageau. **Vous pensez qu'il n'a jamais lu l'ensemble des travaux?**

T. Tremblay. Je suis à peu près sûr qu'il ne l'a jamais lu. Il a peut-être feuilleté la table des matières...

M. Jean-Charles Bonenfant commente le rapport de la Commission Tremblay.

J.-C. Bonenfant. Le rapport était profondément autonomiste. Alors, il s'est produit un drôle de phénomène qui n'a pas été complètement percé. C'est que M. Duplessis a fait, je ne dirais pas retirer le rapport, mais il l'a mis aux oubliettes. Mon opinion est que Duplessis était un nationaliste, mais un nationaliste traditionnel; il a peut-être été effrayé par un certain excès du nationalisme — excès, c'est péjoratif — peut-être un nationalisme qui serait trop poussé, qui est à peu près celui que nous connaissons même sans être indépendantistes aujourd'hui.

Il y a peut-être un autre facteur. Le rapport Tremblay était colossal. Duplessis était vieilli à ce moment-là, et je me demande s'il n'a pas eu une sorte de crainte de ne pas être capable de l'absorber entièrement. Quoi qu'il en soit, il a peut-être eu la crainte aussi que l'application du rapport ne détermine une révolution. Parce que le rapport est, à mon sens, à l'origine de la Révolution tranquille, même dans le domaine de l'éducation. Jean Lesage l'a fait ressortir, d'ailleurs, quand il a pris le pouvoir. Et n'oublions pas — un exemple qui me frappe — que l'annexe au rapport Tremblay dans le domaine de l'éducation a été rédigée par Arthur Tremblay, qui va devenir plus tard l'un des grands artisans de la Révolution tranquille dans le domaine de l'éducation.

* * *

Dès janvier 63, Daniel Johnson, alors chef de l'opposition, déclarait à l'Assemblée législative: «Ou bien nous serons maîtres de nos destinées dans le Québec et partenaires égaux dans la direction des affaires du pays, ou bien ce sera la séparation complète.» En 65, c'était le slogan «Égalité ou Indépendance» puis, en 1968, l'amorce du processus de révision constitutionnelle. A nouveau, le témoignage de M. René Lévesque.

R. Lévesque. J'ai l'impression que Johnson a d'abord repris une vieille tradition de résistance à Ottawa, parce que c'était devenu plus ou moins comme une sorte de fibre centrale dans l'organisme même de l'Union nationale. Mais aussi, je pense que Johnson se préparait probablement à aller plus loin; en fait, il est allé plus loin dans les attitudes et dans le vocabulaire, et cela a son importance parce qu'après tout, ce sont les mots souvent qui précèdent la réalité. Vous savez que Daniel Johnson est le premier représentant ou leader de vieux parti traditionnel qui ait osé employer le mot indépendance, et l'employer d'une façon sérieuse. Peu importe la valeur politique réelle du slogan «Égalité ou Indépendance» il a osé l'employer au lieu d'en faire cette espèce de caricature continuellement répétée et plutôt répugnante que, jusqu'à Bourassa, les autres en ont toujours faite.

M. Cardinal. Pensez-vous que la formule «Égalité ou Indépendance» était simplement un slogan électoral pour Daniel Johnson?

R. Lévesque. Non. Écoutez, il ne faut pas oublier qu'avant d'être considéré comme un slogan, ç'a quand même été le titre d'un livre qu'il a publié un an avant les élections de 66. Quand on relit le livre de Johnson, on s'aperçoit qu'il s'agissait, quand même très vigoureusement, de la définition de ce qu'on appelait à l'époque le statut particulier, des nouvelles règles du jeu, mais à l'intérieur quand même d'un fédéralisme — comme on disait à l'époque aussi — renouvelé, mais un statut très particulier pour le Québec.

M. Cardinal. **Vous ne mettez pas en doute, vous, la sincérité de Daniel Johnson?**

R. Lévesque. Foncièrement, non. Sur ce plan-là, non. J'ai toujours eu l'impression que son fond de nationaliste québécois, nationaliste qui avait quand même une certaine vision contemporaine et non pas uniquement la perspective traditionnelle, que ça, c'était très authentique.

M. Johnson était entouré d'un groupe de jeunes intellectuels très nationalistes qui ont exercé sur lui une influence considérable et qui avaient tous participé à la préparation du livre Égalité ou indépendance.
   Un membre de ce groupe, Paul Gros D'Aillon, explique la thèse constitutionnelle de M. Johnson.

P. Gros d'Aillon. L'idée de Johnson était la suivante. Ces deux peuples qui déjà avaient vécu plusieurs constitutions, qui les avaient changées quand le besoin s'en était fait sentir sous la pression des événements, étaient assez forts pour pouvoir s'asseoir de nouveau ensemble et essayer de trouver ce qui pouvait rester ensemble et ce qui devait être séparé. Chaque peuple devant évoluer, en fonction même de cette idée de nation, vers des buts différents et s'épanouir par des voies différentes, il était inutile d'essayer de les rassembler à tout prix sous la même houlette dans tous les cas. Et il voulait que, de cette assemblée constituante dont il préconisait la formation, naisse une espèce d'entente entre les deux peuples, qui ne serait peut-être pas définitive mais qui, au moins, serait valable pour des années à venir. Au lieu de faire ponctuellement des réparations et des reprises à la Constitution, il proposait tout simplement qu'on mette de côté cette Constitution centenaire, qui ne correspondait plus ni dans ses réalités ni dans ses définitions à l'époque que nous vivions, et qu'on s'asseoit tout simplement pour en créer une nouvelle. Ce n'était pas pour lui une tâche insurmontable. Vraiment, je crois que le seul objectif politique important que Daniel Johnson ait eu était cette révision constitutionnelle, et, pour l'atteindre, il était prêt à n'importe quoi.

F. *Sauvageau*. Ainsi, la révision de la Constitution s'amorce et, en même temps, s'amorce au sein du Parti libéral du Canada la montée du leadership de Pierre-Elliot Trudeau...

P. Gros d'Aillon. Oui, ce qui, à mon sens, allait changer bien des choses. J'ai l'impression très nette que M. Johnson n'était pas loin de s'entendre avec M. Pearson, et que Pearson était prêt, lui aussi, à faire des pas vers le Québec, peut-être une politique de petits pas. L'arrivée de M. Trudeau allait modifier considérablement la situation.

* * *

Du 5 au 7 février 1968, se tient la première conférence constitutionnelle à Ottawa. Le ministre fédéral de la Justice, Pierre-Elliot Trudeau et Daniel Johnson s'affrontent.

P.-E. Trudeau. Mais à partir du moment où on prétend qu'une province parle au nom de la nation canadienne-française, et à partir du moment où cette province prétend avoir des droits particuliers pour protéger cette nation, je vous dis que la conséquence devra être inévitablement que les membres de cette nation qui essaieront de participer au gouvernement central perdront leur raison d'être. Et c'est cela que nous voulons éviter. Et nous sommes très heureux de tous les progrès qui ont été faits hier dans le domaine de l'égalité linguistique, parce qu'au fond je pense que c'est cela que les Canadiens français veulent, je pense que c'est cela — et M. Johnson l'a répété ce matin — c'est cela qui est le grand progrès. C'est ça l'égalité pour nous des deux nations au sens sociologique, — si on veut employer le mot nation — et c'est certainement ça pour nous l'égalité au sens des communautés linguistiques qui existent dans ce pays, les deux communautés qui parlent les langues officielles. C'est ça l'égalité pour nous.

D. Johnson. Je n'ai pas dit ce matin que c'était — ce déblocage au point de vue linguistique — le grand progrès mais j'ai dit que c'était là un grand progrès. Et on se fait des illusions si on s'imagine que Québec va être satisfait parce qu'ailleurs ont peut parler français. Je regrette d'être obligé de le dire, de le répéter en reprenant des propos tenus à Toronto: ce n'est pas une aspirine qui va régler le problème. Le problème est plus profond. Et à l'ignorer on fait courir au Canada de plus grands risques qu'à l'envisager clairement. Et le problème va se poser un jour, si la nation canadienne-française ne se sent pas à l'aise à l'intérieur de la Confédération, on ne parlera plus de nation canadienne-française mais on parlera de nation québécoise.

* * *

Ancien député de l'Union nationale puis membre du Parti québécois, M. Jérôme Proulx témoigne à son tour de l'époque de M. Johnson.

J. Proulx. Quand je suis entré à l'Union nationale en 66, je me souviens que, dans une entrevue avec Jean Bruneau, Fernand Lafontaine, M. Johnson et plusieurs autres, j'ai dit: «Moi, je suis quelque peu séparatiste, quelque peu indépendantiste.» Ils ont répondu: «C'est votre place dans l'Union nationale, venez-vous-en!» C'est cette ouverture d'esprit qui m'avait attiré, avec quelques autres nationalistes convaincus, tels que Antonio Flamand, Fernand Grenier, Denis Bousquet et le docteur Lussier. Et à l'occasion des grands débats, M. Johnson nous consultait; il aimait avoir le pouls de notre petit groupe d'authentiques nationalistes.

F. Sauvageau. Mais son objectif était quand même de conserver le Canada, de le transformer, d'en faire un Canada à deux plutôt qu'un Canada à dix.

J. Proulx. Oui, exactement, c'était sa formule. Je me souviens de sa fameuse conférence à Ottawa avec Trudeau, le fameux débat où ils avaient eu une prise de bec. M. Johnson n'avait peut-être pas eu le meilleur de la discussion, et on nous avait demandé, à nous les députés, de l'appeler. Moi, je l'avais appelé à minuit; il était couché à l'hôtel; j'ai dit: «M. Jonhson, laissez donc ça là. Venez-vous-en donc. Faites donc l'indépendance, vous perdez votre temps!» Il a dit: «M. Proulx — il était fatigué, épuisé, un peu démoralisé — la mentalité n'est pas prête; le peuple n'est pas mûr pour ça.» Effectivement, en 1966, le R.I.N. avait eu 6% du vote, et en 70, le Parti québécois en a eu 23%.

F. Sauvageau. C'est donc dire que ces accrochages assez spectaculaires à la télévision avec M. Trudeau, il ne les faisait pas pour la galerie?

J. Proulx. Oh non, je ne pense pas. Lorsque M. Johnson demandait 100% (100, 100, 100) dans ses revendications, lorsqu'il se battait pour les allocations familiales, pour toutes les récupérations, comme dans l'éducation permanente ou les $200 millions qu'il voulait avoir, c'était un gars qui voulait défendre son Québec — M. Duplessis parlait de butin. Daniel Johnson était un nationaliste, mais c'était aussi un homme ouvert. Ce qui m'a frappé aussi, c'était son ouverture sur le monde.

Il a peut-être été le premier ministre québécois qui avait vraiment une ouverture sur le monde. On l'a vu lors de la visite du général de Gaulle ; c'était incroyable.

P. Gros d'Aillon. Dès son arrivée au pouvoir en 1966, M. Johnson avait délégué quelques-uns de ses collaborateurs en France pour songer à élargir très sérieusement la coopération franco-québécoise qui jusqu'alors, ne portait essentiellement que sur l'enseignement. Il avait obtenu des résultats assez remarquables avec Peyrefitte ; il avait proposé la participation, par exemple, du Québec à la construction d'un satellite franco-germano-québécois, et il étendait le champ d'action sans arrêt. Il est évident que Johnson souhaitait une caution internationale et il était tout à fait normal, dans son esprit, d'aller la chercher du côté de la France.

Il avait un interlocuteur de taille, qui peut-être en a donné plus que le client n'en souhaitait. Il avait trouvé en de Gaulle une oreille attentive et, dans son approche du problème constitutionnel, cet apport, cette caution internationale, allait lui être extrêmement utile.

F. Sauvageau. **Vous laissez entendre que cette caution a donné beaucoup plus que ce que M. Johnson en attendait.**

P. Gros d'Aillon. Exactement, parce que la stratégie des deux n'était peut-être pas tout à fait la même. M. Johnson effectivement — je peux le dire maintenant — était très déçu le soir du 26 juillet, si mes souvenirs sont exacts, de la parole un peu trop martelée du général.

F. Sauvageau. **Est-ce qu'il le lui a manifesté ?**

P. Gros d'Aillon. Il le lui a dit, mais en termes sobres ; c'était un homme qui contrôlait très bien ses sentiments et ses impulsions, mais il a tout de même signifié au général qu'il était allé trop loin.

F. Sauvageau. **Et, à ce moment-là, le Canada a failli rompre ses relations diplomatiques avec la France.**

P. Gros d'Aillon. Oui. A cette occasion, M. Johnson s'est montré extrêmement responsable : il a prévenu Ottawa qu'en cas de rupture des relations diplomatiques du Canada avec la France, le Québec se verrait dans l'obligation de rompre à son tour le pacte confédératif.

F. Sauvageau. **Mais de quelle façon ? Qu'est-ce qu'il aurait fait ?**

P. Gros d'Aillon. Il l'aurait dénoncé purement et simplement.

F. Sauvageau. **Tout en n'étant pas d'accord avec le «Vive le Québec libre !» du général de Gaulle ?**

P. Gros d'Aillon. Oui, car cet appui lui semblait absolument indispensable non seulement pour une raison de stratégie mais pour l'ensemble du développement québécois.

F. Sauvageau. **Vous expliquiez que l'objectif des accords avec la France était de nous donner des instruments en vue de constituer un État solide. Est-ce que d'autres accords étaient prévisibles? Et où cela allait-il nous mener?**

P. Gros d'Aillon. Johnson avait posé la question à quelques universitaires de ses amis, leur demandant combien de temps il faudrait au Québec pour se doter de tous les instruments d'une administration autonome. Et la réponse qui lui avait été faite était dix ans. Il avait décidé d'accélérer ces étapes, à toutes fins pratiques, sans en préciser exactement l'objet, dans le but de donner au Québec tous les instruments d'une administration autonome et indépendante. Dans cet esprit par exemple, il était même prévu que, outre la formation de techniciens, d'ingénieurs en énergie nucléaire et autres missions qui se sont faites, d'autres missions auraient eu lieu, allant jusqu'à la formation de douaniers et d'agents de la monnaie.

F. Sauvageau. **Donc on négociait, mais de l'autre côté on préparait l'indépendance.**

P. Gros d'Aillon. On préparait la possibilité.

F. Sauvageau. **Est-ce que Johnson l'aurait faite, cette indépendance?**

P. Gros d'Aillon. Question très hypothétique. Je l'ai vu se lever un matin, justement à la fin de la rédaction de *Égalité ou Indépendance*, me disant: «Je me suis, ce matin, levé séparatiste; il faut que je me retienne.» Je ne crois pas, sincèrement je ne crois pas, qu'il l'aurait faite, mais il serait allé jusqu'à un point de non-retour tel qu'on aurait pu l'obliger à la faire.

M. Jean Lesage était alors chef de l'opposition à l'Assemblée législative.

M. Cardinal. **Est-ce que vous pensez que si M. Johnson avait vécu quelques années de plus, il aurait pu aller jusqu'à l'indépendance du Québec?**

J. Lesage. Non, non, non. Oh non! Il s'en allait vers une impasse.

M. Cardinal. **A votre avis, son nationalisme correspondait-il à une pensée constitutionnelle réfléchie, claire?**

J. Lesage. Non, ce n'était pas réfléchi et clair, c'était un sentiment qu'il exprimait, mais il n'aboutissait à rien de précis.

M. Cardinal. **Iriez-vous jusqu'à dire qu'il faisait simplement de l'électoralisme avec le slogan «Égalité ou Indépendance», par exemple?**

J. Lesage. J'ai toujours été tenté de penser qu'il y avait un brin d'électoralisme dans son affaire, parce qu'il faisait passablement tout en regard de ce que ça pouvait rapporter au point de vue politique. N'empêche qu'il était certainement un nationaliste sincère et convaincu. Et quand il s'exprimait ainsi, il le faisait sans arrière-pensée. Je suis nationaliste, je l'ai toujours été; il l'était peut-être plus que moi, sans doute, mais je n'ai jamais douté de sa sincérité. Toutefois, il n'a jamais poussé, approfondi, son nationalisme jusqu'à le conduire à quelque chose de concret et de faisable.

M. Cardinal. Croyez-vous qu'il était conscient de cette impasse dans laquelle il semblait se trouver?

J. Lesage. Ça devait l'inquiéter beaucoup. Il était assez intelligent qu'il le réalisait certainement.

Un autre collaborateur de Daniel Johnson, membre de l'équipe de rédaction du livre Égalité ou Indépendance, M. Jean-Noël Tremblay, s'interroge sur l'idée d'indépendance telle que perçue par l'ancien premier ministre.

M. Cardinal. M. Johnson a écrit dans *Égalité ou Indépendance*: «Je n'écarte pas à priori la thèse séparatiste.» Mais, une fois premier ministre, ne la considérait-il pas plutôt comme une thèse possible, sans pour autant la souhaiter?

J.-N. Tremblay. Il me faudrait, pour répondre à cette question, parler très longuement de la genèse de ce livre. M. Johnson l'a signé après bien des hésitations, après un long temps de réflexion. Et le groupe de collaborateurs qui a préparé le livre a eu du mal à l'amener jusqu'au point ultime, c'est-à-dire jusqu'aux conclusions naturelles des prémisses qui étaient posées au départ dans cet ouvrage. Mais, dans la mesure où j'ai pu le comprendre et comme je l'ai vu agir, je crois que M. Johnson n'écartait pas la possibilité de l'indépendance, sauf que l'indépendance, pour lui, n'aurait pas été le séparatisme brutal. Ç'aurait été une façon pour le Québec de prendre politiquement et économiquement ses distances par rapport au gouvernement central et, surtout, par rapport aux autres États-membres de la fédération canadienne.

Ce qui le séduisait davantage — et j'ai eu l'occasion d'en discuter des heures et des heures, pour ne pas dire des nuits, avec lui — c'était l'idée d'une association économique, une sorte de commonwealth, et en même temps un partage de responsabilités qui garde au Canada une certaine unité dans les domaines stratégiques des communications, par exemple, des transports, de la défense, etc.

M. Cardinal. Est-ce qu'il s'était donné un échéancier?

J.-N. Tremblay. Non, pas formellement. Mais il m'a dit un jour, alors que nous revenions d'une conférence des premiers ministres à Fredericton: «Peut-être nous faudra-t-il précipiter les choses.»

F. Sauvageau. Dans l'Union nationale, est-ce qu'à ce moment-là tout le monde était d'accord pour le suivre?

P. Gros d'Aillon. Non. On l'a bien senti à sa mort d'ailleurs. Il n'était pas encore enterré que déjà plusieurs députés — et pas seulement parmi les plus anciens — manifestaient leur souci de se débarasser de cette voie de la francophonie dans laquelle on s'était engagé, et de revenir à des choses plus simples et plus reposantes.

Il est sûr que Johnson ne mettait pas beaucoup de gens au courant de ses intentions, même parmi ses collaborateurs; il était assez difficile à percer, il était très secret. On avait souvent l'impression d'être très en avant des troupes et, en se retournant, de chercher où elles étaient. Par contre, chez les jeunes députés, Antonio Flamand, Jérôme Proulx, Marcel Masse, etc., il y avait un accord total.

F. Sauvageau. A l'été 68, M. Johnson était très malade. En vacances à Hawaï, il fit une déclaration qui est restée un peu célèbre: «Je ne vais pas ériger une muraille de Chine.»

P. Gros d'Aillon. Il a dit, plus exactement: «Je n'ai pas été élu pour ériger une muraille de Chine autour du Québec.» Cette déclaration semble lui avoir été inspirée par des soucis économiques. Déjà, on pouvait le sentir, sa politique très nationaliste commençait à causer quelques problèmes économiques: fuites de capitaux, refus d'installation d'entreprises. Il en était conscient; il avait certaines difficultés d'emprunts sur les marchés étrangers et il était conscient qu'il ne trouverait pas ces fonds-là ailleurs que sur les marchés traditionnels. Il avait fait, en quelque sorte, marquer un temps d'arrêt, sinon un recul.

F. Sauvageau. Mais est-ce que cela ne manifeste pas qu'il avait perdu son pari et qu'il s'apprêtait à réorienter son tir?

P. Gros d'Aillon. Oui, mais nous n'avons jamais su ce qui aurait pu se passer parce que sa maladie gagnant de vitesse, il est mort deux mois après.

*   *   *

L'Union nationale est une émanation directe du peuple québécois. C'est l'instrument politique que le Québec s'est donné aux heures difficiles de son histoire pour échapper à l'emprise extérieure et pour concevoir son destin en des termes exclusivement québécois.

Jean-Jacques Bertrand

* * *

M. René Lévesque cherche à situer le nationalisme de Jean-Jacques Bertrand.

M. Cardinal. Avez-vous l'impression que cette pensée nationaliste, qui avait été un peu la ligne directrice de l'Union nationale, s'est effondrée avec l'arrivée de J.J. Bertrand au pouvoir?

R. Lévesque. Non, elle ne s'est pas effondrée. C'est simplement que le gouvernement de M. Bertrand n'avait pas forcément l'autorité que celui de Johnson pouvait avoir. En plus, il était seulement le successeur, successeur choisi en cours de route, et il n'avait pas fait face à des élections; il ne pouvait pas dire avec la même autorité, ni de près ni de loin, qu'il avait ramené le parti au pouvoir et que c'était son gouvernement. Il était plutôt le gars qui assurait l'intérim en attendant de voir s'il pouvait gagner un mandat. Malheureusement pour lui, il n'en a pas gagné.

M. Cardinal. S'il avait gagné en 70, pensez-vous que son attitude aux conférences fédérales-provinciales ou son attitude en général vis-à-vis d'Ottawa aurait changé?

R. Lévesque. S'il avait gagné d'une façon claire et nette, sûrement que son attitude aurait pu changer. Parce que, tel que j'ai connu Jean-Jacques Bertrand, il était très authentiquement accroché à une perspective nationaliste, à une perspective beaucoup plus claire en tout cas que celle du gouvernement Bourassa à ce point de vue-là.

M. Cardinal. On sait qu'au début des années 60 il était considéré comme le nationaliste à l'intérieur de l'Union nationale. Est-ce que ce nationalisme se serait dilué progressivement?

R. Lévesque. Oui, mais ça, c'est ce qu'on voyait peut-être simplement parce qu'il en parlait davantage à cette époque; d'autant plus que l'espèce d'éloquence traditionnelle de M. Bertrand avait toujours une résonance nationaliste. On en avait fait le symbole du nationalisme traditionnel de l'Union nationale. En réalité, si on compare avec ce qu'on a découvert chez Johnson une fois arrivé au pouvoir sans oublier le fait que c'était un politicien retors et qu'il pouvait être haïssable comme ce n'est pas permis, Johnson avait quand même plus de perspective d'avenir que le côté pas mal traditionaliste véhiculé par M. Bertrand.

A l'automne 69, la bataille autour de la Loi 63 et de la langue d'enseignement secoue le Québec et l'Union nationale. Deux députés quittent alors l'Union nationale, dont Jérôme Proulx.

J. Proulx. Lorsqu'il a pris le pouvoir, M. Bertrand avait des problèmes de santé. Il a présenté les fameux Bills 85 puis 63. C'est peut-être ce qui a été la fin de l'Union nationale, cette fameuse crise de la langue autour de l'affaire de Saint-Léonard, où le parti s'est divisé, déchiré de l'intérieur : démissions, mises à la porte, etc.

F. Sauvageau. Loin d'être nationaliste, vous considérez que M. Bertrand était plutôt agressif envers les nationalistes ?

J. Proulx. Dans le fond, peut-être pas. C'est une question de formation. M. Bertrand a fait ses études dans une université anglaise, — je pense, je n'en suis pas sûr. En tout cas, il avait cet esprit des Britanniques, cette préoccupation pour la défense des droits individuels, des droits de la personne. Tout le fond de la Loi 63 est là. M. Johnson avait peut-être davantage le sens de la nation et M. Bertrand avait peut-être plutôt le sens des droits individuels. Lorsqu'est arrivé le «Bill 63», M. Bertrand s'est peut-être entêté ; on dit qu'il avait promis de le passer. Il avait reculé sur le «Bill 85», allait-il reculer une deuxième fois sur le «Bill 63» ? Il s'est entêté ; c'était une espèce d'acharnement. Vous dites de l'agressivité. Oui et non. Quand j'ai démissionné, j'ai été à son bureau ; la conversation était facile, la communication était amicale ; mais il y avait dans le parti des gens agressifs à notre égard. Je ne pourrais pas répéter tout ce qu'on a dit : «Ces espèces de séparatistes, on va les mettre à la porte !» etc.

F. Sauvageau. Mais M. Bertrand lui-même n'a-t-il pas dit publiquement aux souverainistes d'aller au Parti québécois ?

J. Proulx. Oui, il l'a dit, pour se débarasser de Cardinal. Il faut penser au fameux congrès où le parti avait été divisé. Mais comme je l'ai dit, l'agressivité venait surtout de ministres qui étaient à notre égard d'une dureté incroyable. M. Bertrand était pris, il voulait nous garder et pas nous garder en même temps.

Donc, en disant : «Souverainistes, quittez le parti !» il invitait M. Cardinal à s'enligner avec les trois ou quatre avec qui ce dernier avait eu des rêves de fonder un parti. Il faut dire aussi que M. Bertrand est arrivé au moment où le Parti québécois apparaissait, ce qui rendait la situation encore plus difficile.

Malgré cela, on ne peut pas dire que M. Bertrand s'est affirmé d'une façon particulière. Il a été un peu le continuateur de ce qui avait été fait et il a été pris dans un cul-de-sac. Et l'Union nationale, en 70, s'est réveillée avec 19 ou 17 députés. Ce fut, à mon avis, la mort de l'Union nationale.

Jean Bruneau était à l'époque l'un des plus proches collaborateurs
du premier ministre Bertrand.

**M. Cardinal. M. Bertrand était considéré par tout le monde comme un
nationaliste, particulièrement au début des années 60; est-ce que ce
nationalisme ne s'est pas un peu ramolli vers la fin et singulièrement,
quand il est devenu premier ministre? Par exemple, dans les relations
entre la France et le Québec, ainsi qu'aux conférences fédérales-provinciales, il adoptait un comportement nettement différent de celui qu'a-
vait adopté Daniel Johnson.**

J. Bruneau. Non, c'était le même nationalisme mais basé sur des principes différents. Dans le domaine constitutionnel, il se disait que tant
que la Constitution n'était pas changée, il fallait la respecter. Il ne
voulait pas se battre avec Ottawa pour avoir un ambassadeur quand la
Constitution ne nous le permettait pas. Ceci dit sous toutes réserves, car
je sais qu'il s'est passé différentes choses à Paris où le Québec était
reconnu par certains fonctionnaires comme une sorte de pays autonome; et Ottawa ne digérait guère cette attitude qu'adoptait le Québec.
Il aurait fallu que les discussions s'amorcent à ce sujet et que l'on
modifie la Constitution. M. Bertrand pouvait être en désaccord avec la
Constitution mais, tant qu'elle existait, c'était pour lui une loi qu'il
fallait respecter. Il ne croyait pas à cette sorte d'affrontement qu'il
estimait plutôt démagogique que pratique. Pour lui, la confrontation
nuisait plutôt que n'aidait ses concitoyens.

Au congrès à la chefferie de 1969, M. Bertrand s'opposait à son
ministre de l'Éducation, M. Jean-Guy Cardinal, qui représentait
la tendance nationaliste.

J.-G. Cardinal. M. Johnson parlait d'égalité ou indépendance; M. Bertrand disait toujours: «Nous sommes du Québec mais nous sommes du
Canada.» Il y a des paradoxes dans tout ça. C'est M. Bertrand qui, par
ses lois, a peut-être enlevé le plus de pouvoirs au lieutenant-gouverneur.
En créant le ministère des Institutions financières qui émet aujourd'hui
les actes constitutifs ou les chartes des compagnies, il enlevait ce pouvoir au lieutenant-gouverneur. En ouvrant la session très simplement, il
enlevait une série d'auréoles au lieutenant-gouverneur. En abolissant le
Conseil législatif, il en arrachait tout un morceau aussi au lieutenant-
gouverneur qui présidait le Conseil législatif au moment de la promul-
gation des lois.

**M. Cardinal. Est-ce que M. Bertrand était ce que l'on pourrait appeler
un fédéraliste inconditionnel?**

J.-G. Cardinal. Oh, il était certainement fédéraliste. Il l'a mentionné à plusieurs reprises. Il ne l'était pas au début. En 61, si on se rappelle, M. Bertrand était considéré comme un jeune nationaliste, mais à la fin il était d'abord fédéraliste. Il était chef d'un gouvernement au sein de la fédération canadienne.

 M. Johnson, fin politicien, savait très bien que, vis-à-vis d'une sémantique anglo-saxonne, les précédents sont plus importants que les lois. Quand Duplessis, en 54, est entré dans le champ de l'impôt sur le revenu, quand il a adopté, alors qu'il était en discussions avec Mackenzie King, la Loi de Radio-Québec que Johnson ensuite mit en vigueur, c'était des gestes politiques, c'était des précédents que l'on créait pour s'établir. On savait que le fédéral reculerait. Et il a reculé de fait, même si les discussions continuent et qu'aujourd'hui on est en train de revenir au passé; mais ça, c'est une autre question. M. Bertrand, lui, était prêt à discuter avec le fédéral, mais il n'était pas prêt à poser des gestes.

CHAPITRE 13
LES AUTRES PARTIS

Au cours de son histoire, l'Union nationale a dû faire face à l'opposition de syndicalistes, de journalistes, d'universitaires. Elle a par contre été appuyée par les élites traditionnelles, puis, du temps de Daniel Johnson, par des élites nouvelles sympathiques à l'idée de l'égalité ou de l'indépendance. En tant que parti politique, l'Union nationale avait aussi à affronter d'autres partis politiques, qu'ils soient fédéraux ou provinciaux. Si les partis libéraux étaient des adversaires, les relations avec les conservateurs et les créditistes étaient plus équivoques, car plusieurs partisans de l'Union nationale s'y retrouvaient. Avec la création du Parti québécois, l'Union nationale doit affronter un parti plus nationaliste qu'elle, auquel passent d'ailleurs plusieurs de ses membres. Ajoutée à celle d'un parti créditiste provincial, cette création affecte profondément l'Union nationale, qui entre alors dans une période de mutation, dont elle sortira grandement transformée.

Jean Lesage, René Lévesque et Daniel Johnson, lors de l'inauguration du barrage Manic 5, quelques heures avant la mort de Daniel Johnson. (Photo Hydro-Québec)

Les relations entre l'Union nationale et les autres partis politiques sont souvent complexes et parfois inattendues; celles que le parti de Duplessis entretenait avec les conservateurs fédéraux ne sont que les plus connues.

M. Cardinal. On sait que l'Union nationale est née de l'alliance du Parti conservateur et de l'Action libérale nationale; pourtant dès 1936, M. Duplessis prend ses distances par rapport au Parti conservateur fédéral...

V. Lemieux. Il doit prendre ses distances parce qu'il a tout avantage à le faire. Désormais, il est à la tête d'un parti provincial qui s'appelle l'Union nationale, un parti qui se veut nationaliste. Il faut se rappeler que les conservateurs étaient à ce moment-là le parti le plus centralisateurs. (Les libéraux ne sont devenus centralisateurs qu'avec la guerre.) Le Parti conservateur était aussi le parti le plus probritannique et le plus favorable à la conscription. Alors, il était très important pour M. Duplessis de ne pas se montrer trop près de ce parti.

M. Cardinal. D'autre part, il a été très occupé à croiser le fer avec deux premiers ministres libéraux, M. King et M. Saint-Laurent.

V. Lemieux. Oui, évidemment. M. Duplessis a eu des batailles assez célèbres contre MM. King et Saint-Laurent, et plus généralement contre les libéraux fédéraux. C'était moins des batailles personnelles que des batailles contre le gouvernement en place à Ottawa, qui se trouvait être un gouvernement libéral.

M. Cardinal. A votre avis, M. Duplessis a-t-il pris une part active aux élections fédérales?

V. Lemieux. Lui-même, je ne crois pas. On dit qu'il est intervenu une fois, en 1949, à l'occasion d'une élection partielle; mais on ne peut pas dire qu'il prenait une part très active aux élections fédérales. Il y aura par contre des pactes de non-agression avec certains libéraux fédéraux...

* * *

M. Pierre Sévigny, ancien ministre dans le cabinet Diefenbaker et ancien organisateur du Parti conservateur au Québec, parle de la participation de Duplessis à l'élection fédérale de 1957.

P. Sévigny. J'étais un des rares au Québec à avoir appuyé la candidature de M. Diefenbaker. Alors, M. Diefenbaker m'avait demandé de m'occuper de l'organisation du parti dans le Québec. Je m'apercevais que c'était peine perdue que de vouloir vendre M. Diefenbaker ici. Le Parti conservateur avait connu défaite après défaite, surtout contre un Parti libéral mené par un homme extraordinaire comme M. Saint-Laurent, pour lequel j'ai toujours eu beaucoup de respect.

F. Sauvageau. C'est ce qui vous a amené à penser que l'appui de M. Duplessis était une condition nécessaire pour que les conservateurs aient des chances de succès au Québec?

P. Sévigny. Exactement. Alors, je suis allé voir M. Duplessis à plusieurs reprises pour lui faire part de mes inquiétudes. En désespoir de cause, je lui ai dit: «Écoutez, c'est très simple. Si vous nous appuyez, on a peut-être une chance de gagner quelques sièges. Mais si vous ne nous appuyez pas, on ne gagnera rien du tout!» M. Duplessis m'a répondu ceci: «Pierre, de fait, c'est peine perdue. Maintenant, il y a peut-être une chance pour vous d'arriver à du succès parce que, cette fois-ci, vous avez un chef qui est tout de même flamboyant.» Je me souviens qu'il parlait toujours avec beaucoup d'esprit, il savait toujours trouver où mettre de l'humour; il dit: «Je le vois encore, c'est un beau grand garçon avec les cheveux droits sur la tête, il a les yeux brillants et il parle bien. S'il pouvait dire des choses raisonnables et sensées qui pourraient me faire plaisir d'abord, et par le fait même aux Québécois, là je pourrais possiblement vous aider. Mais il faut d'abord qu'il dise ces choses».

Enfin, j'ai dit: «Écoutez, dites-moi ce que vous voulez qu'il dise.» Il dit: «Entre autre chose, — ça crève les yeux mais vous, les conservateurs, vous ne voyez jamais rien — si moi, je me fais élire avec mes candidats au Québec, c'est sur le thème de l'autonomie. Qu'est-ce que c'est que l'autonomie? L'autonomie, c'est de demander au gouvernement fédéral ce que je demande depuis très longtemps: qu'on redonne aux provinces leurs droits fiscaux. Alors, si M. Diefenbaker publiquement, dans une grande manifestation, peut dire qu'il va devenir le défenseur et l'avocat des droits fiscaux des provinces, du thème de l'autonomie, là j'aurais raison de dire à mes députés, ceux qui sont dans mon parti et même à mes ministres: voici, nous allons avoir, avec M. Diefenbaker, un allié à Ottawa.»

F. Sauvageau. Il vous fallait ensuite amener M. Diefenbaker à cette idée?

P. Sévigny. Exactement. Je vous assure qu'il a fallu mener un combat homérique. Il fallait aussi créer l'occasion. Et l'occasion, je l'avais créée en organisant un banquet, qui fut une démonstration monstre, à l'aréna du Mont-Saint-Louis. Le clou de la soirée était évidemment le discours de M. Diefenbaker. Pour que ce soit bien compris, il fallait que M. Diefenbaker, dans les quelques mots de français qu'il prononcerait, se déclare en faveur du thème de l'autonomie provinciale et de la défense des droits fiscaux des provinces.

Le 12 mars 1957, John Diefenbaker, nouvel émule d'Henri Bourassa, faisait donc, selon les termes mêmes de M. Pierre Sévigny, une profession de foi qui allait influer profondément sur son destin et celui de son parti. «Nous avons mené, disait-il, la lutte au parlement pour sauvegarder les droits que la Constitution reconnaît aux minorités et aux provinces. Le parti qui a donné au Canada la Confédération croit qu'il faut défendre et préserver l'intégrité de la Constitution: le pacte de la Confédération ne doit pas être à la merci des caprices d'une majorité de députés au parlement.»
  Un ami de M. Duplessis et ancien ministre de M. Diefenbaker, Me Noël Dorion, évoque ce discours.

N. Dorion. Je me souviens de ce discours parce que j'ai participé à sa composition. C'était Mark Drouin qui m'avait demandé de préparer quelque chose en français. Et je puis vous dire que je me suis amusé, franchement amusé, à glisser des propos tenus par Bourassa qui ont été subséquemment répétés par Diefenbaker, sans qu'apparemment celui-ci ne s'en rende compte. J'aurais dû conserver le texte parce que c'était presque mot à mot ce que Bourassa avait dit quant à l'attitude que la province de Québec devait adopter à l'endroit du fédéral.

F. Sauvageau. M. Sévigny, est-ce que M. Diefenbaker savait qu'il tenait ces propos pour satisfaire M. Duplessis?

P. Sévigny. Oh non, il ne fallait pas le lui dire parce que M. Diefenbaker était un homme soupçonneux et il y aurait vu de sombres et noires intentions. Il fallait lui faire dire ça sans qu'il sache quelle était l'immense portée de cette affaire-là pour lui-même.

Alors, l'ami Duplessis était installé dans sa suite au Château Frontenac et il écoutait ça. Quand finalement le père Diefenbaker s'était prononcé dans son français à peu près incompréhensible — cette fois-là, c'était moins incompréhensible, car on l'avait bien entraîné — sur le retour aux provinces de leurs droits fiscaux, M. Duplessis put saisir l'opportunité qu'il attendait.

Le soir même, j'étais arrivé chez moi, vers deux heures du matin, et il y avait un message de M. Duplessis demandant de l'appeler en tout temps. Et j'avais appelé, à deux heures du matin, et il avait répondu: «Tu vas venir à Québec demain matin. Ton gars, ton beau grand gars avec ses cheveux frisés puis ses yeux bleus — comme il l'appelait — a dit ce qu'il devait dire. Alors viens me voir.»

Le lendemain, je m'étais rendu à Québec. Duplessis avait fait venir certains de ses principaux ministres; je me souviens, entre autres, qu'il y avait Onésime Gagnon, Paul Sauvé et Antonio Élie; puis il avait dit: «Bien voilà, il s'agit maintenant de voir à prêter main-forte aux conservateurs parce qu'enfin, avec un gars comme Diefenbaker, on a une chance d'avoir un allié. On va faire la lutte dans certains comtés spécifiques que nous allons désigner.» Il avait une liste de vingt-cinq comtés.

F. Sauvageau. **Cela signifie qu'à l'élection fédérale de 57 Duplessis a dirigé de loin l'organisation conservatrice au Québec...**

P. Sévigny. Absolument. C'est Duplessis qui a dirigé l'organisation, qui a dirigé la pensée de l'affaire, et la publicité.

F. Sauvageau. **Mais, finalement, bien peu de monde au sein de l'organisation conservatrice savait le rôle que jouait M. Duplessis?**

P. Sévigny. Ils ne le savaient pas du tout. De temps en temps, Duplessis téléphonait à Diefenbaker et lui disait: «Ton affaire va mieux, ça s'améliore» et il lui donnait des conseils. Le père Diefenbaker commençait à s'apercevoir que Maurice Duplessis n'était pas l'être infect et infâme tel qu'il avait été représenté par la publicité et la propagande qui étaient faites dans les milieux anglophones.

Alors, je n'hésite pas à dire que c'est Maurice Duplessis qui a contribué de façon majeure à l'élection-miracle — parce qu'enfin personne ne s'y attendait — du gouvernement conservateur de M. Diefenbaker le 10 juin 1957.

F. Sauvageau. **Et ensuite, en 58, c'est le triomphe du Parti conservateur.**

P. Sévigny. En 58, c'était très différent, ce n'était pas du tout la même chose, parce qu'une fois rendu au pouvoir, M. Diefenbaker avait réussi à introduire des mesures qui avaient capté l'imagination populaire coup sur coup. A ce moment-là, on n'avait plus besoin de M. Duplessis, c'était de l'hystérie collective.

* * *

M. Cardinal. M. Lemieux, l'influence de Duplessis a-t-elle été à ce point déterminante dans l'élection de 1957?

V. Lemieux. En 57, je ne crois pas. D'ailleurs, il faut se rappeler qu'en 1957, si les conservateurs ont fait des progrès considérables un peu partout au Canada, dans le Québec ils ont fait des gains quand même assez modestes. Je crois qu'il est très difficile pour le Parti conservateur de remporter des succès considérables au Québec quand le chef du Parti libéral est un Canadien français.

Par contre, en 1958, 50 conservateurs sur 75 sont élus au Québec. Je crois que la raison est justement que M. Saint-Laurent, à ce moment-là, n'est plus le chef du Parti libéral; c'est M. Pearson qui le remplace et il est plus facile, désormais, pour le Parti conservateur de remporter des succès assez importants au Québec.

* * *

M. Dale Thompson, qui était l'un des plus proches collaborateurs de M. Saint-Laurent, parle de cette époque.

F. Sauvageau. Peut-on dire que l'élection de 1957 fut la seule et unique fois où M. Duplessis a participé aux élections fédérales?

D. Thompson. Peut-être que son intervention était un peu plus marquée en 57. Mais, si on peut remonter un peu en arrière, il faut se rappeler qu'en 1939 M. Lapointe, leader québécois au gouvernement fédéral et P.-J.-A. Cardin, entre autres, ont décidé de faire la lutte à M. Duplessis. Et il faut dire que la victoire d'Adélard Godbout aux élections provinciales de 39 était due, pour la plus grande partie, à l'intervention fédérale. M. Duplessis n'a jamais avalé ça et il a toujours cherché des occasions de prendre sa revanche. Aux élections de 45, de 49, de 53 et de 57, il y a eu certainement des interventions de la part de M. Duplessis.

Il faut se rappeler aussi que M. Duplessis, avant d'être chef de l'Union nationale, était chef du Parti conservateur du Québec, qui était le parti d'opposition à Ottawa, et que — on le sait maintenant — même après avoir gagné le pouvoir en 36, il avait l'intention d'attendre un peu et réintégrer l'Union nationale au Parti conservateur canadien. Les liens entre ces deux partis existaient toujours et ils existent d'ailleurs encore aujourd'hui. Mais après 1944, M. Duplessis avait moins besoin du Parti conservateur et il était moins intéressé aux questions canadiennes.

Durant cette période, j'ai l'impression que M. Duplessis considérait M. Saint-Laurent imbattable et que ça aurait été une perte de temps pour lui d'intervenir. Mais, en 57, M. Saint-Laurent était très vulnérable; il était très âgé et son gouvernement avait commis des gaffes sérieuses.

F. Sauvageau. Par contre, M. Saint-Laurent restait discret au niveau des élections provinciales et ne serait pas intervenu ni en 52 ni en 56?

D. Thompson. Non. On pourrait dire qu'il y avait un genre de pacte de non-intervention. J'ai l'impression que cela existe toujours d'ailleurs; il y a une tradition de non-intervention entre les deux paliers de gouvernement.

Maintenant que j'y pense, il est vrai qu'aux élections provinciales de 1956, Jean Lesage et Hugues Lapointe, qui étaient à ce moment-là ministres fédéraux, sont intervenus pour appuyer Georges-Émile Lapalme, à la demande expresse de M. Lapalme. Et cela a offusqué Duplessis parce que cela brisait le pacte en quelque sorte.

F. Sauvageau. Ce qui expliquerait son intervention de 57?

D. Thompson. C'est fort possible. D'autre part, il y avait aussi des pactes tacites entre députés individuels. Par exemple, dans le comté de Montmagny, Jean Lesage avait certainement un genre de pacte avec son adversaire de l'Union nationale, Antoine Rivard. Et cela a dû exister dans d'autres régions aussi.

M. Noël Dorion confirme cette hypothèse.

N. Dorion. Je sais personnellement que certains députés libéraux d'Ottawa favorisaient à Québec les candidats de l'Union nationale. Le meilleur exemple que je pourrais donner est celui de Johnny Bourque, à Sherbrooke, qui favorisait l'élection du député libéral à Ottawa et qui en retour recevait du député fédéral le concours nécessaire en temps d'élections.

F. Sauvageau. Comment ces ministres et députés de l'Union nationale qui favorisaient les libéraux à Ottawa ont-ils réagi ensuite, en 57 et en 58, quand Duplessis a décidé de mettre toute la machine de l'Union nationale au service des conservateurs fédéraux?

N. Dorion. Pour 57, je ne saurais dire. Moi, j'ai eu connaissance surtout de 58 parce que j'ai été candidat dans Bellechasse et que mon élection a été assurée en très grande partie par le concours de l'Union nationale et de Duplessis lui-même. A ce moment-là, vous savez, on ne discutait pas tellement : Duplessis était maître de la stratégie et ses députés avaient une très grande confiance en lui, ça frisait même parfois l'adoration. Alors, on ne discutait pas : Duplessis avait raison.

Et je pense que ç'a été une excellente chose, dans une certaine mesure, sauf qu'en 62 on s'est aperçu qu'il y avait incompatibilité, non seulement d'humeur entre nous et Diefenbaker, mais aussi de pensée et d'idée en ce qui a trait à l'autonomie provinciale et à l'attitude générale de la province de Québec.

Un témoignage tout en nuances sur l'élection de 58 et l'appui unioniste aux conservateurs, celui d'un ministre de Duplessis, à l'époque député de Montmagny, M. Antoine Rivard.

A. Rivard. Je sais qu'il y avait à cette élection-là des amis ou des partisans de l'Union nationale qui se sont présentés comme candidats conservateurs. Ils ont été aidés surtout financièrement, mais l'organisation de l'Union nationale a toujours été absolument distincte et séparée de l'organisation du parti fédéral.

F. Sauvageau. **Mais, tout en étant distincte, elle pouvait collaborer.**

A. Rivard. Elle pouvait collaborer comme les libéraux provinciaux collaborent aux élections avec les libéraux fédéraux.

F. Sauvageau. **Il n'y a pas eu donc, en 58, de collaboration plus poussée qu'aux élections précédentes?**

A. Rivard. Non.

F. Sauvageau. **Est-il aussi exact de dire qu'en certains comtés les députés de l'Union nationale accordaient leur appui au député libéral fédéral?**

A. Rivard. C'est arrivé.

F. Sauvageau. **Dans votre comté par exemple, quelles étaient vos relations avec le député fédéral, M. Jean Lesage?**

A. Rivard. Excellentes, excellentes. Certains de mes organisateurs étaient également ceux de Jean Lesage. Et, ce n'est pas pour me vanter que je vous rapporte ça, leur mot d'ordre était : «On a deux bons hommes ; on en a besoin et on les garde.»

F. Sauvageau. **Vous ne trouvez pas un peu étrange que vos organisateurs aient été en même temps ceux de M. Lesage, alors qu'à un autre niveau M. Duplessis attaquait de façon très violente MM. King et Saint-Laurent?**

A. Rivard. Ils étaient absolument libres de le faire. Et, comme question de fait, jamais M. Duplessis n'a demandé de prendre part aux élections fédérales. J'ai pris part aux élections contre Lesage lorsque Lesage est venu prendre part contre moi dans mes élections provinciales.

* * *

M. Cardinal. **M. Lemieux, est-ce que Duplessis n'était pas plus acharné à combattre les libéraux fédéraux que les libéraux provinciaux?**

V. Lemieux. Je crois qu'il était acharné à combattre les libéraux fédéraux aussi bien que les libéraux provinciaux qu'il sentait quand même comme une force montante. D'ailleurs, lorsqu'il combattait les libéraux fédéraux et qu'il les traitait de centralisateurs et de toutes sortes de choses, il ne manquait pas de les associer aux libéraux provinciaux. L'un des grands arguments de ses campagnes électorales était que les libéraux provinciaux étaient des fédéralistes, des centralisateurs, puisqu'ils avaient des positions favorables aux libéraux fédéraux. En les associant, il les compromettait.

M. Cardinal. **Après la mort de Duplessis, les relations entre l'Union nationale et le Parti conservateur ont-elles changé?**

V. Lemieux. Je crois que ce qui a changé, c'est que l'Union nationale est devenue très faible. Il y a eu la défaite de 1960, et celle encore pire de 1962. Alors, durant cette période, elle ne pouvait pas apporter un soutien très très actif aux conservateurs au moment des élections fédérales de 1962, de 1963 et même de 1965.

M. Cardinal. **Est-ce que cette faiblesse de l'Union nationale pourrait expliquer le fait qu'aux élections fédérales de 1962, le nombre de députés conservateurs du Québec soit passé de cinquante à une quinzaine?**

V. Lemieux. Il y a cette explication, mais il y a aussi l'arrivée des créditistes sur la scène fédérale, de même que le désenchantement des Québécois envers Diefenbaker.

F. Sauvageau. **En 66, Daniel Johnson devient premier ministre. En 68, Robert Stanfield, devenu chef du Parti conservateur fédéral, se choisit un lieutenant québécois, M. Marcel Faribault. Quelle importance faut-il accorder à ces événements?**

V. Lemieux. A l'époque, c'était important. Évidemment, on ne parle plus beaucoup de M. Faribault. Il faut se rappeler que M. Johnson était allé chercher M. Faribault en même temps que M. Jean-Guy Cardinal. Tous deux étaient des Montréalais spécialisés dans les problèmes financiers. M. Faribault a été nommé conseiller législatif. C'est le même homme qui arrive chez les conservateurs en 1968.

Deux anciens députés unionistes, MM. Marcel Masse et Jérôme Proulx, puis l'un des principaux organisateurs de l'Union nationale, M. Jean Bruneau, parlent des élections fédérales de 68.

M. Masse. En 68, M. Johnson favorisait énormément le succès électoral de Stanfield. D'abord, sur le plan constitutionnel, il croyait qu'il était plus facile de s'entendre sur une base de pouvoirs aux provinces avec le parti de M. Stanfield qu'avec Pierre-Elliot Trudeau. Je pense, là-dessus, que l'histoire lui a donné raison. Deuxièmement, il y avait à l'intérieur de ce parti des gens, — on parle de M. Faribault mais on oublie Julien Chouinard et Antonio Dubé — des dizaines de personnes, qui étaient plutôt favorables à M. Johnson, qui étaient candidats dans ce parti-là, et avec lesquels il aurait pu facilement dialoguer, beaucoup plus qu'avec les libéraux fédéraux.

J. Proulx. Quand Trudeau s'est présenté, l'Union nationale était embarquée à fond pour le faire battre. Pendant un mois, l'Union nationale n'a pas fait beaucoup de législation; on s'est occupé d'élections fédérales; on a sorti beaucoup d'argent pour faire élire des conservateurs et on n'en a fait élire que quatre.

F. Sauvageau. Pourquoi collaboriez-vous ainsi avec Stanfield?

J. Proulx. C'était pour avoir des alliés, pour être capable de se battre et de se faire reconnaître à Ottawa. Car Johnson savait qui était Trudeau: un homme intransigeant, froid, dangereux, cassant.

F. Sauvageau. M. Johnson avait-il donné le mot d'ordre à ses députés de faire la bataille avec les conservateurs?

J. Proulx. On faisait des caucus toutes les semaines et on en parlait pendant des heures. Le soir de la défaite, ç'a été très dur pour nous.

J. Bruneau. Cette défaite était aussi celle de l'Union nationale, parce que les gars qui menaient la campagne du Parti conservateur ici étaient à 99% des gars qui, avant tout, étaient de l'Union nationale. Même le parti a souscrit largement à l'élection de certains candidats. M. Johnson lui-même était au courant quotidiennement des développements qui survenaient dans la campagne fédérale. Je pense qu'il n'aimait pas particulièrement Pierre-Elliot Trudeau; pas plus que ne l'aimaient M. Faribault et M. Bertrand. Je me rappelle certaines conversations avec M. Marcel Faribault, qui avait connu M. Trudeau à l'Université de Montréal. Ces personnages entretenaient de solides craintes — justifiées ou non, je ne suis jamais entré dans les détails — mais ils entretenaient des craintes sur M. Trudeau. Et M. Johnson peut avoir été motivé, d'une certaine façon, à nous encourager à travailler pour le Parti conservateur.

M. Cardinal. Est-ce que M. Johnson entrevoyait déjà des difficultés sur le plan constitutionnel avec Ottawa si Pierre-Elliot Trudeau était élu premier ministre?

J. Bruneau. Définitivement. Je me souviens d'une conversation où M. Johnson nous a dit: «Vous voyez, si M. Stanfield est là — et nous aidons M. Stanfield — il sera beaucoup plus facile pour le Québec d'obtenir certaines concessions.» Nous étions trois à sa suite et nous discutions de cette stratégie; moi, j'avais certaines restrictions. Je me souviens qu'il m'a dit: «Même si je savais que ça nous ferait battre à la prochaine élection, je ne changerais pas d'opinion, j'aiderais le Parti conservateur quand même.» Alors, à ce moment-là, on a dit: «On va embarquer.»

* * *

M. Cardinal. M. Lemieux, comment expliquer que rien n'a fonctionné à cette élection, en dépit du fait que le Parti conservateur défendait la thèse des deux nations, qui était en même temps celle que préconisait M. Johnson?

V. Lemieux. La stratégie n'a pas marché, d'abord parce que les créditistes étaient là; ils étaient là depuis 1962 et ils avaient leurs électeurs. Il a été très difficile pour les conservateurs de faire des gains de ce côté-là.
Il y avait aussi M. Trudeau, et je pense que c'est la raison principale. Au lieu d'affronter M. Pearson, les conservateurs affrontaient M. Trudeau, un Canadien français. Encore une fois, c'est très difficile pour eux de remporter des succès au Québec quand le chef du Parti libéral est un Canadien français.

* * *

Deux anciens députés créditistes, l'un à Ottawa, M. Gilles Grégoire, et l'autre à Québec, M. Fabien Roy, expliquent le rôle joué par les créditistes durant cette période.

G. Grégoire. En 1962, je crois qu'il y avait un vide dans la province de Québec. Les libéraux avaient leur clientèle, évidemment, mais les Québécois ne voulaient pas voter conservateur. Alors, se demandant où aller, cette clientèle venait vers les créditistes. Mais la direction de l'Union nationale ne collaborait pas avec les créditistes, au contraire.

Dans bien des comtés, dont le comté où j'étais, moi, en 1962, le comté de Jonquière, dans la région du Saguenay-Lac-Saint-Jean et dans la région de Québec, les dirigeants régionaux ou de comtés de l'Union nationale disaient à leurs membres: «Les gars, vous êtes encore mieux de voter pour les libéraux que de voter pour les créditistes.» Mais malgré ça, les membres, la base, le petit électeur de l'Union nationale, Jean-Baptiste-Union-nationale si on peut dire, votait créditiste, et il a collaboré. Les dirigeants de l'Union nationale au niveau des comtés, aimaient mieux garder ça entre les deux vieux partis, mais la base nous a suivis.

F. Roy. On allait chercher beaucoup plus de personnes chez l'Union nationale, par exemple, dans les régions de la Chaudière, la Beauce, Dorchester, Bellechasse et dans ces régions-là, qui étaient des châteaux forts créditistes. Parce que Caouette, depuis 1958, disait à qui voulait l'entendre que le Ralliement créditiste était un parti qui travaillait exclusivement sur le plan fédéral et qu'il laissait les gens libres de voter pour qui ils voudraient lors d'une élection provinciale. L'Union nationale, de son côté, travaillait exclusivement sur le plan provincial, c'était un parti nationaliste. Les créditistes de 1962 avaient pris une position très nationaliste et, alors, les deux partis étaient en quelque sorte des alliés naturels.

La situation était peut-être différente dans d'autres régions du Québec. Mais, dans la grande région du Sud de Québec, là où se sont fait élire le plus grand nombre de députés créditistes aux élections de 1962, la plus grosse partie de nos gens venaient de l'Union nationale. Il y a eu beaucoup d'organisateurs unionistes locaux qui se sont joints à l'organisation des créditistes. Mais, comme disait M. Grégoire, les dirigeants des organisations de comtés, eux autres, craignaient qu'une trop forte structuration des créditistes sur le plan fédéral pourrait faire en sorte qu'il y ait une action politique ultérieure qui viserait à faire élire des députés créditistes à Québec.

G. Grégoire. Une bonne partie, une grosse partie de l'électorat créditiste en 62 venait de là, il faut l'admettre. Une partie aussi venait du Parti libéral, mais beaucoup moins.

F. Roy. Il ne faut pas oublier une chose: il y avait un gouvernement libéral à Québec et un gouvernement conservateur à Ottawa, mais il y avait une désaffection très grande du côté des conservateurs du Québec vis-à-vis de Diefenbaker. On se rappellera la grande déception qu'il y a eu après l'élection de cinquante députés conservateurs en 1958. Alors, en 1962, on a été chercher une grosse partie des organisateurs conservateurs qui étaient en même temps des organisateurs de l'Union nationale.

Mais lorsqu'on arrivait au niveau des organisateurs libéraux, le gouvernement libéral du Québec les empêchait de travailler dans l'organisation des créditistes sur le plan fédéral, parce qu'il y avait une certaine entente, comme il y en a toujours eu, entre le Parti libéral fédéral et le Parti libéral provincial.

F. Sauvageau. Ainsi, on retrouvait des organisateurs de l'Union nationale chez les créditistes fédéraux et des organisateurs des créditistes fédéraux chez l'Union nationale. Est-ce que cela n'expliquerait pas pourquoi M. Caouette s'est toujours opposé à ce que les créditistes se présentent sur la scène provinciale?

G. Grégoire. Oui, oui, il le disait tout le temps: «Allez faire la lutte à l'Union nationale au provincial, puis vous allez vous faire battre dans vos comtés.»

M. Cardinal. Alors, pourquoi les créditistes se sont-ils présentés sur la scène provinciale en 70?

F. Roy. A la suite des élections de 1968, les créditistes à Ottawa n'ont pas été tellement nombreux. On a eu des échos un peu partout que l'Union nationale avait travaillé passablement contre l'élection des candidats créditistes. Évidemment, je ne peux pas apporter de preuves. Je me base sur des déclarations, des témoignages que nous avons eus, comme quoi l'Union nationale avait travaillé pour M. Stanfield, afin de revenir au système de bipartisme, parce que l'Union nationale craignait énormément la venue éventuelle des créditistes sur la scène provinciale.

* * *

F. Sauvageau. En 70, M. Lemieux, les créditistes ne décident que tardivement de participer aux élections provinciales. Comment expliquer leur décision?

V. Lemieux. Oui, ce n'est qu'au début de l'année qu'ils prennent cette décision. Cependant, il faut rappeler que les créditistes ne sont pas nouveaux sur la scène provinciale au Québec: ils avaient eu quelques candidats en 1944; en 1948, il y a eu l'Union des électeurs qui est allée chercher quand même 9% du vote. Et les créditistes existent au Québec, sur la scène fédérale cette fois, depuis 1962; ils ont existé en force en 1962 et en 1963 en particulier, où ils ont obtenu 26 sièges et 20 sièges respectivement. Alors, c'est une arrivée tardive mais importante, parce qu'elle va quand même influencer d'une certaine manière le résultat de l'élection de 1970.

F. Sauvageau. A cette élection, douze députés créditistes sont élus. Est-ce que ces résultats surprennent les analystes?

V. Lemieux. Oui, les douze députés surprennent les analystes surtout parce que les créditistes n'ont que 11% du vote. Leur vote, évidemment, est très concentré dans certaines régions, ce qui explique qu'ils se retrouvent douze à l'Assemblée nationale.

* * *

Fabien Roy et Gilles Grégoire analysent à leur tour les difficultés de l'Union nationale en 70.

F. Roy. Je pense qu'il faut revenir un peu aux origines de l'Union nationale pour bien comprendre le phénomène qui s'est produit en 1970. C'est que l'Union nationale s'était toujours identifiée surtout — je dis bien surtout — du côté nationaliste; les nationalistes du Québec s'étaient toujours sentis beaucoup plus chez eux au sein de l'Union nationale qu'au sein d'un parti qui était affilié, en quelque sorte, avec le Parti libéral fédéral.

L'Union nationale s'identifiait aussi aux problèmes des comtés ruraux, de la classe agricole, aux problèmes des artisans, des ouvriers non syndiqués, aux problèmes des milieux d'affaires ruraux, qu'on appelle les petites entreprises, etc.

Là où je veux en venir, c'est qu'en 1970 l'Union nationale n'avait plus de vocation; les nationalistes se retrouvaient beaucoup plus chez eux au sein du Parti québécois, et les gens des comtés ruraux ont trouvé le programme que les créditistes présentaient beaucoup plus adapté à leurs besoins et aux circonstances actuelles. Alors, l'Union nationale ne représentait plus les deux idées de base, les deux éléments sur lesquels Maurice Duplessis s'était basé pour la fonder. Daniel Johnson avait réussi quand même à rallier les éléments nationalistes derrière lui en 1966, ce que Jean-Jacques Bertrand n'a pas pu faire en 1970.

Il faut dire que, avec la Révolution tranquille, les ruraux ont eu à subir beaucoup de changements au niveau des politiques gouvernementales, comme au niveau de l'administration gouvernementale et des institutions qui leur sont propres. C'est que les gens des comtés ruraux se cherchent depuis 1962 et se cherchent encore; ce qui démontre à un moment donné cette instabilité. D'ailleurs, on l'a vu par le raz-de-marée que nous avons eu au cours de la campagne électorale de 73, ils ne sont pas prêts à opter pour la séparation comme telle, mais ils cherchent autre chose que ce que les gouvernements actuels leur offrent.

F. *Sauvageau*. Diriez-vous qu'en 66 les gens des milieux ruraux avaient voté pour Johnson en vue d'arrêter la Révolution tranquille et que Johnson ne l'ayant pas arrêtée en éducation, par exemple, ce serait une des grandes causes de la défaite de l'Union nationale en 70?

F. Roy. Oui, parce qu'en 66 les gens avaient espoir que le gouvernement Johnson pourrait effectuer un redressement, pour savoir un peu où on pourrait aller par la suite. Mais l'Union nationale n'a pas répondu aux attentes de la population et n'a pas donné suite au mandat, c'est-à-dire aux promesses et aux engagements qu'elle avait faits vis-à-vis de la population de 1966.

G. Grégoire. En 70, jusqu'à un certain point, l'Union nationale a perdu de son attrait et a perdu des votes au profit du Ralliement créditiste et du Parti québécois. Mais c'est dû, aussi, au système des institutions parlementaires britanniques qui a été conçu un peu pour deux partis. Or tout comme en Angleterre où les travaillistes sont venus remplacer les libéraux, ici au Québec, le Parti québécois a pris la place d'un des deux vieux partis. Moi, je crois que c'est Daniel Johnson qui en 66, lors de sa campagne électorale, a enlevé les premières pierres qui solidifiaient l'édifice de l'Union nationale, en mettant quasiment comme slogan de l'Union nationale: pas nécessairement l'indépendance mais l'indépendance si nécessaire.

En 70, la même tendance s'est retrouvée avec l'aile Marcel Masse-Cardinal qui parlait un peu d'indépendance et puis les autres qui disaient non. L'Union nationale, à ce moment-là, ne savait plus où elle allait. Et c'est Daniel Johnson qui l'a orientée vers une route sans issue où ils étaient assis entre deux chaises, où ils étaient à cheval sur une clôture de fil de fer barbelé, ce qui est nettement inconfortable. Et en face d'eux, vous aviez les libéraux, c'était fédéraliste et ils ont ramassé les fédéralistes de l'Union nationale; de l'autre côté, vous aviez les indépendantistes, que le Parti québécois a ramassés. Les unionistes ne se disaient pas fédéralistes et ils ne se disaient pas indépendantistes; ils étaient pris dans un dilemme qu'ils s'étaient imposé à eux-mêmes et qu'ils ne voulaient pas solutionner.

Le fils du premier ministre défait en 70, M. Jean-François Bertrand, évoque les affinités entre l'Union nationale et le Parti québécois.

J.-F. Bertrand. On a souvent l'habitude de dire aux gens de l'Union nationale, un peu peut-être pour les flatter dans le sens du poil, que l'Union nationale a peut-être été le premier véritable parti québécois, dans ce sens qu'il n'avait aucune affinité avec quelque parti fédéral, du moins en termes d'étiquette politique. C'est évident qu'il y a toujours eu ces fameuses relations avec le Parti conservateur, mais il y avait quand même une part d'autonomie assez grande. Alors, dans ce sens-là, les gens considèrent qu'effectivement l'Union nationale aurait été le premier parti québécois.

F. Sauvageau. **Selon cette hypothèse, la création du Parti québécois aurait contribué largement à la débandade de l'Union nationale en 1970?**

J.-F. Bertrand. Cela me paraît une hypothèse valable dans la mesure où le vote du Parti québécois, 23% en 1970, s'est accompagné d'une dégringolade en flèche de l'Union nationale, qui est passée à ce moment-là de 40% à 19%.

F. Sauvageau. **L'Union nationale étant un parti surtout enraciné dans les régions rurales, est-ce que ce n'est pas surtout du côté créditiste qu'il faut regarder pour étudier la défaite du parti en 70?**

J.-F. Bertrand. Un homme comme Maurice Bellemare affirme, effectivement, que les anciens militants de l'Union nationale se sont retrouvés dans le Parti créditiste et que, dans le Parti québécois, on ne retrouverait de l'Union nationale que les véritables éléments nationalistes radicaux, ceux pour qui la thèse de l'égalité ou de l'indépendance devait tôt ou tard mener à l'indépendance tout court.

Par contre, on analyse assez difficilement les passages de votes. Vincent Lemieux, dans son volume sur le réalignement des forces politiques en 1970, parlait de passages de l'Union nationale au Parti québécois, du Parti libéral au Parti québécois, de l'Union nationale au Parti créditiste, de l'Union nationale au Parti libéral. Alors, quand on fait les calculs, on ne sait plus exactement si le passage s'est fait uniquement dans un sens ou dans deux, trois ou quatre sens différents. Mais moi, je prétends qu'il y a une bonne partie de l'Union nationale qui, à cette époque-là, s'est irrémédiablement conduite du côté du Parti québécois.

F. Sauvageau. **L'Union nationale a toujours été considérée comme un parti conservateur. Alors, en quoi ses militants auraient-ils pu être séduits par les options du Parti québécois, qui est quand même beaucoup plus progressiste du point de vue social?**

J.-F. Bertrand. C'est là qu'on retrouve, à mon avis, ce qui va demeurer une ambivalence fondamentale du Parti québécois pour encore quelques années à venir, c'est-à-dire qu'on y retrouve à la fois des éléments nationalistes conservateurs et des éléments nationalistes dits progressistes. En deux points, ça veut peut-être dire qu'il y aurait une partie du Parti québécois qui serait constituée d'anciens militants unionistes et d'autres qui viendraient surtout du Parti libéral, au moment où René

Lévesque a quitté ce mouvement au Château Frontenac en 1967. De là, deux ailes sans doute au sein du Parti québécois.

On a souvent même tendance, dans ce parti, à parler des rouges et des bleus. Les rouges étant ces anciens technocrates fonctionnaires qui voient la politique d'une façon un peu rationnelle, et les bleus étant ces anciens militants de l'Union nationale qui voient un peu la politique avec les tripes, le coeur et le ventre. Il y a cette ambivalence, qui est encore maintenue aujourd'hui au sein du Parti québécois, et qui m'apparaît refléter le fait que le Parti québécois a pris sa source à la fois dans les deux partis traditionnels.

F. Sauvageau. **Mais les anciens piliers de l'Union nationale, les piliers de comtés, est-ce qu'on les retrouve au sein du Parti québécois?**

J.-F. Bertrand. Je crois que oui. Les différentes tournées régionales que nous effectuons, les différentes tournées dans les comtés, nous permettent toujours de rencontrer un certain nombre d'organisateurs de base, d'organisateurs de villages, de paroisses, qui sont devenus extrêmement sympathiques au Parti québécois. Je ne parle pas de l'espèce d'establishment des organisateurs de l'Union nationale; en fait, c'est un petit noyau d'une quinzaine ou d'une vingtaine de personnes qui travaillent encore pour l'Union nationale. Je parle surtout des gens au niveau des comtés qui sont complètement déracinés, à l'heure actuelle, de ce qui se passe au niveau des dirigeants de l'Union nationale et qui, au niveau de leur comté, ne sentent plus la présence de l'Union nationale.

Alors, ces gens-là viennent, discutent et acceptent d'entrer dans le Parti québécois, évidemment, en se faisant rassurer sur plus d'un aspect. Je me rappelle l'an dernier encore, quand je suis allé convaincre un ancien député, Maurice Martel dans le comté de Richelieu, de passer au Parti québécois, qu'il avait été rassuré par l'idée du référendum.

F. Sauvageau. **Donc, pour vous, l'indépendance serait la suite logique de ce que prônait l'Union nationale depuis des années. L'Union nationale n'a jamais prôné l'indépendance; M. Johnson disait, bien sûr, «Égalité ou indépendance» mais quand même c'était loin, l'indépendance.**

J.-F. Bertrand. Oui, mais il a tellement flirté avec l'idée d'indépendance que, tôt ou tard, les militants devaient être préparés à cette idée. Quand Johnson disait: «Pas nécessairement l'indépendance mais l'indépendane si nécessaire» ou lorsqu'il disait «Égalité ou indépendance», tôt ou tard les militants s'attendaient à ce que M. Johnson pose un geste qui aurait été drastique face à Ottawa. Et combien de militants de l'Union nationale disent aujourd'hui: «Ah, si Johnson vivait encore, peut-être qu'il l'aurait faite, l'indépendance, ou peut-être que le Parti québécois n'aurait jamais été créé!»

* * *

M. Cardinal. M. Lemieux, est-ce qu'on peut finalement voir clair dans ce déplacement de votes entre 1966 et 1970 ?

V. Lemieux. C'est difficile d'y voir clair parce que c'est très complexe. D'abord, il y a les électeurs du R.I.N. et du R.N. — partis disparus en 1970 parce qu'ils se sont fusionnés au P.Q. — qui, évidemment, vont surtout du côté du Parti québécois, bien qu'un certain nombre d'électeurs du Ralliement national vont chez les créditistes. Dans le cas de l'Union nationale, puisque c'est ce qui nous intéresse surtout, on peut dire qu'en gros il y a la moitié de ses électeurs qui lui sont demeurés fidèles: ce parti, en effet, passe à peu près de 40% en 1966 à 20% en 1970. Ce qui est intéressant, c'est de savoir ce que l'autre moitié a fait. On n'a pas de données très précises, mais ce qu'on sait avec pas mal d'assurance, c'est qu'une majorité de cette autre moitié, ces 50% qui sont allés ailleurs, sont allés au Parti québécois, les autres allant évidemment chez les libéraux et chez les créditistes.

M. Jérôme Proulx, que l'on compte parmi ceux qui sont passés de l'Union nationale au Parti québécois, fait la comparaison entre ces deux partis.

J. Proulx. L'Union nationale a toujours été proche des petits, des Canadiens français, du milieu rural. L'Union nationale n'a jamais été attachée aux grosses compagnies de finance, aux grosses compagnies de l'establishment.

En 66, l'Union nationale avait une pas mal grosse députation. C'était un vote canadien-français, comme par exemple dans l'est de Montréal. Alors, par son esprit, par sa mentalité et par son nationalisme — un peu conservateur, peut-être un peu dépassé — l'Union nationale est certainement le précurseur du Parti québécois.

Je reviens toujours à cette idée, qui est peut-être une marotte: à la fin, M. Johnson ne touchait jamais à M. Lévesque et M. Lévesque n'attaquait jamais M. Johnson; il y avait un respect mutuel et ces gens-là discutaient ensemble des grands problèmes.

Que l'Union nationale ait été le précurseur du P.Q. au point de vue mentalité, au point de vue esprit, en voici des preuves bien précises: aujourd'hui, le docteur Lussier, ex-ministre de l'Union nationale, fait partie de l'exécutif du Parti québécois; Jean-François Bertrand, moi-même, Renald Fréchette, Antonio Flamand, Maurice Martel se sont joints au P.Q. C'est presque une dizaine d'hommes qui ont joué un rôle important dans l'Union nationale, qui font partie du P.Q. et qui y sont tout à fait à leur place, tout à fait à l'aise, eu égard au financement, au programme, etc.

F. Sauvageau. Le Parti québécois vous paraît-il beaucoup plus intellectuel que l'Union nationale?

J. Proulx. Oui, certainement; il y a cette nuance, c'est évident. Malheureusement, les statistiques qu'on a faites lors du dernier congrès de Québec démontrent que la moitié des délégués sont des universitaires et qu'ils ont 16 ou 18 ans de scolarité. D'accord, il y a cet aspect-là. Mais dans mon comté, j'ai des petites gens qui sont avec nous autres; les vrais travailleurs du parti sont des gens simples. Les intellectuels, ils pensent, ils font des programmes, ils sont bons dans les congrès, mais pour gagner des élections, c'est avec des gens ordinaires qu'on travaille.

F. Sauvageau. Vous avez écrit, à propos de vos anciens collègues: «L'Union nationale, c'est une grande famille humaine et chaude». Diriez-vous la même chose du Parti québécois?

J. Proulx. Le Parti québécois, c'est un parti où on aurait peut-être plus besoin de chaleur humaine, de contact humain. Dans l'Union nationale, lorsqu'on se réunissait, les contacts humains étaient beaucoup plus faciles.

Par ailleurs, les «parties» du Parti libéral, c'était l'establishment, la Grande-Allée... Il y a un monsieur important qui me disait: «Jérôme, si tu savais quelle différence il y a entre un «party» de l'Union nationale et un «party» du Parti libéral!»

F. Sauvageau. Et quelle est la différence?

J. Proulx. La différence? — je ne vous dirais pas la personne qui a dit ça. Quand on faisait un «party» au Club Renaissance, tout le monde était là, tout le monde était ami, tout le monde se donnait la tape sur l'épaule. On pouvait avoir un cultivateur, un ouvrier, tout le monde était à l'aise. Mais dans le Parti libéral, c'était la grosse finance, les gros messieurs, les grosses madames...

Conscient des défections au sein de son parti, Gabriel Loubier, devenu chef de l'Union nationale en 1971, s'appliquera, sans succès, jusqu'aux élections d'octobre 1973 à unifier les forces d'opposition créditiste, péquiste et unioniste.

G. Loubier. Moi, je disais: «Il faut absolument rallier toutes les forces de l'opposition. Et ce parti-là, il a été fondé, il s'est appelé l'Union nationale, qu'il s'appelle n'importe comment, moi, c'est la philosophie

que je veux garder, philosophie de M. Duplessis et de M. Johnson.» Le
Parti québécois est venu gruger, après le décès de M. Johnson, la clientèle nationaliste de l'Union nationale. Les créditistes sont allés gruger
une autre portion de notre clientèle, qui était ce que j'appellerais le petit
peuple, pas dans le sens péjoratif, mais la clientèle rurale, l'ouvrier, etc.
De sorte qu'on n'était plus le parti populaire, de la masse et on n'était
plus le parti nationaliste. Pour redorer le blason de l'Union nationale,
j'étais prêt à sacrifier le nom du parti; j'étais même prêt à sacrifier ma
tête pour y arriver.

Et j'ai prêché ça deux ans de temps, j'ai écrit sur ça, j'ai fait des
discours. Et là, je perdais des éléments du parti; on disait qu'il ne fallait
pas que l'Union nationale change de nom, qu'il ne fallait pas que
l'Union nationale épouse la thèse du Parti québécois, alors qu'aujourd'hui on se rend compte que c'est le Parti québécois qui a épousé la
thèse que je véhiculais à l'effet qu'il y ait un référendum.

**M. Cardinal. Avez-vous essayé de négocier des alliances tactiques au
niveau des comtés?**

G. *Loubier.* J'ai eu des offres mais je ne suis pas embarqué là-dedans
parce que c'était toujours soudé à une question financière ou à une
question d'appétits que je n'aimais pas chez les gens qui voulaient négocier. S'ils voulaient embarquer et faire des compromis, des alliances,
j'étais prêt à le faire, mais à condition qu'il y ait une certaine décence.

**M. Cardinal. Etiez-vous prêt, par exemple à aller jusqu'à renoncer à
faire la lutte dans certains comtés, pour permettre soit à un créditiste
soit à un péquiste de passer?**

G. *Loubier.* Non, non, je ne l'envisageais pas de cette façon-là. Je l'ai
envisagé à un moment donné, mais à condition qu'il y ait ralliement des
forces d'opposition. Là, j'aurais été prêt à former une alliance même
sur le plan parlementaire, ou encore sur le plan de l'organisation, du
moins en principe. Mais quand on arrivait dans les faits, ce n'était plus
du tout pareil.

M. Cardinal. Vous étiez prêt à revivre 1935?

G. *Loubier.* Oui, et à revivre 65, 66 avec M. Johnson, qui avait réussi à
canaliser grandement les différentes tendances au Québec. De 66 à 68, à
son décès, il était en train de galvaniser toutes les forces du Québec
derrière lui.

**M. Cardinal. Avez-vous eu des rencontres avec Yvon Dupuis afin
d'établir une stratégie pour battre les libéraux en 73?**

G. *Loubier.* J'ai rencontré une fois ou deux M. Dupuis. J'ai détesté sa
façon de penser et d'entrevoir toutes ces choses-là; je n'ai pas eu confiance en lui, pas du tout. J'avais beaucoup plus confiance en un gars

comme Fabien Roy, qui est un gars honnête, très bien disposé à servir
— avec un grand S — et que j'ai vu quelquefois. J'ai parlé avec Burns
du Parti québécois aussi, un gars qui, sous une carapace très dure et très
acariâtre, est un bon bonhomme, un gars que je trouve bien, en tout cas
sur le plan de sa conception politique. Et j'avais vu Claude Morin
également ; Claude, c'était surtout par amitié que je l'avais vu. Toutes
ces rencontres ont eu lieu un peu avant la campagne électorale.

Quant au Parti québécois, s'il avait accepté l'idée du référendum, à
laquelle il a souscrit par la suite, et de modifier certaines choses, comme
j'avais modifié mon tir sur certains aspects, pour en venir véritablement
à une alliance honnête, à ce moment-là j'aurais été prêt à envisager une
alliance électorale.

Mais le Parti québécois était très obstiné dans son affaire d'indépendance, sauf vers le milieu de la campagne électorale où M. Lévesque a
commencé à laisser entrevoir que ça ne se ferait pas aussi rapidement,
mais encore là, c'était assez nébuleux. Ce n'est qu'après la campagne,
quand M. Morin est intervenu véritablement dans le parti, qu'on a senti
que le Parti québécois prenait notre position. Si cette position avait été
prise un an ou un an et demi plus tôt, je pense que l'échiquier politique
aurait été mauditement modifié en 73.

ENTREVUE AVEC
RODRIGUE BIRON

Après les élections provinciales de 1973 l'Union nationale n'est plus représentée à l'Assemblée nationale. Elle n'a recueilli que 5% des votes à travers le Québec. En simplifiant, on peut dire que la plupart de ses électeurs nationalistes l'ont abandonnée pour le Parti québécois, que sa tendance populiste a été prise en charge par le Ralliement créditiste et que le Parti libéral lui a enlevé ses électeurs opposés à l'indépendance du Québec. Puis en 1974, à l'occasion d'une élection partielle dans Johnson, Maurice Belle-mare est élu. L'Union nationale retrouve un souffle de vie. Elle se donne Rodrigue Biron comme chef en mai 1976. Aux élections de novembre 1976 le parti de Biron obtient 18% du vote populaire et fait élire 11 députés. L'Union nationale a-t-elle seulement retrouvé son niveau de 1970, ou est-elle à l'aube d'une véritable renaissance?

Rodrigue Biron, chef de l'Union nationale depuis mai 1976. (Archives de l'U.N.)

F. Sauvageau. **M. Biron, si on parlait d'abord de nationalisme. Où vous situez-vous dans la lignée de Duplessis et de Daniel Johnson, par rapport à la question nationale?**

R. Biron. Exactement au même endroit, c'est-à-dire dans un nationalisme modéré comparé à celui du Parti québécois, qui est extrémiste. Nous voulons que le Québec occupe la place qui lui revient à l'intérieur de la fédération canadienne. Nous disons: «Le Canada, ça nous appartient» aux gens de l'Ontario, de l'Alberta ou de la Colombie-Britannique; nous pensons que ça serait fou et ridicule de sacrifier ce pays-là qui nous appartient. Nous voulons avoir notre part mais à l'intérieur du pays et il y a moyen que le Québec, spécialement les Canadiens français, soient reconnus et occupent leur place, à condition qu'on fasse l'effort nécessaire pour justement occuper notre place. C'est ce nationalisme modéré qui fait qu'on est fier d'être francophone au Canada, fier d'être québécois au Canada.

F. Sauvageau. **Mais quelle est-elle, selon vous, la place du Québec à l'intérieur du Canada?**

R. Biron. C'est un respect du pacte confédératif qui a été signé en 1867. A l'époque c'était passablement bien prévu. Ce qui est arrivé, c'est que ç'a été mal appliqué, c'est-à-dire que le fédéral a pris de plus en plus de droits et de prérogatives sur les juridictions provinciales. A cause du pouvoir de taxation qui a finalement été dévolu au fédéral, les provinces n'ont pas pu s'épanouir pleinement. Tout ce que je veux, c'est que les pouvoirs de 1867 soient respectés.

F. Sauvageau. **En somme, un premier ministre provincial de l'Ontario ou de l'Alberta pourrait vouloir la même chose...**

R. Biron. Exactement. C'est ça qui est intéressant. A l'époque, Duplessis était tout seul à se battre pour l'autonomie des provinces et on disait que Duplessis faisait de la politique avec ça. Aujourd'hui, tous les premiers ministres des provinces se battent pour exactement la même chose que Duplessis il y a trente ans. Dans ce sens, on peut dire que Duplessis était vraiment un avant-gardiste.

F. Sauvageau. **Il n'y a rien de spécial au Québec?**

R. Biron. Sauf la langue et la culture françaises, parce que le Québec, c'est le foyer de la langue et de la culture françaises au Canada. On veut que le Québec soit véritablement le foyer de la langue française, et le gardien de cette culture à travers le pays, parce qu'ici, on peut contrôler notre langue et notre culture. Pour le reste, on veut la même chose que les autres provinces.

F. Sauvageau. **Mais finalement, ce sont des changements mineurs que vous recherchez. C'est bien loin de Daniel Johnson qui, lui, voulait refaire le pays. Il en avait assez de ce pays à dix où le Québec n'avait qu'une voix. Il voulait construire un pays à deux nations : le Québec et le Canada anglais.**

R. Biron. J'ai lu à peu près tous les livres de Johnson et Johnson voulait la même chose qu'on veut aujourd'hui. Johnson disait que la voix à deux, c'était ce qui regarde la langue et la culture. Johnson ne voulait pas enlever des droits aux autres provinces. Si vous regardez convenablement et sérieusement — Duplessis, Johnson et Biron — on veut la même chose. La différence c'est qu'aujourd'hui les autres provinces canadiennes sont avec nous alors qu'à l'époque elles n'étaient pas avec nous.

M. Cardinal. **Mais est-ce que vous n'avez pas perdu ce pouvoir de négociation qu'avaient Duplessis et Johnson? Par exemple, M. Duplessis a dû aller jusqu'à la double taxation pour obtenir les droits du Québec. M. Johnson a invoqué l'hypothèse de l'indépendance dans son livre *Égalité ou indépendance*. Vous vous affirmez fédéraliste, d'autant plus que la carte de l'indépendance vous ne pouvez pas la jouer, un autre parti politique la joue. Est-ce que ce n'est pas une vue de l'esprit que d'espérer récupérer des droits qui appartiennent au Québec simplement en misant sur un dialogue ou sur une négociation entre partenaires?**

R. Biron. Pas du tout. Parce que les autres provinces canadiennes ont fait un pas considérable, ont franchi une étape importante depuis l'époque de Duplessis et de Johnson. Alors, il faut s'adapter. Moi, je suis un bonhomme qui s'adapte à son temps ; en 1977, je ne veux pas vivre en l'an 2050. Je veux vivre aujourd'hui et je ne veux pas non plus vivre de souvenirs du passé.

Aujourd'hui, on s'aperçoit que les autres provinces veulent s'adapter à ce que le Québec veut et a toujours voulu avoir. On n'est plus tout seuls pour se battre. On est dix provinces canadiennes et on veut exactement la même chose. Il s'agit de trouver les mécanismes nécessaires pour s'asseoir autour de la même table et régler nos problèmes.

M. Cardinal. Alors là, on revient à ce que M. Johnson appelait la bataille de «un contre neuf».

R. Biron. C'est pas du tout un contre neuf. Ce ne sont pas des adversaires du Québec, au contraire, ce sont des alliés. Nous sommes dix provinces ensemble. Il faut arrêter de penser que parce que les autres provinces sont «autres» qu'elles sont des adversaires du Québec.

F. Sauvageau. Dans quel cas les voyez-vous comme des alliés du Québec?

R. Biron. Nommez-moi un cas dans lequel vous voyez les autres provinces comme des adversaires du Québec. Les autres provinces sont des provinces canadiennes, comme le Québec. On veut tous la même chose. Les autres provinces reconnaissent que le Québec est le foyer de la langue et de la culture françaises. Il s'agit de s'asseoir autour d'une même table, de négocier et de s'entendre sur ce que c'est le Canada d'aujourd'hui.

M. Cardinal. Prenons un exemple concret. Est-ce que ce n'est pas le gouvernement fédéral qui prélève les impôts et qui distribue aux provinces un pourcentage selon les ententes întervenues lors des conférences fédérales-provinciales?

R. Biron. C'est ce qui existe à l'heure actuelle. C'est ça qu'on veut changer... La Constitution dit que les impôts, ça revient aux provinces, pas au gouvernement fédéral. Il y a 30 ou 40 ans les provinces ont cédé leurs droits au gouvernement fédéral parce qu'il y avait une guerre, mais la guerre est finie! Il est grand temps de relire la Constitution de 1867, de se dire que ceux qui l'ont écrite voyaient pas mal plus loin qu'on ne le croit. On a dans les mains les instruments nécessaires pour bâtir le pays qu'on veut et un fédéralisme renouvelé.

M. Cardinal. Je reviens à ma question. M. Johnson adoptait la même attitude quand il parlait de 100-100-100 c'est-à-dire 100% de l'impôt des particuliers, 100% sur les profits des sociétés, 100% des droits de succession... Il n'a pas réussi et Lesage n'avait pas réussi non plus. Qu'est ce qui vous fait croire que vous allez réussir? Vous parlez de l'appui des autres provinces...

R. Biron. Les autres provinces ont évolué depuis et c'est ça que vous semblez ne pas comprendre. A l'époque, Duplessis était tout seul. Johnson au moins avait Robarts avec lui. Regardez les autres provinces, Manitoba, Alberta, Colombie-Britannique, Saskatchewan, ces provinces veulent véritablement reprendre leurs droits elles aussi.

F. Sauvageau. **Elles veulent reprendre leurs droits mais dès qu'il s'agit de reconnaître un rôle particulier pour le Québec, les autres provinces ne marchent plus. Là, vos alliés vous les perdez.**

R. Biron. Non, du tout. Les autres provinces reconnaissent le rôle particulier du Québec en ce qui regarde la langue et la culture et c'est là où il ne faut pas se tromper. Quand il s'agit d'économie, les autres provinces veulent la même chose que le Québec et le Québec n'a pas d'affaire à dire aux autres provinces quoi faire. Moi je ne veux pas que le Québec dise à l'Ontario quoi faire et je ne veux pas que l'Ontario me dise quoi faire non plus. Alors, du point de vue économique, nous sommes dix associés. Au point de vue de la langue et de la culture, les autres provinces reconnaissent que le Québec est le foyer de la langue française.

F. Sauvageau. **Mais au sujet des accords de réciprocité sur la langue d'enseignement, vous appuyez M. Lévesque. Les autres provinces n'ont pas tellement l'air de comprendre...**

R. Biron. C'est un gain considérable que les autres provinces s'engagent à avoir plus de français dans les écoles, à avoir plus d'écoles françaises. Il ne fallait pas être naïf au point de penser que les autres provinces signeraient une entente de réciprocité avec un premier ministre qui a décidé de détruire le pays. M. Lévesque a reconnu lui-même que si cette entente avait été proposée par un autre parti politique, que les autres premiers ministres auraient probablement dit oui.

M. Cardinal. **Est-ce que je traduis bien la position de l'Union nationale si je dis qu'elle aspire à la souveraineté culturelle du Québec et au contrôle des leviers économiques et au contrôle complet de ce qu'on appelle les affaires intérieures?**

R. Biron. Oui, ça correspond à la position de l'Union nationale.

M. Cardinal. **Au sujet du contrôle des leviers économiques, est-ce que ça n'implique pas la création d'une banque du Québec pour contrôler le crédit? Est-ce que ça n'inclut pas également un contrôle direct sur les importations, les exportations, sur les impôts des sociétés, etc.?**

R. Biron. On peut facilement s'entendre avec le gouvernement fédéral pour les barrières tarifaires. On se plaint par exemple que dans le textile, on n'est pas assez protégé. Mais le Québec n'a jamais fait savoir sa position claire et précise au gouvernement fédéral. On n'est pas intervenu auprès du gouvernement fédéral, comme l'Ontario. Le Québec peut faire pression sur le gouvernement fédéral et dire «On a tels genres d'industries qu'il faut protéger».

F. Sauvageau. **Vous ne pensez pas que depuis quinze ans le Québec fait ces pressions-là?**

R. Biron. Malheureusement non, et on a des exemples cruciaux dans le domaine du textile et du meuble.

F. Sauvageau. **En tout cas, on a fait pression depuis quelques mois dans ces deux domaines-là.**

R. Biron. On a fait pression, mais pas de la bonne façon, pas d'une façon logique. Le gouvernement québécois a critiqué le gouvernement fédéral, a essayé de prouver que ça dépendait du fédéral, mais il n'a pas suggéré des formules pratiques et logiques par lesquelles on peut aboutir à quelque chose. Il s'est fait quelque chose dernièrement dans le domaine du textile, mais c'est le fédéral qui l'a décidé; j'ai l'impression que le provincial n'est pas intervenu, sauf pour dire après qu'ils avaient fait une étape dans la bonne direction.

M. Cardinal. **Quand on parle du textile, la plupart du temps, on pense aux pays d'Asie. Or, un très fort pourcentage du textile vient des États-Unis. Dans quelle situation se trouverait le Québec, s'il devait jouer la carte du textile contre la carte de l'automobile qui, elle, pourrait être jouée par l'Ontario dans une négociation avec les Américains?**

R. Biron. Le textile vient surtout du Moyen-Orient. J'écoutais hier un importateur de textile qui nous faisait un bref résumé à la télévision et les prix de vente sont plus élevés aux États-Unis qu'à Montréal.

F. Sauvageau. **Mais indépendamment de l'exemple du textile, il y a des secteurs au Québec qu'il faut protéger des importations. Il y en a d'autres qu'il faut protéger en Ontario. Le gouvernement fédéral ne peut pas protéger seulement le Québec; il doit penser à toutes les régions du Canada, ce qui explique que certaines politiques peuvent être au désavantage d'un des partenaires à l'intérieur du Canada.**

R. Biron. Exactement, c'est normal, mais ça ne veut pas dire que tous les secteurs doivent être au désavantage au Québec.

F. Sauvageau. **Dans vos négociations de bonne entente avec le reste du Canada, qu'est-ce que vous aurez comme outil de négociation? M. Johnson avait «égalité ou indépendance», il pouvait aller négocier avec ça en disant que s'il n'obtenait pas l'égalité, il ferait l'indépendance; cet argument était un instrument, un outil de négociation. Quel serait le vôtre?**

R. Biron. Je veux vous corriger. Johnson n'a jamais parlé d'indépendance dans l'optique d'une séparation, comme le Parti québécois. Johnson a voulu dire qu'il négocierait en prenant tous les instruments possibles pour le faire. Johnson a fait avancer le Québec d'un grand pas et je ne crois pas qu'on ait vraiment négocié depuis.

F. Sauvageau. **Alors qu'est-ce que ça voulait dire «égalité ou indépendance» pour lui, selon vous?**

R. Biron. Johnson n'a jamais voulu séparer le Québec. Regardez les écrits de Johnson. C'était un gars qui croyait dans son pays comme Duplessis croyait dans son pays. Il voulait seulement que les Québécois prennent la place qui leur revient mais pas plus. Il a voulu dire qu'il était temps qu'on commence à être fiers de nous, qu'on se décide à travailler, à faire quelque chose au lieu de critiquer. Il a été deux ans à la tête du Québec et là-dessus, il a été malade pendant un an. Il n'a pas pu faire tellement, mais il a quand même fait une étape importante pour le Québec. Il a même convaincu le premier ministre de l'Ontario de travailler avec lui. Alors, ce qu'il faut faire maintenant c'est partir du principe de base que les autres sont des amis, qu'ils sont des concitoyens qui ne veulent pas notre destruction. Ils veulent notre bien et le progrès du pays. Le Canada ne peut pas progresser sans le Québec, ni le Québec sans le Canada. C'est aussi simple que ça.

M. Cardinal. **Est-ce qu'on peut dire, M. Biron, que la position de l'Union nationale rejoint celle de M. Lévesque en 1967 quand il a fondé le Mouvement souveraineté-association.**

R. Biron. Les Québécois ont toujours associé le Mouvement souveraineté-association à un parti séparatiste. La souveraineté politique elle-même, l'indépendance, c'est tellement faible cette thèse là. Il faut comprendre les autres provinces, si on veut se séparer, elles vont avoir une réaction émotive, une réaction non rationnelle. C'est illogique de dire qu'on va s'associer avec elles. Ils vont dire — vous avez détruit notre pays, ça nous coûtera l'argent qu'il faudra, on ne veut rien faire — Ça va durer 5 ans, 10 ans, en tout cas plusieurs années pendant lesquelles, le Québec et les Québécois vont avoir à en payer le prix. Si on est prêt à en payer le prix, eh bien, essayons cette histoire-là. On peut, avec un gouvernement plus logique s'entendre sur une formule de fédéralisme renouvelé que l'Union nationale préconise aujourd'hui. Le Parti québécois veut se séparer pour pouvoir s'associer économiquement; ça, c'est rêver en couleurs.

M. Cardinal. **De votre côté, vous dites: «ne nous séparons pas, négocions une association économique parallèlement à cette souveraineté culturelle que nous voulons affirmer davantage»...**

R. Biron. Nous l'avons déjà l'association économique; il s'agit de l'adapter aux besoins d'aujourd'hui. La souveraineté culturelle, on l'a, sauf...

F. Sauvageau. **C'est ce que M. Bourassa a réclamé pendant des années. Il ne pensait pas qu'on l'avait!**

M. Biron. De temps en temps, M. Trudeau s'ingère dans les affaires qui ne le regardent pas. Mais est-ce qu'on va détruire un pays à cause d'un homme? A l'heure actuelle, c'est une bataille entre deux hommes:

Trudeau et Lévesque. Ils deviennent populaires chacun de leur côté. On gouverne à coup de stratégies. J'aimerais qu'on ait des hommes très patriotes, qui gouvernent vraiment pour la population.

F. Sauvageau. **Sur la question de la langue, ça ne vous inquiète pas les statistiques publiées cet été qui démontrent que l'anglais prend de plus en plus d'importance au Canada et que même au Québec le groupe francophone pourrait diminuer?**

R. Biron. Je ne m'inquiète pas du tout parce que le groupe francophone augmente au Québec. Il faut se promener à travers le Québec pour voir ce qui se passe. Même à Montréal, et c'est peut-être le seul endroit où il peut y avoir des problèmes, la plupart des anglophones parlent un excellent français, alors on s'en va dans la bonne direction.

F. Sauvageau. **Le pourcentage des parlants français par rapport aux parlants anglais diminue.**

R. Biron. On a perdu un an pour parler d'un problème qui n'existe pas à travers le Québec, sauf un peu à Montréal. La Loi 101 n'a absolument rien changé sauf qu'on a plus de chômeurs qu'on en avait avant et qu'on a perdu du temps.

F. Sauvageau. **Mais, Montréal, M. Biron, c'est une partie importante du Québec!**

R. Biron. Il y a un petit problème au point de vue de la langue à Montréal, mais ça ne demandait pas d'arrêter l'expansion économique du Québec pendant un an pour régler ce problème. Ma crainte c'est qu'on aura des anglophones qui deviendront parfaits bilingues et qui pourront accéder à n'importe quel poste de commande au Québec et au Canada, alors que nos francophones n'auront pas l'égalité des chances. Maintenant, il n'y a que les francophones qui ont de l'argent qui pourront envoyer leurs enfants apprendre l'anglais. Je me révolte contre ça; je trouve ça écoeurant.

F. Sauvageau. **Revenons à l'économie, M. Biron. Vous avez dit quelques semaines après avoir été élu en juin 1976 qu'il n'y avait que des partis socialistes au Québec. Compte tenu de l'année qui s'est écoulée, pensez-vous toujours qu'il n'y a que l'Union nationale qui ne soit pas un parti socialiste?**

R. Biron. Je dois avouer que malheureusement l'économie du Québec se détériore et continue de se détériorer. Je lisais encore ce matin des prévisions du Conference Board of Canada qui dit que ça va être encore pire. Les hommes d'affaires sont pessimistes; c'est l'attitude générale d'un gouvernement, d'un parti politique qui fait en sorte que l'économie se détériore. Pour favoriser une relance économique, ça prend un climat économique et politique sain. Les investisseurs vont prendre des risques dans un climat politique sain. Quand le climat politique est instable, ils attendent que ça se stabilise. Les investisseurs iront investir au Chili ou n'importe où à travers le monde une fois qu'ils sauront dans quel genre de climat politique ils vont jouer.

F. Sauvageau. Mais le gouvernement du Parti québécois s'est défini comme un gouvernement social-démocrate? Les jeux sont donc faits; on sait à quoi s'attendre...

R. Biron. Les jeux sont faits là-dessus, donc ça ne favorise pas les investissements. On ne sait pas dans quel genre de pays on va vivre dans deux ans, les investisseurs veulent voir quelque chose de plus concret.

F. Sauvageau. Mais vous venez d'affirmer que les investisseurs iront n'importe où, pourvu que les règles du jeu soient connues?

R. Biron. Exactement, là on connait les règles du jeu, on sait que c'est un gouvernement socialiste. Ce que l'on ne connait pas, c'est le genre de régime dans lequel on va vivre.

F. Sauvageau. Vous ne faites donc aucune différence entre un gouvernement social-démocrate et un gouvernement socialiste?

R. Biron. La philosophie du gouvernement actuel, c'est que si une chose ne marche pas, il faut l'étatiser et que ça va marcher tout seul. Mais ce n'est pas vrai, au contraire, d'après ce qui arrive partout en pratique. L'assurance automobile, c'est un exemple; quand ça sera terminé, j'ai l'impression que ça va coûter pas mal plus cher que ça coûte aujourd'hui.

F. Sauvageau. Ce sont des impressions. Madame Payette, elle, n'a pas l'impression que ça coûtera plus cher.

R. Biron. Madame Payette dit que ça ne coûtera pas plus cher, mais elle ne sait pas combien d'employés la Régie va avoir. Regardez Sidbec, ils sont venus chercher 125 millions cette année. C'est connu: quand vous étatisez quelque chose, ça coûte toujours plus cher.

F. Sauvageau. Est-ce que ça veut dire que si vous preniez le pouvoir vous retourneriez au secteur privé les sociétés d'État comme par exemple Soquip ou l'Hydro-Québec?

R. Biron. Non. L'Hydro-Québec, c'est spécial, parce que ça vit dans une situation de monopole. En pratique, ils peuvent charger n'importe quoi, contrairement aux mines d'amiante, par exemple; si ça ne fait pas au Québec, on va acheter l'amiante ailleurs. Il s'agit de rentabiliser les sociétés d'État, c'est-à-dire de les faire fonctionner comme un genre d'entreprise privée où les gens sont intéressés à travailler parce qu'il y a une participation au profit.

F. Sauvageau. **Comment vous y prendriez-vous pour rendre les sociétés d'État semblables aux entreprises privées?**

R. Biron. Il s'agit de moderniser les structures pour avoir une participation. Il s'agit d'avoir un mélange de la sécurité d'emploi qu'offre une société d'État et le dynamisme de l'entreprise privée.

F. Sauvageau. **Pourriez-vous donner un exemple d'une entreprise d'État et de ce que vous feriez pour lui donner plus de dynamisme?**

R. Biron. Par une participation de l'entreprise privée. Prenez Sidbec par exemple, on pourrait facilement intéresser des entreprises privées, comme Stelco, à avoir une participation à 50%.

M. Cardinal. **Vous n'écartez pas la possibilité d'une intervention de l'État dans les secteurs de l'économie qui seraient particulièrement faibles...**

R. Biron. Il faut que l'État intervienne dans ces secteurs-là mais d'une façon plus moderne. Prenez le meuble, par exemple. Dans ce secteur, il y a plusieurs petites entreprises qui ne sont pas rentables. J'ai fait une suggestion au gouvernement à ce sujet. J'ai suggéré que le gouvernement rende déductible d'impôt une partie du gain du travailleur lorsqu'il le réinvestit pour acheter une part du capital-action de l'entreprise. J'ai même suggéré de rendre l'entreprise déductible d'impôt si 25% du capital-action est détenu par les travailleurs de l'entreprise. Alors vous avez une participation des travailleurs du genre social-démocrate et une direction du genre entreprise privée. Le ministre m'a dit que c'est une excellente suggestion, mais il ne s'est rien fait du genre.

M. Cardinal. **Si nous parlions maintenant de stratégies électorales? Comme défenseur de l'entreprise privée, vous faites surtout appel aux éléments conservateurs. M. Duplessis, comme M. Johnson, s'appuyait aussi sur les nationalistes. A l'heure actuelle, quels sont les appuis de l'Union nationale?**

R. Biron. Ce sont les conservateurs, les nationalistes modérés et...

M. Cardinal. **Est-ce que l'on dirait également les anglophones?**

R. Biron. Non, à la prochaine élection les anglophones vont voter pour le parti (le Parti libéral ou l'Union nationale) qui aura la majorité de votes chez les francophones. Les anglophones vont voter en majorité contre le P.Q. Je crois que ça sera l'Union nationale qui aura la majorité des francophones, donc qui ralliera les anglophones.

F. Sauvageau. **Il y a seulement vous qui prônez l'anglais comme langue officielle.**

R. Biron. Que les gens de Pointe-Claire communiquent en anglais avec les gens de Westmount, ça ne me dérange pas, pourvu que nous puissions parler français dans nos municipalités.

F. Sauvageau. **Vous courtisez quand même l'électorat anglophone, non?**

R. Biron. Non, je crois que c'est une position logique et de gros bon sens. On dit que le Québec doit être essentiellement français mais qu'on doit respecter les 20% d'anglophones. Ce qui est paradoxal, c'est que le Premier ministre lui-même le reconnaît, mais il ne l'a pas fait inscrire dans la loi. Il m'a dit «Faites-moi confiance». Mais les hommes meurent et les lois restent.

F. Sauvageau. **Vous avez parlé des conservateurs. Comment définissez-vous un conservateur?**

R. Biron. Le portrait type d'un conservateur pourrait être un bon-homme entre 50-60 ans qui a réussi une partie de sa vie assez bien, comme travailleur, par exemple, qui a une maison payée ou à peu près. C'est à mon avis un conservateur, comparé à celui qui n'a absolument rien et qui peut changer d'emploi demain matin et qui n'a que son habit sur le dos, qui ne perd rien. Il y a au moins 50% de la population du Québec qui sont conservateurs à ce point de vue-là.

F. Sauvageau. **Les jeunes, vous les laissez tomber carrément?**

R. Biron. Je n'ai parlé que des conservateurs. A l'heure actuelle, on fait un effort du côté des jeunes. Il y a beaucoup de jeunes qui viennent à l'Union nationale, même que ça nous a surpris au début. Depuis trois ou quatre mois, il y a beaucoup de jeunes qui viennent me voir, me demandent mon autographe. Mes collaborateurs me l'ont fait remarquer et on a fait une petite enquête. On nous a dit: «Vous avez un style nouveau, vous êtes le parti le plus nouveau qui présente un style positif.» On a découvert que les jeunes qui ont voté pour le Parti québécois n'étaient pas nécessairement indépendantistes; ils ont voté pour un parti qui semblait neuf, un parti jeune, comparé à l'Union nationale et le Parti libéral, qui étaient considérés comme des vieux partis.

F. Sauvageau. **Par contre, vous n'hésitez pas à vous présenter comme le parti de l'ordre, de l'autorité!**

R. Biron. Allez dans les écoles, vous verrez que les jeunes veulent beaucoup plus de discipline que les jeunes d'il y a dix ou quinze ans. Hier j'ai eu la visite d'un groupe de motards qui sont venus me voir dans mon bureau et j'ai été surpris de voir comment il y a de la discipline et de l'ordre là-dedans. Les jeunes aujourd'hui s'auto-disciplinent. C'est bien mieux que dans notre temps.

F. Sauvageau. **La vocation rurale de l'Union nationale, est-ce que ça existe encore? Allez-vous faire un plus grand effort dans les villes?**

R. Biron. Oui. On compte d'abord sur les régions rurales, parce que c'est la base traditionnelle de l'Union nationale. Mais nous avons fait certaines percées dans les villes moyennes et même dans les grandes villes comme Québec et Montréal. Par contre, 10 de nos 11 députés proviennent de régions rurales.

M. Cardinal. S'il y avait des élections dans un mois, chercheriez-vous à atteindre certaines couches sociales en particulier?

R. Biron. Non. J'ai l'impression que s'il y avait une élection le mois prochain, le thème de l'élection serait l'économie. Ceux qui ne travaillent pas sont inquiets et ceux qui travaillent sont très inquiets aussi. La prochaine élection ne se fera pas sur la langue, ni sur la Constitution, mais sur l'économie.

M. Cardinal. Donc, vous chercheriez à attirer les agriculteurs, les ouvriers des villes particulièrement menacés dans leur emploi et les anglophones, à cause de votre position constitutionnelle?

R. Biron. C'est ça. Les anglophones, aussi à cause de notre attitude envers l'entreprise privée. Je suis reconnu personnellement comme un homme d'affaires assez chanceux de réussir, alors ça plaît aux anglophones. Un homme qui a de l'expérience, qui a su pouvoir arriver lui-même, ça attire énormément les anglophones.

F. Sauvageau. Au début de septembre, vous avez participé aux fêtes à l'occasion du dévoilement de la statue de Duplessis. Ça ne vous embarrassait pas un peu, vous qui n'aviez jamais voté pour l'Union nationale avant d'en devenir le chef, qui aviez toujours été libéral et aviez sans doute combattu Duplessis; en tout cas votre père l'avait sûrement fait...

R. Biron. Mon père a été un des fondateurs de l'Union nationale et il a été pour Duplessis beaucoup plus longtemps qu'il a été contre. Il a été contre dans les dernières années de la vie de M. Duplessis. Ça ne m'a pas gêné, parce que j'ai lu la vie de M. Duplessis et c'est un bonhomme qui m'a beaucoup emballé. On était pour ou contre. L'histoire va juger que M. Duplessis a fait énormément pour le Québec. Même s'il était le chef qui décidait tout, M. Duplessis était un homme extrêmement humain, qui voulait servir les petites gens. Duplessis et l'Union nationale savaient trouver des emplois et on dit que quand Duplessis voyait des gens qui étaient sans emploi, ça lui faisait mal au coeur. C'est encore l'Union nationale d'aujourd'hui: un parti qui veut trouver des emplois aux Québécois, un parti très humain, très près des gens.

F. Sauvageau. L'Union nationale, ç'a toujours été le parti d'un chef fort: M. Duplessis, M. Sauvé, M. Johnson... Avez-vous l'impression que c'est toujours comme ça?

R. Biron. Oui, un chef mais un chef adapté aux besoins d'aujourd'hui, c'est-à-dire pas le genre de chef autoritaire comme du temps de M. Duplessis, où M. Duplessis décidait sans consulter. Aujourd'hui, il faut consulter beaucoup de gens, mais c'est encore le parti qui a besoin d'un chef qui décide de la direction à prendre.

M. Cardinal. Je reviens à cette hypothèse d'une élection à court terme. Pensez-vous que l'Union nationale serait favorisée par une lutte à quatre en supposant que les créditistes reprennent un peu du poil de la bête? Ou bien, essairiez-vous plutôt de regrouper les forces d'opposition pour que ça devienne une lutte à deux: les anti-séparatistes sous la direction d'un Biron et le Parti québécois?

R. Biron. Peut-être que ça peut devenir une lutte à deux mais j'ai l'impression que ça va demeurer une lutte à trois. A court terme, ça serait peut-être mieux, une lutte à deux, mais à long terme, le Parti libéral, l'Union nationale vont continuer et le Parti québécois va devenir beaucoup plus un parti N.P.D. ou carrément socialiste. Chez les militants du P.Q. et même parmi les députés, il y a une partie plus radicale; par contre, certains députés — environ une quinzaine — seraient mieux dans un parti comme l'Union nationale et peut-être quelques-uns au Parti libéral.

F. Sauvageau. Dans le regroupement que vous devrez faire au moment du référendum, vous allez travailler avec les libéraux au sein de comités opposés à l'indépendance. N'espérez vous pas que ce regroupement provoque une certaine alliance entre les libéraux et l'Union nationale pour les élections?

R. Biron. Tout dépend de la ou des questions. Finalement, le Parti libéral va peut-être défendre l'option statu quo, l'Union nationale va défendre l'option fédéralisme renouvelé et le Parti québécois défendra l'option souveraineté-association. Tant qu'on ne saura pas de quelle façon le référendum sera organisé, c'est trop tôt pour dire qu'on va aller d'un côté ou de l'autre. Mais c'est sûr qu'on ne veut plus du statu quo. On veut un fédéralisme renouvelé. Or, j'espère que le référendum sera clair; si le référendum n'offre pas cette option de fédéralisme renouvelé, il ne sera pas clair.

F. Sauvageau. Mais s'il y a deux options, vous allez être obligés de travailler avec les libéraux?

R. Biron. En discutant du référendum à l'Assemblée nationale, on va essayer de faire valoir notre point de vue au gouvernement; il n'y a pas que deux options: le statu quo et l'option souveraineté-association. A mon avis, on devrait poser quatre questions: indépendance, souveraineté-association, fédéralisme renouvelé ou statu quo.

(Propos recueillis le 13 septembre 1977, avant que M. Biron n'évoque la possibilité que son parti adhère au groupe des «oui» lors du référendum, «s'il advenait que la question aille dans le sens de la tradition québécoise, telle qu'exprimée de Duplessis jusqu'à Bourassa» — Le Devoir, 5 décembre 1977.)

CONCLUSION

Quand nous avons commencé de travailler à la série d'émissions qui ont été à l'origine de ce livre, nous n'étions pas loin de penser que l'Union nationale agonisait et que l'occasion était belle de conter une histoire à peu près terminée. L'élection de Maurice Bellemare dans Johnson, le choix de Rodrigue Biron comme chef du parti, puis les élections générales du 15 novembre 1976 ont au contraire prolongé cette histoire. L'Union nationale continue. Mais pour combien de temps? S'agit-il d'une véritable renaissance, ou d'un sursis de quelques années?

Il n'est pas facile de répondre à ces questions, d'autant plus que nous ne sommes pas futurologues, ni astrologues (ce qui revient souvent au même...). Il nous semble toutefois qu'une bonne façon d'entamer la discussion consiste à ne pas voir l'Union nationale dans l'absolu, mais dans sa relativité. Un parti n'est pas une entité en elle-même dont les hauts et les bas dépendraient avant tout de la substance de ses chefs et de son programme. Ces facteurs sont parfois déterminants, mais plus généralement les succès et les insuccès d'un parti dépendent de la façon dont il parvient à se situer par rapport aux autres dans le contexte social, économique, culturel ou politique de l'époque. Les électeurs et les militants choisissent toujours un parti par rapport à d'autres. Pour prendre un exemple qui ne touche pas l'Union nationale, il y a sans doute plus de similitude entre un choix pour le Parti libéral en 1960, et un choix pour le Parti québécois en 1976, qu'entre deux choix pour le Parti libéral, en 1960 et en 1976.

C'est dans cette perspective qu'on peut le mieux expliquer les heurs et les malheurs de l'Union nationale, de 1935 à 1976, et qu'on a le plus de chances de bien poser le problème de son évolution future.

La quasi-victoire de 1935 et la victoire de 1936 sont le fait d'un parti nouveau qui arrive à offrir ce que l'ancien Parti conservateur n'offrait pas : une solution de rechange socio-économique et politique à un Parti libéral corrompu et incapable de contrer la crise des années trente. Contrairement à ce que l'on croit aujourd'hui, la dimension nationaliste de l'Union nationale n'est pas encore affirmée à cette époque, où le Parti libéral est de toute façon plus autonomiste, à Québec, que le Parti conservateur.

En 1939, l'Union nationale se trouve confrontée à un Parti libéral fédéral, allié à celui du Québec, qui offre aux yeux des électeurs de meilleures garanties de défense des intérêts des Canadiens français du Québec. Elle est battue sur ce front dans la conjoncture troublante du début de la seconde grande guerre.

C'est en 1944 que l'Union nationale devient vraiment nationaliste. La soumission du gouvernement Godbout aux impératifs d'Ottawa durant la guerre lui en donne l'occasion. De plus, l'apparition d'un tiers parti très nationaliste, le Bloc populaire, oblige l'Union nationale à se montrer elle aussi nationaliste. Sinon le Bloc pourra mobiliser une majorité de l'opposition au gouvernement Godbout.

De 1944 à 1960, l'Union nationale, profitant de la prospérité de l'après-guerre, se maintient dans une position avantageuse contre un Parti libéral provincial toujours identifié aux centralisateurs d'Ottawa et appuyé par des milieux considérés comme marginaux par rapport aux solidarités traditionnelles : des syndicalistes, des journalistes, des universitaires, des anglophones également.

L'Union nationale sera battue en 1960 un peu comme le Parti libéral avait été battu en 1936 : par la conjonction d'une situation économique qui se détériore (mais beaucoup moins que durant les années trente) et des bruits de corruption qui trouvent toujours des oreilles attentives quand l'économie ou la société sont en crise.

Comme d'autres, le Parti libéral fit l'erreur de croire qu'en 1960 puis en 1962 les électeurs du Québec avaient opté positivement pour son programme, ce qui l'aurait autorisé à tout faire, et n'importe comment. Les choix électoraux collectifs sont plus compliqués et plus relatifs. Ils sont aussi plus négatifs (contre le gouvernement sortant ou contre les solutions de rechange proposées) que le laissent entendre les politiciens intéressés à la construction de l'État. La baisse du Parti libéral et sa défaite, en 1966, s'expliquent en bonne partie par cette illusion.

L'Union nationale de 1966 promettait un retour au style de gouvernement des années cinquante. Ce retour ne fut réussi ni sous Daniel Johnson, ni sous Jean-Jacques Bertrand. Celui-ci donna de plus l'impression d'abandonner la position autonomiste de l'Union nationale, au moment où le Parti québécois portait bien haut l'idée d'indépendance.

En 1970 puis en 1973, l'Union nationale n'a plus de position qui l'identifie nettement dans le système des partis. Le Parti québécois apparaît maintenant plus nationaliste qu'elle, les créditistes apparaissent plus près du peuple, et le Parti libéral de Robert Bourassa apparaît plus préoccupé qu'elle de la paix sociale et de la prospérité économique. La triple plate-forme nationaliste, populiste et socio-économique qui avait fait le succès du parti de Duplessis est éclatée. Les trois autres partis en ont pris chacun un morceau.

C'est dans ce contexte que revient Maurice Bellemare et qu'arrive Rodrigue Biron. Le Ralliement créditiste est miné par des divisions internes et le gouvernement libéral n'arrive plus à maintenir ni la paix sociale, ni le développement économique. Dans à peu près toutes les circonscriptions électorales du Québec, le 15 novembre 1976, le Parti québécois en profite et l'Union nationale aussi. Elle gagne même plus de votes que le P.Q. par rapport à 1973.

Nous sommes ramenés à notre question du début. S'agit-il, pour l'Union nationale, d'un sursis ou d'une véritable renaissance? Plus exactement, l'Union nationale est-elle condamnée à demeurer un parti marginal, le troisième ou le quatrième du Québec, en force électorale, ou peut-elle redevenir l'opposition officielle ou même former, un jour, le gouvernement?

Encore une fois, tout dépendra des positions que l'Union nationale saura tenir et de ce qui arrivera aux autres partis. On peut penser que d'ici dix ans le Parti québécois constituera ou bien le gouvernement ou bien l'opposition officielle. Pour redevenir un des deux grands partis du Québec, l'Union nationale doit donc ou supplanter le Parti libéral ou fusionner avec lui. La fusion apparaît peu probable, à moins que les deux partis en viennent à estimer que c'est le seul moyen de battre le Parti québécois ou d'assurer leur propre survie.

Que l'Union nationale supplante le Parti libéral est toujours possible, mais peu probable également. Au cours de 1977 des sondages ont montré que les deux partis étaient à peu près égaux dans l'opinion publique. Mais une fois que le Parti libéral se sera donné une orientation et surtout un chef, il a de bonnes chances de devancer l'Union nationale. D'autant plus qu'il a l'avantage sur celle-ci de pouvoir compter sur un équivalent puissant au niveau fédéral, le Parti libéral du Canada.

On a eu l'impression que Rodrigue Biron a appris honnêtement son métier, en 1977, et qu'il a un peu perdu la belle assurance qu'il avait en 1976. Pour tout cela il n'a pas réussi à s'imposer comme le véritable leader de l'opposition à Québec. Le parti qui arrivera à constituer la solution de rechange au gouvernement actuel sera sans doute celui qui réussira le mieux à tenir ensemble les trois principaux fondements de l'opposition au Parti québécois: l'option pour le fédéralisme plutôt que pour l'indépendance, l'option pour le secteur privé contre un secteur public envahissant, et l'option, liée à la précédente, pour ceux qui ont peu d'intérêt dans le développement de l'État, ou bien parce qu'ils en souffrent ou bien parce qu'ils peuvent s'en passer.

En cette fin de 1977, le Parti libéral semble avoir plus de chances que l'Union nationale de faire tenir ensemble, de façon crédible, ces trois positions. Mais qui sait?

Ce que l'on sait, par contre, c'est que l'Union nationale ne sera jamais plus le parti des vingt-cinq premières années (1935-1960), celles qui ont surtout été contées dans cet ouvrage. Il y aura sans doute un cinquantenaire de l'Union nationale (en 1985), mais on peut penser qu'il sera plus nostalgique que triomphant.

APPENDICES

LISTE DES DÉPUTÉS DE L'UNION NATIONALE

Compilée par Louis Massicotte

Cette liste comprend les noms de tous les députés siégeant ou ayant siégé à l'Assemblée législative (nationale) du Québec depuis 1935, sous les étiquettes du Parti conservateur, de l'Action libérale nationale et de l'Union nationale. Pour les députés de la législature 1935-36, l'affiliation politique est indiquée par (C), pour le Parti conservateur, et par (ALN) pour l'Action libérale nationale. Les noms précédés d'un astérique sont ceux des députés qui ont été ministres.

ADAM, Philippe	Bagot	1938-39
* ALLARD, Paul-É.	Beauce	1962-70
AUGER, Georges-Adélard	Gatineau	1936-39
AUGER, J.-J. Antonio	Lac Saint-Jean	1948-59
* BARRÉ, Laurent (C)	Rouville	1931-39
		1944-60
BARRETTE, Herman A.	Terrebonne	1936-39
* BARRETTE, J. Antonio	Joliette	1936-60
BARRIÈRE, J. Omer	Laval	1948-56
* BEAUDRY, Jean-Paul	Lafontaine	1966-70
BEAUDRY, Rouville (ALN)	Stanstead	1935-38
* BEAULIEU, J.-Paul	Saint-Jean	1944-60
* BEAULIEU, Mario	Dorion	1969-70
* BÉGIN, Joseph-D. (ALN)	Dorchester	1935-62
BÉIQUE, Hortensius [1]	Chambly	1936-39
BÉLANGER, J. Grégoire (ALN)	Montréal-Dorion	1935-39
BÉLANGER, Paul-Eugène	Bellechasse	1948-52

BELLEMARE, Dionel	Vaudreuil	1936-39
* BELLEMARE, J.-A. Maurice	Champlain	1944-70
	Johnson	1974-
BELLIVEAU, F. Édouard	Vaudreuil-Soulanges	1969-70
BERGERON, Marc	Mégantic	1966-70
BERNARD, J.-R. Robert	Drummond	1944-52
		1956-60
BERNATCHEZ, J.-R. René	Lotbinière	1948-70
* BERTRAND, Jean-Jacques	Missisquoi	1948-73
BERTRAND, Pierre (C)	Saint-Sauveur	1927-39
* BILODEAU, Joseph	L'Islet	1936-39
BIRON, Rodrigue	Lotbinière	1976-
BLANCHARD, J. Léonard	Terrebonne	1944-60
BOHÉMIER, Pierre	Labelle	1958-59
BOITEAU, Émile	Bellechasse	1936-39
* BOIVIN, Roch	Dubuc	1966-73
* BOUDREAU, J. Francis	Saint-Sauveur	1948-70
* BOURQUE, John S. (ALN)	Sherbrooke	1935-60
BOUSQUET, Denis	Saint-Hyacinthe	1966-70
BOUSQUET, P.-Jacques F.	Saint-Hyacinthe	1955-56
BOYER, Auguste	Châteauguay	1936-39
BROCHU, Yvon [2]	Richmond	1976-
BULLOCH, William Ross	Westmount	1936-39
* CARDINAL, Jean-Guy [3]	Bagot	1968-73
* CARIGNAN, Anatole	Jacques-Cartier	1936-39
CARON, A. Germain	Maskinongé	1944-66
CARON, J. Napoléon	Maskinongé	1936-39
CASTONGUAY, Antoine (C)	Roberval	1935-39
CHALIFOUR, Rosaire	Portneuf	1953-60
CHALOULT, René	Kamouraska	1936-39
* CHARBONNEAU, Edgar	Montréal-Sainte-Marie	1956-69
CHARTIER, J.-E. Irenée	Saint-Hyacinthe	1944-54
CHARTRAND, Victor-Stanislas	L'Assomption	1944-62
CHOQUETTE, J.-Hector (ALN)	Shefford	1935-39
		1944-52
CLICHE, Vital (ALN)	Beauce	1935-36
* CLOUTIER, Jean-Paul	Montmagny	1962-73
CLOUTIER, Maurice	Québec-centre	1952-62
* COONAN, Thomas J.	Montréal-Saint-Laurent	1936-39
CORDEAU, Fabien	Saint-Hyacinthe	1976-
COSSETTE, Philippe	Matapédia	1944-52
CÔTÉ, J. Camille	Montréal-Sainte-Marie	1944-48
* CÔTÉ, J. Omer	Montréal-Saint-Jacques	1944-56

* COTTINGHAM, William McOuat	Argenteuil	1948-66
* COURNOYER, Jean [4]	Saint-Jacques	1969-70
COUTURIER, Alphonse	Gaspé-nord	1952-60
CROISETIÈRE, Alfred	Iberville	1966-73
CROTEAU, Jean-Jacques	Sainte-Marie	1969-70
* CUSTEAU, Maurice	Montréal-Jeanne-Mance	1956-62
DALLAIRE, Guy	Rouyn-Noranda	1948-56
D'ANJOU, Adélard	Kamouraska	1966-70
* DELISLE, Joseph-Hormisdas	Montréal-Saint-Henri	1944-52
DEMERS, J.-Philippe G.	Saint-Maurice	1966-73
DESJARDINS, J. Gérard	Gatineau	1948-62
DESMEULES, J. Léonce	Lac Saint-Jean	1966-70
* DOZOIS, J.-Paul	Montréal-Saint-Jacques	1956-69
* DROUIN, J.-A. Oscar (ALN) [5]	Québec-est	1935-39
DUBÉ, J.-E. Alfred	Rimouski	1936-39
		1944-56
DUBÉ, Louis-Félix	Témiscouata	1936-39
DUBOIS, Claude	Huntingdon	1976-
DUCHARME, Charles-Romulus (ALN)	Laviolette	1935-39
		1944-66
DUGUAY, J.-Léonard (C)	Lac-Saint-Jean	1935-39
* DUPLESSIS, Maurice LeNoblet (C)	Trois-Rivières	1927-59
* DUSSAULT, J.-Bona (ALN)	Portneuf	1935-39
* ÉLIE, J.-P. Antonio (C)	Yamaska	1931-66
* FISHER, Martin Beattie (C)	Huntingdon	1927-39
FITCH, Louis	Montréal-Saint-Louis	1938-39
FLAMAND, Antonio [6]	Rouyn-Noranda	1966-70
FLEURY, J.-Émery	Nicolet	1936-39
		1944-52
FONTAINE, Serge	Nicolet-Yamaska	1976-
FORTIN, J. Émile	Mégantic	1957-60
FOX, C.-J. Warwick	Brome	1948-56
FRÉCHETTE, Renald dit Raynald	Sherbrooke	1966-70
* FRENCH, Charles Daniel	Compton	1946-54
FRENCH, John W.	Compton	1954-56
* GABIAS, J.-P. Yves	Trois-Rivières	1960-69
GABOURY, J.-R. Benoît	Matane	1958-60
GAGNÉ, Arsène	Montréal-Laurier	1955-60
GAGNÉ, Bernard J.	Richelieu	1948-52
		1956-60

GAGNÉ, J.-David	Arthabaska	1936-39
GAGNÉ, Roméo	Rivière-du-Loup	1948-56
GAGNON, Clovis	Matapédia	1953-60
* GAGNON, J.-François A.	Gaspé-nord	1962-73
* GAGNON, Onésime	Matane	1936-58
GARDNER, J.-G. Rock	Arthabaska	1966-70
GATIEN, J.-F. Albert	Maisonneuve	1944-52
GAULT, Charles Ernest (C)	Montréal-Saint-George	1927-36
GAUTHIER, Gilles	Trois-Rivières	1969-70
GAUTHIER, Guy	Berthier	1966-73
GAUTHIER, J.-Georges TREMBLAY	Roberval	1962-70
GENDRON, Francis A.	Montréal-Sainte-Marie	1948-52
GÉRIN, Henri	Stanstead	1938-39
GÉRIN, J.-L. Denis	Stanstead	1948-60
GERVAIS, Albert	Montmorency	1962-66
GOSSELIN, Claude G.	Compton	1957-70
GOULET, Bertrand	Bellechasse	1976-
GOUDREAU, Albert (C)	Richmond	1935-39
		1944-52
GOUIN, Paul (ALN)	L'Assomption	1935-36
GRÉGOIRE, J.-Ernest (ALN)	Montmagny	1935-39
GRENIER, Fernand	Frontenac	1966-70
	Mégantic-Compton	1976-
GUAY, E.-Gérard	Québec-centre	1948-52
GUÈVREMONT, Georges	Montréal-Jeanne-Mance	1948-52
GUILLEMETTE, Eloi	Frontenac	1956-66
HAMEL, Paul-Yvon	Rouville	1966-70
HAMEL, Philippe (ALN)	Québec-centre	1935-39
HÉBERT, Edgar	Beauharnois	1948-62
JEANOTTE, J.-Édouard	Vaudreuil-Soulanges	1948-57
* JOHNSON, J.-F. Daniel	Bagot	1946-68
* JOHNSTON, Raymond Thomas	Pontiac	1948-70
JOLICOEUR, Henri	Bonaventure	1936-39
		1944-56
* LABBÉ, J.-A. Wilfrid	Arthabaska	1948-60
* LABBÉ, J.-Tancrède	Mégantic	1935-39
		1940-56
LABELLE, René	Montréal-Saint-Henri	1936-39
LABERGE, Arthur	Châteauguay	1948-57
LABERGE, J.-Maurice	Châteauguay	1957-62
LADOUCEUR, J.-Clodomir	Verchères	1956-60

LAFLEUR, Pierre-Auguste (C)	Montréal-Verdun	1927-39
* LAFONTAINE, Fernand J.	Labelle	1959-73
LANGLAIS, Hormisdas D.	Iles-de-la-Madeleine	1936-62
LARIVIÈRE, Nil-Elie (ALN)	Témiscamingue	1935-39
		1944-52
* LAROCHELLE, J.-Théophile (ALN)	Lévis	1935-39
		1944-48
LAROUCHE, Arthur (ALN)	Chicoutimi	1935-38
LAROUCHE, J. André	Témiscamingue	1956-62
LAURIAULT, Wilfrid Eldège (C)	Montréal-Saint-Henri	1935-36
LAVALLÉE, Azellus	Berthier	1948-62
LAVOIE, B. René	Wolfe	1962-73
* LAYTON, Gilbert	Montréal-Saint-George	1936-39
* LEBEL, Gérard	Rivière-du-Loup	1966-70
* LECLERC, Arthur	Charlevoix-Saguenay	1936-39
		1944-48
	Charlevoix	1948-62
LEDUC, André	Laviolette	1966-70
* LEDUC, François J. (C) [7]	Laval	1935-39
LEDUC, Édouard	Soulanges	1936-39
LEMOIGNAN, Michel	Gaspé	1976-
LESAGE, J.-A. Émile	Abitibi	1936-39
	Abitibi-ouest	1944-56
LESAGE, Zénon (ALN)	Montréal-Laurier	1935-36
LEVASSEUR, Paul	Lac-Saint-Jean	1959-60
* LIZOTTE, J.-C. E. Fernand	L'Islet	1948-60
		1962-70
* LORRAIN, Joseph Roméo (ALN)	Papineau	1935-66
* LOUBIER, Gabriel	Bellechasse	1962-73
* LUSSIER, J.-Robert E.	L'Assomption	1966-70
MAJEAU, Maurice	Joliette	1962-66
* MALTAIS, Armand	Québec-est	1956-62
	Limoilou	1966-70
MARCOUX, Adolphe	Québec-comté	1936-39
MARIER, Joseph	Drummond	1936-39
MARCOTTE, J.-E. Antoine	Roberval	1944-56
MARTEL, Maurice [8]	Richelieu	1966-70
MARTELLANI, Carmine dit Camille	Saint-Henri	1966-70
* MASSE, Marcel	Montcalm	1966-73
* MATHIEU, François-Eugène	Chauveau	1966-70
MATTE, Joseph Onésime	Québec-est	1948-52
* MIQUELON, F. Jacques	Abitibi-est	1948-60
MONETTE, Philippe	Napierville-Laprairie	1936-39

	MONK, Frederick Arthur (ALN)	Jacques-Cartier	1935-36
*	MORIN, Jean-Marie	Lévis	1966-70
	MORIN, J. Philias	Champlain	1939-44
	MURRAY, Hubert	Terrebonne	1966-70
	NADEAU, Joseph Armand	Dorchester	1962-64
	OUELLET, Léonce	Jonquière-Kénogami	1956-60
	OUELLET, Pierre	Saguenay	1948-60
*	PAQUETTE, J.-H. Albiny	Labelle	1935-58
	PARADIS, Ferdinand	Matapédia	1936-39
*	PAUL, J.-R. Rémi	Maskinongé	1966-73
	PELLETIER, André A.	Témiscouata	1944-52
	PELLETIER, J.-A. Alphonse	Gaspé-nord	1936-39
			1944-48
	PELLETIER, Maurice	Lotbinière	1936-39
	PERRON, Joseph-Émile	Beauce	1937-39
	PICARD, Paul-Henri	Dorchester	1966-70
	PLAMONDON, Marcel R.	Portneuf	1966-70
	PLOURDE, J.-P. Alfred	Kamouraska	1948-62
	POIRIER, Alphée	Bellechasse	1952-60
	POULIN, J. Georges-Octave	Beauce	1945-60
	POULIN, Raoul	Beauce	(août-déc.) 1936
*	POULIOT, Camille-Eugène	Gaspé-sud	1936-62
	POULIOT, François A.-L. (C)	Missisquoi	1935-39
*	PRÉVOST, L.-A. Yves	Montmorency	1948-62
	PROULX, Jérôme [9]	Saint-Jean	1966-70
	PROVENCAL, Jean-Paul	Montréal-Laurier	1948-54
	POULIOT, Léopold	Laval	1956-60
	RAYMOND, J. Antoine	Témiscouata	1952-66
	RAYNAULT, Adhémar	L'Assomption	1936-39
	RENNIE, John Gillies	Huntingdon	1947-52
	RIENDAU, J. Hercule	Napierville-Laprairie	1944-62
*	RIVARD, M. Antoine	Montmagny	1948-60
*	ROBINSON, Jonathan	Brome	1936-48
	ROCHE, J. Redmond	Chambly	1948-56
	ROCHEFORT, J.-U. Candide (ALN)	Montréal-Sainte-Marie	1935-39
	ROCHETTE, J. Émilien	Québec-comté	1956-60
	ROUSSEAU, U. Wilbrod (ALN)	Champlain	1935-39
	ROY, Camille	Nicolet	1952-62
	ROY, J. Félix	Montmorency	1936-39
	ROY, Pierre	Joliette	1966-70

RUSSELL, L.-J. Armand	Shefford	1956-70
	Brome-Missisquoi	1976-
SAMSON, J.-A. Albert	Lévis	1949-52
		1956-60
SAUCIER, Jean-Alphonse	Québec-ouest	1948-52
SAUVAGEAU, Paul-Émile	Bourget	1966-70
SAUVÉ, Delpha (C)	Beauharnois	1935-44
* SAUVÉ, J.-M. Paul [10]	Deux-Montagnes	1936-60
SCHMIDT, Loyola	Vaudreuil-Soulanges	1957-60
SHAW, F. William	Pointe-Claire	1976-
SHERMAN, Paysan Alton (C)	Compton	1935-39
SHOONER, Paul	Yamaska	1966-70
SIMARD, J. Montcalm	Témiscouata	1966-73
SMART, Charles Allan (C)	Westmount	1927-36
SOMERVILLE, H.-Alister	Huntingdon	1952-66
SPENCE, Paul-Henri	Roberval	1956-58
TACHÉ, Alexandre	Hull	1936-39
		1944-56
TALBOT, Antonio	Chicoutimi	1938-66
* TARDIF, J.-G. Patrice (ALN)	Frontenac	1935-39
		1944-52
TELLIER, J. Maurice	Montcalm	1936-39
		1944-62
THÉORÉT, J.-O. Roland	Papineau	1966-70
* THIBAULT, J.-B. Gérard L.	Montréal-Mercier	1936-39
		1948-62
THUOT, J.-M. Yvon	Iberville	1944-60
TREMBLAY, Gaston [11]	Montmorency	1966-70
* TREMBLAY, Jean-Noël	Chicoutimi	1966-73
TREMBLAY, Lucien	Maisonneuve	1956-62
* TREMBLAY, William (C)	Maisonneuve	1935-39
* TRUDEL, J.-Marc N. (ALN)	Saint-Maurice	1935-39
		1944-52
TURCOTTE, Jean-Joseph	Roberval	1958-60
VACHON, J.-J. Henri	Wolfe	1936-39
		1944-52
		1956-60
VINCENT, Clément	Nicolet	1966-73

1. Député conservateur de Chambly de 1927 à 1935

2. Député créditiste de Richmond de 1970 à 1973

3. Élu député péquiste de Prévost en 1976

4. Député libéral de Chambly (1971-1973) puis de Robert-Baldwin (1973-1976)

5. Député de Québec-est comme libéral (1928-1935), A.L.N. (1935-36), U.N. (1936-39), libéral (1939-1944).

6. Quitte l'U.N. à l'automne 1969, suite à la controverse suscitée par la présentation du projet de loi no 63 sur la langue française au Québec.

7. Député libéral de Laval de 1939 à 1948.

8. Élu député péquiste de Richelieu en 1976.

9. Quitte l'U.N. à l'automne 1969, suite à la controverse suscitée par la présentation du projet de loi no 63 pour se joindre peu après au Parti Québécois. Élu député péquiste de Saint-Jean en 1976.

10. Député conservateur des Deux-Montagnes de 1930 à 1935.

11. Quitte l'U.N. en 1968 pour se joindre au Parti Nationaliste-Chrétien, puis au Ralliement créditiste.

CONSEILS DES MINISTRES
DE L'UNION NATIONALE

Premier ministère Duplessis

26 août 1936 - 7 juillet 1938

Premier ministre,
Président du Conseil exécutif,
Procureur général .... Maurice Duplessis

Ministre des Terres et forêts .... Oscar Drouin

Ministre du Travail .... William Tremblay

Ministre des Travaux publics .... John S. Bourque

Ministre de la Voirie .... François-Joseph Leduc

Ministre des Mines,
Ministre de la Chasse et des pêcheries................... Onésime Gagnon

Ministre des Affaires municipales,
  de l'industrie et du commerce .... Joseph Bilodeau

Ministre de la Colonisation .... Henry-L. Auger

Ministre de l'Agriculture.............................. Bona Dussault

Trésorier de la Province.............................. Martin B. Fisher

Secrétaire de la Province .... Albiny Paquette

Ministre sans portefeuille .... Antonio Élie
Ministre sans portefeuille .... Gilbert Layton
Ministre sans portefeuille .... Thomas J. Coonan

* * *

7 octobre 1936:

Ministre sans portefeuille,
Leader du gouvernement au Conseil législatif .... Sir Thomas Chapais

12 novembre 1936:

Création du ministère des Mines et des pêcheries, dont M. Onésime Gagnon devient le titulaire.

15 décembre 1936:

Secrétaire de la Province,
Ministre de la Santé (nouveau ministère) . . . . Albiny Paquette

22 janvier 1937:

Démission de M. Oscar Drouin

23 février 1937:

Ministre des Terres et forêts . . . . Maurice Duplessis

2e ministère Duplessis

7 juillet 1938 - 8 novembre 1939

Premier ministre,
Président du Conseil exécutif,
Procureur général,
Ministre des Terres et forêts,
Ministre de la Voirie . . . . Maurice Duplessis

Ministre sans portefeuille,
Leader du gouvernement au Conseil législatif . . . . Sir Thomas Chapais

Ministre du Travail . . . . William Tremblay

Ministre des Travaux publics . . . . John S. Bourque

Ministre des Mines et des pêcheries . . . . Onésime Gagnon

Ministre des Affaires municipales,
    de l'industrie et du commerce . . . . Joseph Bilodeau

Ministre de la Colonisation . . . . Henry L. Auger

Ministre de l'Agriculture . . . . Bona Dussault

Trésorier de la Province . . . . Martin B. Fisher

Secrétaire de la Province,
Ministre de la Santé . . . . Albiny Paquette

Ministre sans portefeuille . . . . Antonio Élie
Ministre sans portefeuille . . . . Gilbert Layton
Ministre sans portefeuille . . . . Thomas J. Coonan

* * *

27 juillet 1938:

Ministre des Terres et forêts,
Ministre des Travaux publics . . . . John S. Bourque

30 novembre 1938:

Ministre de la Voirie.................................Anatole Carignan

3e Ministère Duplessis
30 août 1944 - 7 septembre 1959

Premier ministre,
Président du Conseil exécutif,
Procureur général .... Maurice Duplessis

Trésorier de la Province .... Onésime Gagnon

Ministre d'État,
Leader du gouvernement au Conseil législatif .... Sir Thomas Chapais

Ministre des Terres et forêts .... John S. Bourque

Ministre de la Santé et du bien-être social .... Bona Dussault

Ministre de la Colonisation .... Joseph-D. Bégin

Ministre d'État (Agriculture)............................ Antonio Élie

Ministre des Mines .... Jonathan Robinson

Ministre de l'Agriculture .... Laurent Barré

Ministre de la Voirie .... Antonio Talbot

Ministre du Travail .... Antonio Barrette

Ministre de la Chasse,
Ministre des Pêcheries .... Camille Pouliot

Ministre des Travaux publics .... Roméo Lorrain

Ministre de l'Industrie et du commerce .... Paul Beaulieu

Secrétaire de la Province................................ Omer Côté

Ministre d'État (Mines) .... Tancrède Labbé

Ministre d'État (Travaux publics) .... J.T. Larochelle

Ministre d'État (Santé) .... Marc Trudel

Ministre d'État (Agriculture)............................ Patrice Tardif

Ministre d'État (Travail) .... J.H. Delisle

* * *

31 juillet 1945:

Ministre des Terres et forêts,
Ministre des Ressources hydrauliques
(nouveau ministère) .... John S. Bourque

17 avril 1946:

Le ministère de la Santé et du bien-être social est scindé.
Ministre de la Santé .... Albiny Paquette

15 juillet 1946:

Décès de Sir Thomas Chapais, Ministre d'État et Leader du gouvernement au Conseil législatif. M. Édouard Asselin devient leader du gouvernement au Conseil législatif, sans accéder au Conseil des ministres.

18 septembre 1946:

Ministre du Bien-être social et de la jeunesse . . . . Paul Sauvé

11 octobre 1948:

Décès de M. Jonathan Robinson, ministre des Mines, remplacé à titre intérimaire par M. Onésime Gagnon.

15 décembre 1948:

Ministre des Mines . . . . Charles Daniel French
Ministre d'État . . . . Antoine Rivard

29 décembre 1948:

Démission de M. J.-T. Larochelle, Ministre d'État, nommé conseiller législatif.

12 avril 1950:

Solliciteur général . . . . Antoine Rivard

28 novembre 1951:

Le titre du Trésorier provincial est changé en celui de Ministre des Finances. le titulaire du poste demeure M. Onésime Gagnon.

23 juillet 1952:

Démission de MM. Trudel, Delisle et Tardif, ministres d'État, défaits aux élections générales du 9 juillet. Ces démissions entrent en vigueur le 1er août.

Ministre d'État (Santé) . . . . Arthur Leclerc
Ministre d'État (Agriculture) . . . . Wilfrid Labbé
Ministre d'État (Travail) . . . . Jacques Miquelon

(Ces nominations entrent en vigueur le 5 août).

28 avril 1953:

Décès de M. Bona Dussault, ministre des Affaires municipales

19 juillet 1953:

Ministre des Affaires municipales . . . . Yves Prévost

3 mai 1954:

Décès de M. C.D. French, Ministre des Mines.

2 juin 1954:

Ministre des Mines . . . . William M. Cottingham

30 juin 1954:

Solliciteur général,
Ministre des Transports et des communications . . . . Antoine Rivard

14 mars 1956:

Démission de M. Omer Côté, secrétaire de la province.

24 avril 1956:

Secrétaire de la Province,
Ministre des Travaux publics .... Roméo Lorrain

26 septembre 1956:

Secrétaire de la Province .... Yves Prévost
Ministre des Affaires municipales .... Paul Dozois
Ministre des Travaux publics .... Roméo Lorrain

13 décembre 1956:

Décès de M. Tancrède Labbé, ministre d'État.

25 janvier 1958:

Démission de M. Onésime Gagnon, Ministre des finances.

27 janvier 1958:

Ministre des Finances,
Ministre des Terres et forêts,
Ministre des Ressources hydrauliques .... John S. Bourque

30 avril 1958:

Ministre des Finances .... John S. Bourque
Ministre des Terres et forêts .... Jean-Jacques Bertrand
Ministre des Ressources hydrauliques .... Daniel Johnson

20 août 1958:

Démission de M. Albiny Paquette, Ministre de la Santé.

5 novembre 1958:

Ministre de la Santé .... Arthur Leclerc
Ministre d'État .... Gérard Thibault

15 janvier 1959:

Le Ministère du Bien-être social et de la Jeunesse est scindé.

Ministre du Bien-être social,
Ministre de la Jeunesse .... Paul Sauvé

Ministère Sauvé

11 septembre 1959 - 2 janvier 1960

Premier ministre,
Président du Conseil exécutif,
Ministre du Bien-être social,
Ministre de la Jeunesse .... Paul Sauvé

Ministre des Finances .... John S. Bourque

Ministre du Travail .... Antonio Barrette

Ministre de l'Agriculture .... Laurent Barré

Ministre de la Colonisation .... Joseph-D. Bégin

Ministre des Travaux publics .... Roméo Lorrain

Ministre de la Voirie .... Antonio Talbot

Ministre de l'Industrie et du commerce .... Paul Beaulieu

Ministre de la Chasse,
Ministre des Pêcheries .... Camille-Eugène Pouliot

Procureur général,
Ministre des Transports et communications .... Antoine Rivard

Ministre de la Santé .... Arthur Leclerc

Secrétaire provincial .... Yves Prévost

Ministre des Mines............................. William M. Cottingham

Ministre des Affaires municipales .... Paul Dozois

Ministre des Ressources hydrauliques .... Daniel Johnson

Ministre des Terres et forêts .... Jean-Jacques Bertrand

Ministre sans portefeuille .... Antonio Élie

Ministre sans portefeuille .... Jacques Miquelon

Ministre sans portefeuille............................... Wilfrid Labbé

Ministre sans portefeuille........................... Gérard Thibault

Ministre sans portefeuille........................... Maurice Bellemare

*   *   *

4 novembre 1959:

Solliciteur général................................. Jacques Miquelon

Ministère Barrette

8 janvier - 5 juillet 1960

Premier Ministre,
Président du Conseil exécutif,
Ministre du Travail .... Antonio Barrette

Ministre des Finances .... John S. Bourque

Ministre de la Colonisation .... Joseph D. Bégin

Ministre de la Colonisation .... Jos Bégin

Ministre des Travaux publics .... Roméo Lorrain

Ministre de la Voirie .... Antonio Talbot

Ministre de l'Industrie et du commerce .... Paul Beaulieu

Ministre de la Chasse,
Ministre des Pêcheries .... Camille-Eugène Pouliot

Procureur général,
Ministre des Transports et communications . . . . Antoine Rivard

Ministre de la Santé . . . . Arthur Leclerc

Ministre des Terres et forêts . . . . Jacques Miquelon

Secrétaire provincial . . . . Yves Prévost

Ministre des Mines . . . . William M. Cottingham

Ministre des Affaires municipales . . . . Paul Dozois

Ministre des Ressources hydrauliques . . . . Daniel Johnson

Ministre du Bien-être social ;
Ministre de la Jeunesse . . . . Jean-Jacques Bertrand

Ministre sans portefeuille . . . . Antonio Élie

Ministre sans portefeuille . . . . Wilfrid Labbé

Ministre sans portefeuille . . . . Gérard Thibault

Ministre sans portefeuille . . . . Maurice Bellemare

Ministre sans portefeuille . . . . Maurice Custeau

Ministre sans portefeuille . . . . Armand Maltais

Ministère Johnson

16 juin 1966 - 26 septembre 1968

Premier ministre,
Président du Conseil exécutif,
Ministre des Affaires fédérales-provinciales,
Ministre des Richesses naturelles . . . . Daniel Johnson
Vice-Premier ministre,
Ministre de la Justice,
Ministre de l'Éducation . . . . Jean-Jacques Bertrand

Ministre des Finances,
Ministre des Affaires municipales . . . . Paul Dozois

Ministre du Travail,
Ministre de l'Industrie et du commerce,
Leader du gouvernement à l'Assemblée législative . . . . Maurice Bellemare

Ministre du Revenu . . . . Raymond Johnston

Ministre des Transports et communications . . . . Fernand Lizotte

Ministre des Terres et forêts . . . . Claude G. Gosselin

Ministre de la Voirie,
Ministre des Travaux publics . . . . Fernand J. Lafontaine

Secrétaire de la Province . . . . Yves Gabias

Ministre de la Santé,
Ministre de la Famille et du bien-être social . . . . Jean-Paul Cloutier

Ministre du Tourisme, de la chasse et de
la pêche . . . . Gabriel Loubier

Ministre des Affaires culturelles......................Jean-Noël Tremblay

Ministre de l'Agriculture et de la Colonisation ....Clément Vincent

Ministre d'État aux Affaires municipales ....Francis Boudreau

Ministre d'État à l'Industrie et au commerce...........Edgar Charbonneau

Ministre d'État aux Travaux publics.....................Armand Russell

Ministre d'État à la Justice ....Armand Maltais

Ministre d'État à la Voirie................................Paul Allard

Ministre d'État à la Santé................................Roch Boivin

Ministre d'État à l'Éducation ....Marcel Masse

Ministre d'État à la Famille et
  au bien-être social ....François-Eugène Mathieu

* * *

14 avril 1967:

Le ministère des Affaires fédérales-provinciales devient le ministère des Affaires intergouvernementales. M. Johnson en demeure titulaire.

31 octobre 1967:

Ministre de l'Éducation ....Jean-Guy Cardinal

Ministre des Travaux publics ....Armand Russell

Ministre de l'Industrie et du commerce................Jean-Paul Beaudry

Ministre des Affaires municipales ....Robert Lussier

Ministre des Richesses naturelles...........................Paul Allard

18 décembre 1967:

Ministre d'État délégué à la fonction publique ....Marcel Masse

21 mars 1968:

Ministre d'État délégué au Haut-commissariat de
la Jeunesse, des loisirs et des sports et responsable de l'Office franco-québécois pour la
jeunesse...Jean-Marie Morin

28 mai 1968:

Ministre des Finances,
Ministre des Institutions financières,
  compagnies et coopératives (nouveau ministère) ....Paul Dozois

Ministère Bertrand

2 octobre 1968 - 12 mai 1970

Premier ministre,
Président du Conseil exécutif,
Ministre des Affaires intergouvernementales,
Ministre de la Justice............................Jean-Jacques Bertrand

Ministre des Finances,
Ministre des Institutions financières,
   compagnies et coopératives.............................Paul Dozois

Ministre du Travail,
Leader du gouvernement à l'Assemblée.................Maurice Bellemare

Ministre du Revenu...............................Raymond Johnston

Ministre des Transports et communications ....Fernand Lizotte

Ministre des Terres et forêts.......................Claude G. Gosselin

Ministre de la Voirie ....Fernand J. Lafontaine

Secrétaire de la Province..................................Yves Gabias

Ministre de la Santé,
Ministre de la Famille et du bien-être social ....Jean-Paul Cloutier

Ministre du Tourisme, de la Chasse et de la pêche ....Gabriel Loubier

Ministre des Affaires culturelles......................Jean-Noël Tremblay

Ministre de l'Agriculture et de la
colonisation ....Clément Vincent

Ministre des Travaux publics ....Armand Russell

Ministre des Richesses naturelles...........................Paul Allard

Ministre de l'Éducation ....Jean-Guy Cardinal

Ministre de l'Industrie et du commerce.................Jean-Paul Beaudry

Ministre des Affaires municipales ....Robert Lussier

Ministre d'État aux Affaires municipales ....Francis Boudreau

Ministre d'État à l'Industrie et au
commerce ....Edgar Charbonneau

Ministre d'État à la Justice ....Armand Maltais

Ministre d'État à la Santé................................Roch Boivin

Ministre d'État délégué à la fonction
publique ....Marcel Masse

Ministre d'État à la Famille et au bien-être
social.......................................François-Eugène Mathieu

Ministre d'État délégué au Haut-Commissariat
   de la Jeunesse, des loisirs et des sports,
   et responsable de l'O.F.Q.J ....Jean-Marie Morin

*   *   *

10 octobre 1968:

Secrétaire de la Province .... Rémi Paul

Ministre des Institutions financières,
compagnies et coopératives............................. Yves Gabias

Solliciteur général .... Armand Maltais

Ministre d'État délégué à la fonction publique
et responsable de l'O.D.E.Q............................ Marcel Masse

Ministre d'État à l'Éducation......................... Jean-Marie Morin

3 décembre 1968:

Ministre des Institutions financières,
compagnies et coopératives,
Ministre de l'Immigration (nouveau ministère) .... Yves Gabias

18 décembre 1968:

Le ministère du Travail devient le ministère du Travail et de la main-d'oeuvre. M. Bellemare en demeure titulaire.

28 mars 1969:

Ministre de l'Immigration .... Mario Beaulieu

29 avril 1969:

Départ de M. Gabias.

Ministre de l'Immigration,
Ministre des Institutions financières,
compagnies et coopératives .... Mario Beaulieu

30 avril 1969:

Ministre d'État à l'Immigration,
Ministre d'État à l'Industrie et au commerce .... Edgar Charbonneau

18 juillet 1969:

Démission de M. Dozois.

20 juillet 1969:

Démission de M. Charbonneau.

23 juillet 1969:

Ministre des Affaires intergouvernementales .... Marcel Masse

Ministre de la Justice,
Secrétaire de la Province .... Rémi Paul

Ministre des Finances,
Ministre de l'Immigration .... Mario Beaulieu

Ministre des Institutions financières, compagnies et coopératives,
Solliciteur général .... Armand Maltais

23 décembre 1969:

Le ministère des Transports et communications est scindé:

Ministre des Transports ....Fernand Lizotte

Ministre des Communications ....Gérard LeBel

Ministre de la Fonction Publique (nouveau ministère).......Jean Cournoyer

Ministre d'État aux Travaux publics....................François Gagnon

1er janvier 1970:

Abolition du Secrétariat de la Province

22 janvier 1970:

Ministre d'État à la Santé,
Ministre d'État à la Famille et au bien-être
social ....Roch Boivin

Ministre d'État aux Finances...................François-Eugène Mathieu

Mars 1970:

Démission de M. Bellemare.

Ministre du Travail et de la main-d'oeuvre,
Ministre de la Fonction Publique ....Jean Cournoyer

BIBLIOGRAPHIE
SÉLECTIVE

Sur Duplessis, il existe deux bonnes biographies, la première étant plus favorable au personnage que la seconde:

RUMILLY, Robert, *Maurice Duplessis et son temps,* (2 tomes), Montréal, Fides, 1973.

BLACK, Conrad, *Duplessis,* (2 tomes), Montréal, Éditions de l'Homme, 1977.

Sur l'Union nationale, il n'existe qu'un ouvrage un peu général, qui est déjà ancien:

QUINN, Herbert F., *The Union Nationale. A study in Quebec nationalism.* Toronto, The University of Toronto Press, 1963.

Les ouvrages suivants portent sur les élections provinciales au Québec. On y trouve de nombreuses données et interprétations sur les résultats électoraux, l'organisation, le personnel politique, les plates-formes électorales, etc. de l'Union nationale:

HAMELIN, Jean, et al., «Les élections provinciales dans le Québec», *Cahiers de Géographie de Québec,* octobre 1959 - mars 1960, pp. 5-207.

CLICHE, Paul, «Les élections provinciales dans le Québec, de 1927 à 1956», *Recherches sociographiques,* Juillet — décembre 1961, pp. 343-365.

LEMIEUX, Vincent, et al., *Quatre élections provinciales au Québec: 1956 - 1966.* Québec, Presses de l'Université Laval, 1969.

LEMIEUX, Vincent, et al., *Une élection de réalignement. L'élection générale du 29 avril 1970 au Québec,* Montréal, Éditions du Jour, 1970.

LATOUCHE, Daniel, et al., *Le processus électoral au Québec: les élections provinciales de 1970 et 1973,* Montréal, Hurtubise HMH, 1976.

BERNARD, André, *Québec: élections 1976,* Montréal, Hurtubise HMH, 1976.

Sur les plates-formes électorales, on pourra lire également:

ROY, Jean-Louis, *Les programmes électoraux du Québec,* tome II, Montréal, Léméac, 1970.

Le livre de Daniel Johnson peut être inclus dans le programme politique de l'Union nationale:

JOHNSON, Daniel, *Égalité ou indépendance,* Montréal, Éditions Renaissance, 1965.

L'image de certains chefs de l'Union nationale est étudiée dans:

BENJAMIN, Jacques, *Comment on fabrique un premier ministre québécois,* Montréal, Éditions de l'Aurore, 1975.

Sur le personnel politique, on trouvera des renseignements complémentaires dans:

DESROSIERS, Richard, *Le personnel politique québécois,* Montréal, Boréal Express, 1972.

GÉLINAS, André, *Les parlementaires et l'administration au Québec,* Presses de l'Université Laval, 1969.

Le patronage de l'Union nationale est comparé à celui du Parti libéral dans le livre suivant:

LEMIEUX, Vincent et HUDON, Raymond, *Patronage et politique au Québec: 1944 - 1972,* Sillery, Boréal Express, 1975.

On pourra lire quelques pages sur les moeurs électorales de l'Union nationale dans:

HAMELIN, Jean et HAMELIN, Marcel, *Les moeurs électorales dans le Québec de 1791 à nos jours,* Montréal, Éditions du Jour, 1962.

Enfin quelques études qui portent en tout ou en partie sur l'Union nationale ont été publiées dans les deux recueils suivants:

LEMIEUX, Vincent, *Le quotient politique vrai. Le vote provincial et fédéral au Québec,* Québec, Presses de l'Université Laval, 1973.

PELLETIER, Réjean, et al., *Partis politiques au Québec,* Montréal, Hurtubise HMH, 1976.

INDEX

TABLE DES MATIÈRES

Composé aux Ateliers Sigma Plus, cet ouvrage a été achevé d'imprimer en février 1978 sur les presses de l'Action sociale pour les Éditions du Boréal Express.